Édéfia
エデフィア
断崖山脈《だんがいさんみゃく》
ロリアル湖
網膜焼《もうまくや》き

OKSA POLLOCK

オクサ・ポロック

5 反逆者《フェロン》の君臨

アンヌ・プリショタ
サンドリーヌ・ヴォルフ
訳 児玉 しおり

西村書店

いつものように、ゾエのために。

OKSA POLLOCK, tome 5, Le Règne des félons
Anne Plichota
Cendrine Wolf

オクサ・ポロック 5 反逆者《フェロン》の君臨　目次

OKSA POLLOCK 5

OKSA POLLOCK 5

ポロック家の家系図

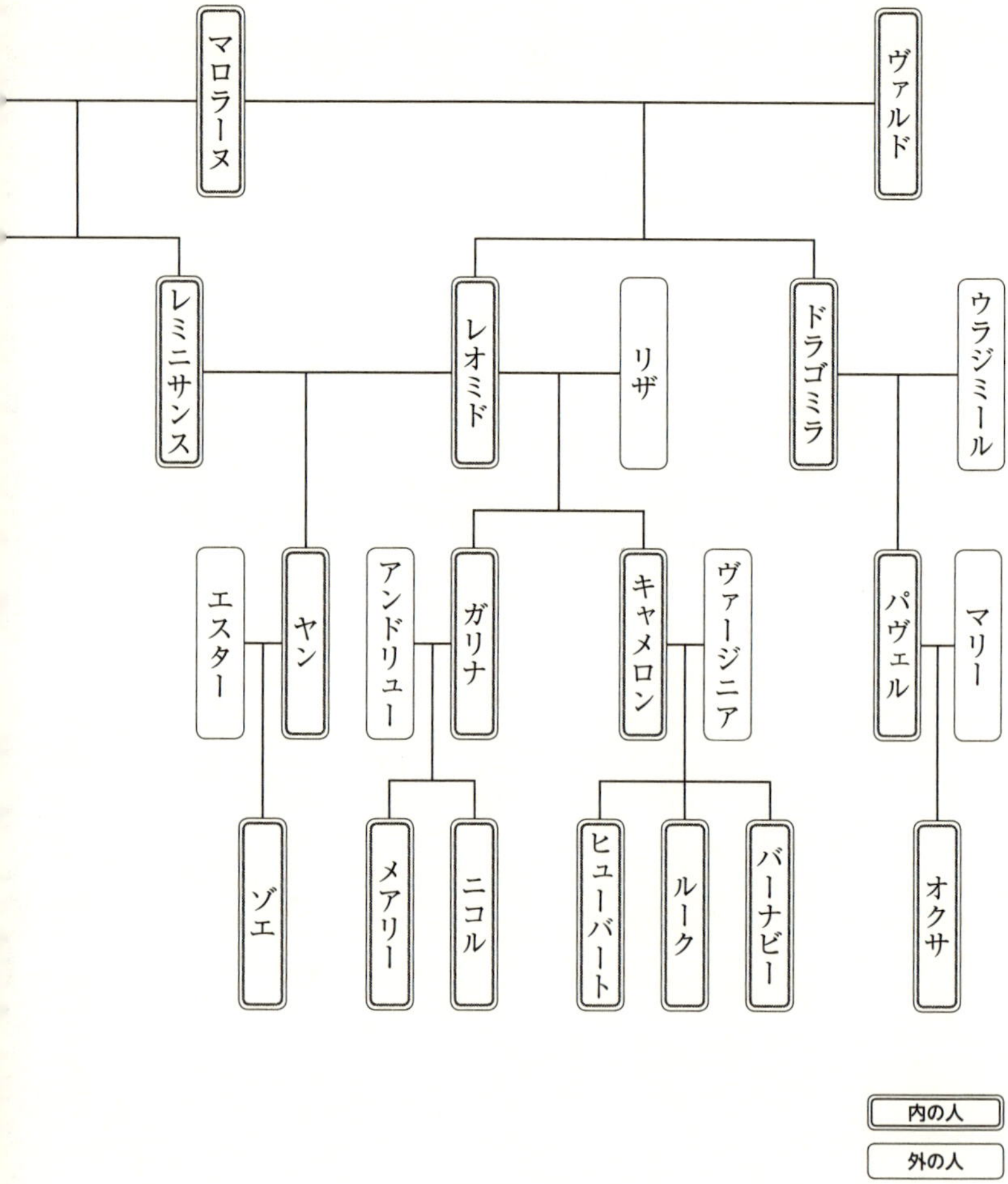
マロラーヌ
ヴァルド
レミニサンス
レオミド
リザ
ドラゴミラ
ウラジミール
エスター
ヤン
アンドリュー
ガリナ
キャメロン
ヴァージニア
パヴェル
マリー
ゾエ
メアリー
ニコル
ヒューバート
ルーク
バーナビー
オクサ
内の人
外の人

クヌット家の家系図

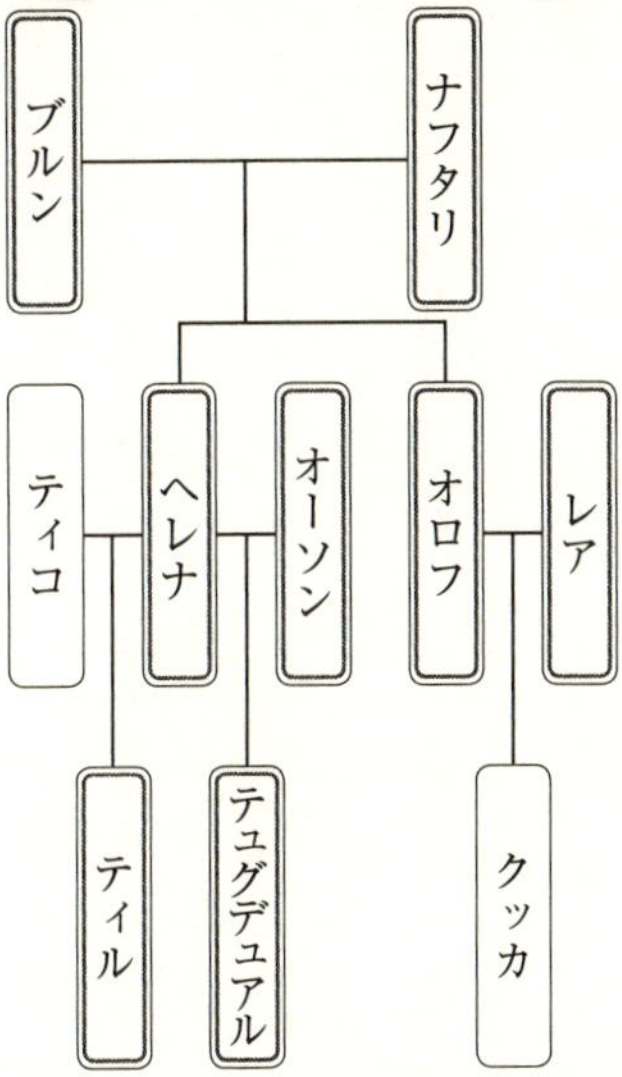

ベランジェ家の家系図

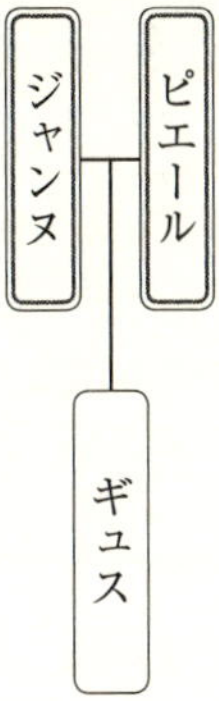

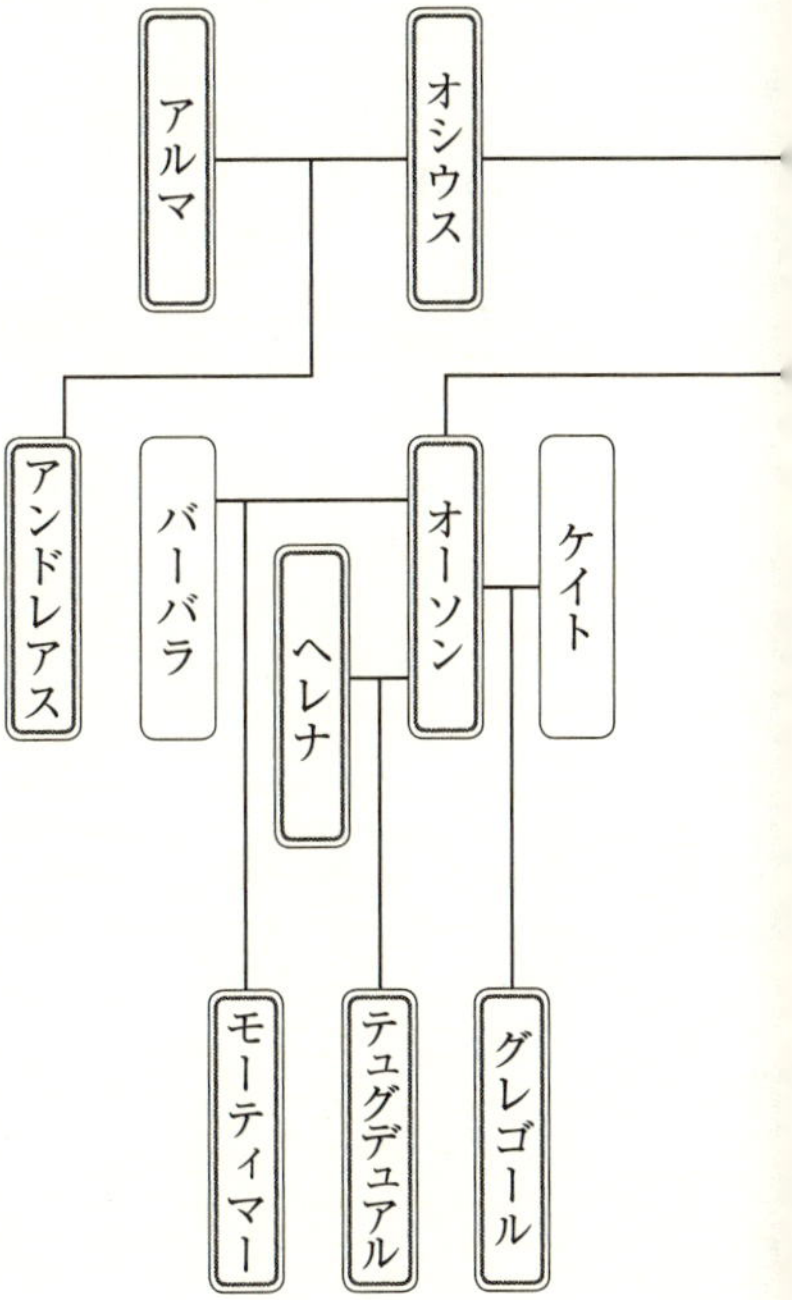

前巻までのあらすじ

ロンドンのフランス人学校に通うオクサ・ポロックは十三歳《さい》を目前にして、自分が地球のパラレルワールド「エデフィア」の次の君主「グラシューズ」であり、不思議な力を持つことを知った。オクサの家族をふくむ〈逃げおおせた人〉――エデフィアのカオスから逃《のが》れてきた人たち――が長年待ち望んでいた故郷への帰還《きかん》を可能にする「希望の星」、それがオクサだった。

オクサはふつうの中学生としての生活を続けながら、祖母ドラゴミラ、ドラゴミラの後見人アバクム、父パヴェル、そして〈外の人〉（＝ふつうの人）である親友のギュスたちに助けられて超《ちょう》能力にみがきをかける。ほどなく、中学校の担任で数学教師のオーソン――オクサを捕《つか》まえてエデフィアにもどる野望を持つ反逆者《フェロン》（＝〈逃げおおせた人〉の宿敵）――との対決の時がやってきた。

オーソンに殺されそうになった祖母の救出、彼のせいで〈絵画内幽閉《ゆうへい》〉されたギュスを救うために入った恐ろしい絵の中での危険な冒険《ぼうけん》……試練は次々とふりかかってきた。しかも、そのころ地球は地震《じしん》、火山の噴火《ふんか》、豪雨《ごうう》などの天変地異に見舞《みま》われていた。グラシューズとなるべきオクサは、〈内界〉（＝エデフィア）と〈外界〉（＝エデフィアの外のふつうの世界）という二つの世界の均衡《きんこう》を取りもどして、滅亡《めつぼう》から救う使命を果たさなければならない。一方で、オクサは〈逃げおおせた人〉の一員であるテュグデュアルに惹《ひ》かれていった。幼なじみのギュスと謎めいた魅力《みりょく》のあるテュグデュアルの間でオクサの心は揺《ゆ》れる。

いよいよ帰還の時がきた。オクサと〈逃げおおせた人〉は反逆者《フェロン》とともに、ゴビ砂漠に出現した門を通ってエデフィアに入った。しかし、ギュスや母マリーら〈外の人〉はエデフィアに入ることができず、ドラゴミラは命を落としてしまう。オーソンの父で反逆者《フェロン》の首領オシウスに監禁《かんきん》されるつらい日々のなか、オクサは正式にグラシューズとなり、病んだ二つの世界の中心をマッサージして、失われた均衡を取りもどすことに成功する。その後、〈緑マント〉地方に身を隠したオクサを血眼《ちまなこ》になって探す反逆者《フェロン》は、容赦《ようしゃ》ない掃討《そうとう》作戦をしかけてきたが、新グラシューズに味方する国民が思わぬ抵抗《ていこう》を示し、反逆者《フェロン》たちを退却《たいきゃく》させた。オクサたちは不思議な防護膜《まく》に守られた首都〈千の目〉に凱旋《がいせん》し、長年の異常気象に疲弊《ひへい》した都の再建に国民とともに着手する。

ある日オクサは、自分の意識だけが〈外界〉に飛んでいき、オーソンのしかけた毒のせいで母親とギュスの容態が悪化していることを知った。解毒剤を求めて反逆者《フェロン》の砦《とりで》に潜入《せんにゅう》したオクサは、オーソンが長年の恨《うら》みを爆発させて父オシウスを殺害する場面に遭遇《そうぐう》する。〈エデフィアの門〉がまもなく開くことを察知したオーソンと反逆者《フェロン》の軍が一斉攻撃《いっせいこうげき》をしかけてきた。熾烈《しれつ》な戦いで両者に多くの犠牲《ぎせい》者を出しながらも、オーソンはオクサの父のいとこキャメロンによって仕留められ、グラシューズ側が勝利を収めた。しかし、〈外界〉にもどってきたオクサたちは、オーソンがキャメロンに化けていたこと、そして、テュグデュアルが実はオーソンの息子だったことを知る。オーソンにあやつられたテュグデュアルは、打ちのめされたオクサと仲間を残し、父親とともにロンドンの街に消えていった——。

第一巻『希望の星』／第二巻『迷い人の森』／第三巻『二つの世界の中心』／第四巻『呪《のろ》われた絆《きずな》』

主な登場人物

オクサ　オクサ・ポロック。17歳《さい》。この物語の主人公。エデフィアの新グラシューズ。

ギュス　ギュスターヴ・ベランジェ。オクサの幼なじみで親友。エキゾチックなユーラシアン。

テュグデュアル　テュグデュアル・クヌット。ミュルムの血を引くかげりのある少年。実はオーソンの息子。

ドラゴミラ　オクサの父方の祖母。通称《つうしょう》「バーバ」。エデフィアの門で命を落とし不老妖精になる。

パヴェル　オクサの父親。背中に「闇《やみ》のドラゴン」を宿す。

マリー　オクサの母親。反逆者《フェロン》の陰謀《いんぼう》によって、車椅子《くるまいす》生活となる。

オーソン　オーソン・マックグロー。恐《おそ》るべき反逆者《フェロン》の首領《しゅりょう》。

ゾエ　オーソンの双子《ふたご》の妹レミニサンスの孫娘《まごむすめ》。オクサの親友であり、またいとこ。

モーティマー　オーソンの息子だが、〈逃げおおせた人〉たちの仲間になる。

アバクム　ドラゴミラの後見人で、いまは新グラシューズを見守る。通称「妖精人間」。

クッカ　魅力的なテュグデュアルのいとこ。オクサを目の敵にする。

オクサ・ポロック

5

反逆者《フェロン》の君臨

Message

プロローグ

セント・ポール大聖堂のドームにとつぜん舞い降りてきた三人の男のために、鳩たちがばさばさと羽音を立てて場所を譲《ゆず》った。やがて鳩たちは眠《ねむ》ったように静かな真夜中のロンドンの空に消えていった。

「お父さん、成功しましたね」しばらくしてから、三人のうちの一人が言った。

「予想以上にな」いちばん年かさの男がうなずいた。

その男は誇《ほこ》らしげに顔をあげ、いきなりロケットのように飛び立って綿のように濃《こ》い霧《きり》のなかに突っこんだ。そしてテムズ川に沿って進み、ウェストミンスター宮殿《きゅうでん》とバッキンガム宮殿の上空を飛び、二人の若い男が待つセント・ポール大聖堂のてっぺんにもどってきた。男は空に向かって両腕《うで》を上げて体を伸ばしてから、こう言った。

「思いがけない帰還《きかん》だな？」

「お父さんのすることにまちがいはありませんよ」

「もちろんだ、グレゴール」

「おれたちが噴水《ふんすい》から出てきたときの、あのオクサ・ポロックや理想主義者の〈逃げおおせた人〉の顔といったら……おれは一生忘れないだろうな」と、グレゴールが続けた。

オーソンはそれに応じるようにせせら笑った。

「お父さんはいつもうまい登場のしかたをしますよね」

オーソンは満足そうにうなずき、ずっと黙《だま》ったままのもう一人の若い男のほうを向いた。

「テュグデュアル、おまえはどうだ？〈外界〉にもどれてうれしくないのか？」

テュグデュアルは大聖堂の足元に広がる巨大な都市にぼんやりと目を向けながらつぶやいた。

「ええ、とてもうれしいです」

「それに、おまえには新しい家族ができたんだぞ。おまえのありのままの姿を受け入れ、常におまえを信じてくれる本物の家族がな」

こめかみの血管がぴくぴくしているのをのぞけば、テュグデュアルは無表情のままだった。オーソンはテュグデュアルの肩《かた》に手を置き、自分のほうを向かせた。それから、しばらくじっと見つめて、無理やり抱《だ》きしめた。

「モーティマーはあっちの側について、あっさりとわたしを裏切った」オーソンはテュグデュアルの耳元でささやいた。「だが、息子を一人失った代わりに、もっと価値のあるもう一人の息子を迎えることができた。わたしの側に来てくれたおまえを歓迎するよ。これでやっと、おまえも本来あるべき姿にもどれるわけだ」

テュグデュアルのまぶたが下がり、呼吸が弱くなった。一瞬、まるで死んでいるかのように見えた。それから、目をあけてこう言った。

「はい、お父さん」

1　〈締《し》め出《だ》された人〉との再会

世界中をおそった大規模な自然災害のせいで、ロンドン市民は停電に慣れっこになっていた。しかし、オクサと〈逃げおおせた人〉たちがこんなに暗いロンドンの街を見たのは初めてだった。あまりに暗いので、パヴェル・ポロックはオクサのガナリこぼしに、この底なし井戸のような闇夜《やみよ》の案内をたのんだ。

底なし井戸……それは、〈外界〉にもどってからオクサがずっと感じているイメージそのままだ。愛するテュグデュアルがとつぜん、自分たちから離れていくのを見て心が麻痺《まひ》してしまったのだろうか。父親を目で追いながら、オクサは何も考えずに飛び続けた。そして父親が公園の周辺にある住宅街へ降りていくのを見て初めて、何ヵ月も前から再びもどることを待ち望んでいた場所に到着したことに気づいた。

〈逃げおおせた人〉たちはやっとビッグトウ広場に帰ってきたのだ！　残念ながら全員ではないけれど。グラシューズの血を引く人たちとアバクムだけが〈エデフィアの門〉を通ることができたから、ここに帰ってこられたのは十一人だけだ。エデフィアを出たときは十二人だったが、まぎれこんでいたオーソンにひそかについてきた二人がいたので、着いたときは全部で十四人だった。

てっきり死んだと思いこんでいたオーソンが――彼以外にそんなことをする人がいるだろうか？――〈逃げおおせた人〉のあとに続いて、トラファルガー広場の噴水《ふんすい》から出てきたことは悪夢以外のなにものでもない。変身は完璧《かんぺき》だった。オクサたちの仲間、キャメロンの姿をしたオーソンにみんながだまされた。しかしながら、オーソンが宿敵のために用意したサプライズはそれだけではなかった……。

　これまで、オーソンの息子はグレゴールとモーティマーだけだと思われていた。モーティマーは〈逃げおおせた人〉に受け入れてもらうことに成功した。疑う人もいたけれど、グラシューズ・オクサとポンピニャック第一公僕《こうぼく》のアバクムは、モーティマーが真摯《しんし》な気持ちでいることをみんなに請《う》け合《あ》った。みんなが知らなかったのは、オーソンに第三の息子がいたことだ。十七年前に下劣《げれつ》な策略から生まれた息子が。

　テュグデュアルは彼の息子だったのだ……。

　テュグデュアルはやむを得ずオーソンについていったと、オクサのフォルダンゴは言っていたが、それでオクサの心の痛みが和らぐわけではない。テュグデュアルは〈逃げおおせた人〉たちから離れて実の父親のもとに去った。オクサや仲間たちの心をずたずたに切《き》り裂《さ》いて……。

「ああ、来たわ！」ゾエが叫《さけ》んだ。大きな影が信じられないスピードでこちらに近づいてくる。浮遊《ふゆう》術を使えないアバクムが、ゆったりとしたコートのなかにフォルダンゴを隠して暗い道をビッグトウ広場まで走ってきたのだ。広場の真ん中でみんなと合流し、気持ちの高ぶったようなまなざしを仲間に――とくにこわばった顔のオクサに――向けた。

「説明と休養がもう少しあとになってグラシューズ様のお心に出会うでしょう」フォルダンゴは大きな目で主人をじっと見つめながらささやいた。「いまは〈締め出された人〉との再会の時が来ましたので、喜びと安心が氾濫《はんらん》に出会います。そのことに同意されますか?」

オクサは体を震《ふる》わせてうなずいた。涙がいまにもこぼれ落ちそうだ。フォルダンゴの判断はいつだって健全だし賢明《けんめい》だとしみじみ思わずにはいられなかった。

「行こうか……」

パヴェルはそうつぶやきながら、娘の肩《かた》を抱《だ》いてポロック家のほうに進んだ。何ヵ月も離れていたので、その家が現実のものでないような気がする。オクサは自分の家が記憶より小さいような気がした。圧倒《あっとう》するような暗闇のせいかもしれない。似たような家が建ち並んでいるため、見分けはつきにくいが、窓際にあるろうそくの明かりでわかった。オクサの部屋の窓だ。弱々しく揺《ゆ》れる炎《ほのお》ではあっても、〈逃げおおせた人〉たちにとっては灯台の明かりのように思えた。〈締め出された人〉たちが毎日、毎晩、彼らを待ってくれていた証だ。


ロンドンをおそった激しい嵐のせいでひん曲がった鉄の柵《さく》は、パヴェルが押すとぎしぎしと音を立てた。すると、最上階の窓があき、押し殺した叫び声が聞こえた。

「そんな、バカな!」

しばらくすると、いくつかの窓に明かりがともり、動き回る人影が見えた。それから、いくつもの錠前《じょうまえ》の開く音がして玄関のドアがあき、そこに住む人の姿があらわれた。

〈締め出された人〉も〈逃げおおせた人〉も驚きのあまり身動きがとれないでいた。まるで玄関の階段が越《こ》えてはいけない国境のように立ちはだかり、夢ではないかと恐ろしくてだれも一歩を踏み出せずにいた。一瞬のうちにすべてが消え去ってしまうのではないかと恐れていたのだ。

しかし、だれも夢を見ていたのではなかった。

最初に玄関の階段を上がって母親バーバラの胸に跳《と》びこんだのはモーティマーだった。それから、ガリナと二人の娘がアンドリューのもとに駆け寄った。彼女たちのあふれる喜びにもみくちゃにされ、アンドリューの姿は見えなくなった。それから、アキナとヴァージニアが姿を見せた。仲間と再会できた喜びと、会いたくてたまらなかった人たち――エディフィアに残った子どもや夫たち――がいない失望に胸を引き裂かれながら、二人は〈逃げおおせた人〉たちを抱きしめて泣きくずれた。

「ここに長くいるのはまずい」アンドリューは周りを見回しながら注意した。「さあ、早く入って！」

玄関の階段の一段目に足をかけたときから、オクサは母親のマリーと大切な友人のギュスを急いで目で探した。しかし、二人の姿は見えない。不吉《ふきつ》な思いにかられてパニックに陥《おちい》りそうになったが、玄関ホールに入ってからやっと、自分の部屋だったところ――階段をあがってすぐの部屋――からギュスが出てくるのを見て、オクサはひっくり返りそうになった。

髪を耳にかけ、硬い顔つきをしたギュスは前に見たときとまた変わっていた。最後にギュスを見たのは、〈締め出された人〉が避難《ひなん》しているポロック家に〈もう一人の自分〉がオクサを連れてきてくれたときだ。そのとき、ギュスとマリーは何が起きたかよくわからないながらも、そこにオクサがいることを感じとれたのだ。オクサのほうは、その不思議な触れ合いに心が満たされた。実際には触れることができないので、欲求不満は残ったけれども。

いま、ギュスが実際に目の前にいる。こんなに変わってしまったなんて、いったいどれだけ時間がたったのだろう？　広場の木々の葉が秋の色をしていることと夜の涼しさからすると、最後にここに来たときからせいぜい数週間しかたっていないはずなのに。

「オクサ？　おまえか？」

ギュスはまるで幽霊でも見たかのようにはっとなった。

それから、玄関ホールで抱き合っている人たちを見て、顔をくもらせた。彼の両親はそのなかにはいないのだ。ひきつった顔つきをしたギュスは階段を下りてオクサのところまでやってきた。そして、顔から体のすみずみまでマリンブルーの目でじっと観察した。その目つきにオクサはあわてた。自分もすごく変わっているのだろうか？　ギュスの目つきからすると、きっとそうなんだ。

「ウソみたいだ……」ギュスはほっとしたように口を手でふさいだ。「帰ってきたんだ……本当に帰ってくる気があるなんて思わなかった」

ギュスのあまりの言い方にのどが詰まって、オクサはどなることもできなかった。嘎順諾爾《ガシュン・ノール》のほとりでギュスと母親と離れ離れになった瞬間から、必ずここにもどってくるんだという固い意志が揺らいだことはない。そのことをギュスはわかってくれていないようだ。単なる選択肢《せんたくし》のひとつではなかった。苦しんでいたのは自分だけだとギュスは思っているのだろうか？　オクサがギュスに投げた視線は反感と失望に満ち、恨《うら》みがましさが浮かんでいた。しかし、ギュスのそういうポーズの裏に隠されているものを、オクサはよく知っていた。そう考えると、少し機嫌が悪くていらいらしてはいるが、ギュスは前のままのようにも見える。彼の顔つきも最初は厳しかったが、少しずつ和らぎ、以前の思いやりのあるやさしさを取りもどしている。再会の喜びでいっぱいになったオクサはぎこちない笑みを浮かべ、ギュスを抱きしめようと近づいた。あるいは、少なくともギュスに会えてどんなにうれしいかを示そうと思った。

そのとき、彼女が心の底でいちばん恐れていたものが見えた。

心臓が止まり、全身の血が凍りついた。

クッカが階段の上からあらわれたのだ。

氷のように冷たいクッカ。不恰好なパジャマを着ていても美人で、たとえ起きぬけでも輝いている氷の女王。しかも、最悪なことに、ギュスが使っているオクサの部屋から出てきたのだ。

2　絶望のふち

「わたしの両親はどこ？」クッカは階段の上から高慢《こうまん》な物言いでたずねた。

「だいじょうぶ、二人とも元気だよ」

アバクムがそっちに行くよという合図をしながら答えた。

「どこにいるの？」クッカは震《ふる》えながら同じ問いを繰《く》り返《かえ》した。

声が甲高《かんだか》くなっている。手すりにつかまって階段を下りる足元がふらふらしていた。

「ギュス」と呼びかけて目で探した。

ギュスはふり向いた。

「ぼくの親もいないんだ」ギュスの声も震えている。

「きみたちの両親は門を通れなかったんだ」アバクムは二人の肩《かた》に手を置いて言った。「でも、彼らは元気だし、だいじょうぶだよ。本当だ」

「だいじょうぶですって?」クッカはいまにもキレそうだ。「ぜんぜんだいじょうぶじゃないと思うけど!」

「クッカ……たのむよ……」ギュスがうめいた。

オクサの思いこみだろうか？　それとも実際にギュスの言い方が少しいらいらしていたのだろうか?

クッカはオクサの目の前に来た。だが、取り乱しているためにオクサのことは目に入っていないようだ。オクサは思わず同情しそうになった。奈落の底に突き落とされるような感覚はオクサも経験したことがある。けれど、クッカがギュスに抱《だ》きついて首に腕《うで》を巻きつけたとき、その同情心は吹き飛んだ。髪をくくっていたひもがほどけ、絹のような長い髪が乱れて肩に広がり、ギュスの肩にかかっている。もしオクサに選択肢《せんたくし》があったら、その光景を目の前で見せつけられるよりは、胃にげんこつを食らうほうを選んだだろう。

マグニチュード百レベルの感情の大揺《ゆ》れに、どうして一晩に二回も耐えられるだろうか?

せっかく奇跡的に再会できたのに。絶望に陥《おちい》らないためにはどうすればいいんだろうか?

すべてをぶちこわした女を死ぬほどひっかいてやりたいときに、どうやってプライドを保てばいいんだろう？　残念ながら、オクサの爪《つめ》は全部かんで短くなっているので、だれも殺すことなんかできない。そのうえ、オクサの自尊心は強い。会った瞬間から敵になった女から受けたダメージを、人目にさらすこともできないのだ。

「どうして？　どうしてうちの親はここにいないの？」クッカはギュスに抱きついたまま、涙声でたずねた。

「二人とも元気だって、アバクムがいま言ったばかりじゃないか。それがいちばん大事なことだろ？」ギュスはクッカをふりほどきながら言った。「二人が死んだって言ってくれたほうがよかったのか？」

オクサはふらついた。自分がいま考えていることや、そういう考えが頭に浮かんだ順番にがくぜんとしたのだ。オクサはいま、ギュスがほかの女の子を抱きしめていることに気分が悪くなっている。ここまで来るのにいくつもの危険を冒《おか》したし、何ヵ月も会えなくてものすごく恋しかった母親にもまだ会っていないというのに……。

「ママ……」オクサはうつろな声でつぶやいた。

マリー・ポロックはいない。

クッカやギュスの両親、キャメロン、テュグデュアルたちと同じように、彼女はいない。だれもひと言も言わない。すきま風が入ってきて、どこかのドアがバタンと音を立てた。外の風が強くなってきた。オクサの心のなかで、張りつめていたものがひとつひとつくずれていった。青白い顔をして体をこわばらせたオクサは、いまにもこなごなになりそうな大理石の像のようだ。〈外界〉への帰還《きかん》は完全な失敗だ。これ以上に悪いことがあるだろうか？　悪夢からオクサを現実に引きもどすかのように雷《かみなり》がとどろいた。まるで、自分がいる場所にいま気づいたかのように、オクサは頭をふり、目を大きく見開いた。安心するどころか、胸につかえていた嗚咽《おえつ》がこみ上げ、毒が全身に広がるような気がした。

「ママはどこ?」オクサはあえぎながらたずねた。

クッカがばかにしたようなため声をもらし、こぶしを握《にぎ》ってくるりとふり返った。

「オクサ! ここよ!」

そのいとしい声を聞くと、オクサは叫《さけ》び出したいのをこらえてサロンに跳《と》んでいった。パヴェルもすぐあとに続いた。


耐えがたいものを目にしながら、恐怖を表に出さないということは、最も難しい試練のひとつにちがいない。オクサはまだ若いというのに、ひどい出来事に何度も耐えてきた。目の前で大好きな祖母ドラゴミラが消えたこと、またいとこのゾエの恋愛感情が半透明族《とうめいフェロン》に吸い取られたこと、オーソンがオシウスとヘレナ・クヌットを殺したこと、テュグデュアルが反逆者の側についていってしまったこと……しかし、こんな状態の母親と再会することはオクサの忍耐《にんたい》の限界をはるかに超えていた。

目の奥に浮かぶなんともいえない優しさや、疲労を感じさせないいつものやわらかい声は別として、マリー・ポロックには以前の面影《おもかげ》がまったくなかった。彼女が声を出さなかったら、別人だと思っただろう。いっそのこと、別の人だったらよかったのに……。

死の床《とこ》に横たわる老女。マリーを見たとき、最初にオクサの頭に浮かんだのはその言葉だ。骨に青白い皮膚《ひふ》が張りついている。ほお骨や指の骨、あばら骨の上の皮膚があまりに張っていて、動けば破れそうだ。以前はつやつやしていた髪は、灰色でざらざらした、ほつれたひもの束のようだ。

オクサに向かって腕を伸ばすだけでも超人的《ちょうじん》な努力が必要なのだろう。その拍子《ひょうし》にひじの内側のしわに刺《さ》しこまれた点滴《てんてき》の針がかよわい皮膚を引っぱり、マリーの顔が苦痛でゆがんだ。だが、何ものもその衝動《しょうどう》を止めることはできない。バーバラ・マックグローが駆けよって枕をあてて背中を支える前に、マリーはなんとか自力で体を起こそうとした。

パヴェルとオクサは恐ろしさに身動きもできず、じっとマリーを見つめていた。

「あら、そんなに怖《こわ》がらせてしまったかしら？」マリーは息を切らしながら言った。

母親とオクサを隔《へだ》てているわずか数歩の距離にはいろんな感情が渦《うず》巻いていた。マリーの生き生きとした強いまなざしを受けながらも、死の床に横たわる病んだ体のことを考えずにはいられない。しかし、いったん母親の胸に顔を押しつけると、オクサは浮き出た骨や薬の臭《にお》いや黒っぽい隈《くま》のことは忘れてしまった。

悲しみに打ちひしがれたパヴェルもすぐに駆け寄った。

「もうそろそろ帰ってくるころだと思ってたわ」マリーがつぶやいた。

その言葉を聞いて、オクサははっと顔を上げたが、動揺《どうよう》を悟《さと》られないようにした。これは母親の最期の瞬間なのだろうか？　自分たちは間に合ったということなのだろうか……母親の臨終《りんじゅう》につき添うのに？　この恐ろしい考えに呼応するように、マリーが目を閉じた。

「マリー、だめだ！」パヴェルは横にぐらりと傾いた妻の頭を両手ではさんでうめいた。「いっちゃいけない！　帰ってきたのに……」

パヴェルは絶望のあまり、ぎゅっと妻を抱きしめた。オクサもつらそうに身をよじっている。

「ママに薬をあげなくちゃ……アバクムおじさん、早く、ママを助けて！」と、オクサは叫んだ。

ベッドのそばにやって来たアバクムは心配顔でマリーをじっと観察し、ぶるっと身震いした。それから、オクサにトシャリーヌの小瓶《こびん》を出してくれるようたのんだ。オクサは大事にしまっていた小瓶をポシェットから出してアバクムにわたした。

「しっかりして、ママ！」アバクムが点滴の器具をはずしているあいだ、オクサは母親を励ました。「トシャリーヌだよ。これで元気になれるよ！」

「見つかったの？」マリーがかすれた声でつぶやいた。

「モーティマーが見つけてくれたんだ」オクサはつい、いつものように無邪気《むじゃき》にしゃべった。

急にマリーの目の奥に不安な色が浮かんだのがわかった。マリーが手をふりあげたので、点滴の針がはずれた。血がシーツに落ち、マリーの頭は枕に沈《しず》んだ。

「だめよ、アバクム……」

「だいじょうぶ、モーティマーは仲間なんだ！」パヴェルが急いで言った。

「モーティマーはすごい危険を冒して〈近づけない土地〉にトシャリーヌを採りに行ってくれたんだよ」オクサは自分自身に腹を立てながら急いでつけ加えた。

どうして黙《だま》っていることができないんだろう？　オーソンの命令で仕方なくゾエがプレゼントした毒入り石鹸で、母親はこんな状態になっているというのに。オーソンが息子を使ってまた陰謀《いんぼう》をたくらんでいるかもしれないと怖がるのは当然のことじゃないか……。

「わたしが自分でこの薬を作ったんだ。ぜったいに安全なのは保証するよ」と、アバクムが言った。

その言葉にもかかわらず、マリーは薬を注入されることを拒《こば》み、横を向いた。それから急に体がぐったりとした。どんよりとした目は半開きになった。

「ママが死んじゃう！」オクサはうなり声をあげた。「はやく、アバクムおじさん！」

「パヴェル、手伝ってくれ！」

二人は手早く点滴の準備をした。アバクムがトシャリーヌから作った薬を点滴バッグの中に入れると、点滴液と混じって泡が立ち、煙があがった。鼻につんとくる赤い気体が渦を巻いて立ちのぼり、袋の外にもれ出た。三人はのどがいがらっぽくなるのを感じ、息を詰めて見つめ合った。

アバクムはマリーの腕をとって、はずれていた点滴の針を刺した。血のように赤い液体が点滴バッグから透明なチューブを伝ってマリーの体に入っていく。マリーの両目はゆっくり閉じられ、体から力が抜けた。これが永久の休息になるのではないかと三人は恐れた。

3　やっとそろった！

だれもが最悪の事態を案じていた。重苦しい沈黙《ちんもく》のなか、〈締《し》め出《だ》された人〉と〈逃げおおせた人〉は、マリーの容態を見守ることしかできなかった。再会を喜び、聞きたいことも言いたいことも山ほどあったが、それは後回しにして、ひたすらじっと待つしかない。

ただフォルダンゴだけが口を開いた。

「若いグラシューズ様のお母様は回復の道を歩んでいらっしゃいます」フォルダンゴはやや甲高《かんだか》い声で告げた。「ご友人の方々は不安を精神の外に引きずり出し、生活の再開を行わなければなりません」

オクサはほっと息をつき、部屋のすみで木の椅子に背中を丸めて座るギュスのほうに目を向けた。青白い顔をし、疲れ果てた目をしている。その目つきは、ギュスがたった一人で苦しんでいることを何よりも物語っていた。周りにいる人たちは彼のために何もしてあげられないのだ。

オクサはギュスの様子を深刻そうに見つめていたが、だんだん心配になってきた。ギュスをじっと見つめるオクサに気づいたクッカがギュスに近づき、ギュスの肩《かた》に自分の頭をのせ、手をとって指先にキスをした。ギュスはされるがままだったが、オクサと目が合うと急に体を起こした。

「どうしたんだよ?」体を起こしたはずみでクッカの体がギュスから離れた。

「まるでゾンビを見たみたいな顔じゃないか。ぼくの顔色はそんなに悪い?」

「ギュス……」オクサは口ごもった。

「言っとくけど、彼はすっごく具合が悪いのよ」と、クッカが口をはさんだ。

「まあ、ありがとう、クッカ!」オクサはつんとして言い返した。「あたしがどうしても〈外界〉に帰ってきたかった理由を忘れるところだったわ。思い出させてくれてよかった!」

クッカの美しい顔がむくれた。オクサはギュスの顔がゆがむのを見て、下くちびるをかんだ。痛みがひどいのだ。オクサは自分のことを恥ずかしく思いながら、時間がたつにつれてギュスの苦しみがひどくなっていることに気づいた。

「どうせ死ぬんだ。だれにもどうすることもできやしない」

〈もう一人の自分〉がビッグトウ広場の家に連れてきてくれたときに聞いた言葉が、オクサの頭のなかで反響《はんきょう》した。〈外界〉にもどってきてからというもの、〈逃げおおせた人〉たちはマリーばかりを心配していた。そろそろギュスの世話をしてあげる番だ！

オクサはマリーが休んでいるベッドのそばに座るアバクムに、目くばせした。アバクムがうなずいた。

「ご……ごめんね、ギュス」オクサは急いでギュスのそばに行った。

「別にいいよ……人生最高の時期に死ぬんだって自慢《じまん》できるしな。それって、だれにでもできることじゃないだろ？」

オクサが叫《さけ》び声《ごえ》をあげたので、ギュスはびくっとした。

「ぜんぜん、ちがうんだってば！」

オクサは肩からななめにかけたポシェットに手を突っこんだ。手が震《ふる》え、ポシェットに千個くらい物が入っているような気がした。やっと、オクサはメタリックなふたをした不透明《とうめい》なガラス瓶《びん》を取り出した。ギュスは目を見張った。

「まさか、それが……」

「そうよ！」

「ミュルムの秘薬……」ギュスはあえぐようにつぶやいた。

ギュスの体からへなへなと力が抜けた。ただし、今度は安堵のためだ。

「でも、どうやったんだ？」

「あとで話してあげるよ！」オクサがさえぎった。「いまいちばん大事なのは、この秘薬を飲むことだよ」

ギュスは用心深くオクサを見上げた。

「これのおかげで、おまえはごう慢でまぶしいぐらいに元気なのか？」

オクサはうなずいて、封をはがし始めた。

「せめて、おいしいといいけどな……」ギュスはわざとふざけてつぶやいた。

「ちょっと、そんなこと思ってるんだとしたら、すごくがっかりするよ」オクサは笑いをこらえて言った。「むかむかするほどまずいよ！」

それに何か言い返そうとしたとき、ギュスはとつぜん激しいけいれんにおそわれた。体を苦しそうに折り曲げながらぶつぶつ言った。

「どっちにしても、これがぼくを殺すか、あのいやな骸骨《がいこつ》コウモリの毒がぼくを殺すか、どっちかだな……」

オクサは答えるかわりに封を切った瓶を差し出した。吐《は》き気《け》のする臭《にお》いがしてきた。

「うえーっ！」最初のひと口でギュスはうめき声をあげた。

「全部飲んでよ、おねがいだから！」オクサは人差し指をギュスに突きつけて言った。「この瓶を手に入れるために命を落とすところだったんだから、一滴だってむだにしないでよ！」

「命を落とすところだったのか？」

「うん……まあね、ちょっとだけね……」

ギュスはぽかんと口をあけた。

「命を落とすところだったって？　ぼくのために？」

「何度も同じこと言わなくてもいいよ。それより、飲んでよ。もちろん、生きていたくないんなら話はべつだけどさ……」

　オクサをじっと見つめたまま、ギュスは言われたとおりにした。瓶がからになると、ギュスの体は急にぐったりとした。オクサはあわててギュスを支えた。

「副作用があるかどうか、聞くの忘れてたよ」と、ギュスはつぶやいた。

「少なくとも四十くらいはあるよ……まずはすごく眠くなるの。さあ、部屋に連れてってあげる」

　クッカがギュスの片腕をつかんだ。

「いいわよ、一人でできると思うから」と、オクサがきっぱりと言った。

　ギュスの具合がこれほど悪くなかったら、オクサのまごついた口調や赤らんだほおに気づかれたかもしれない。帰還《きかん》以来――何ヵ月ぶりか――初めて体が触れ合ったことに、オクサは想像以上に混乱していた。こんな緊急《きんきゅう》事態にもかかわらず。そんなことにうろたえている場合ではないのに。やらなきゃいけないことはほかにあるんだから！　オクサは頭をふって雑念を追いはらい、「ギュスは生き延びる。ギュスは生き延びる！　それがいちばん大事なことよ！」と、心の中で繰《く》り返《かえ》し叫んだ。


　ギュスはとても立ってはいられない状態だった。床に敷かれたマットレスの上にギュスが横たわるのをオクサは助けた。部屋は薄暗《うすぐら》かったが、自分の大きなベッドがなくなっているのにふと気づいた。自分の部屋だった場所は完全に様変わりしていた。

「少しまともになったら、全部話してくれなきゃ承知しないぞ……」ギュスがつぶやいた。

　オクサは衝動《しょうどう》的に、ギュスの汗《あせ》にぬれた額を優しくぬぐった。

「約束する。全部話してあげるよ。でも、いまはとにかく休まないとね」

その場の熱っぽい雰囲気に引きずられて、オクサは皮膚《ひふ》の張ったギュスのほお骨にくちびるを当てた。

「そう見えないかもしれないけど、おまえにまた会えてうれしいよ……」

そう言うと、ギュスは疲れ切ったように目を閉じた。

「あたしもよ、ギュス……あたしもよ」オクサはそっとささやいてから、つま先立ちで部屋を出ていった。

4　積極的なギュス

ギュスが眠《ねむ》りにつくとすぐに、オクサはドラゴミラの秘密の工房だった屋根裏部屋に逃げこんだ。その夜は気持ちが高ぶることばかりだったので、とにかく一人になりたかった。それは、そうしたいという単なる願望以上に、本当に必要なことだった。だれにも邪魔《じゃま》されずに静かに考えないといけなかったのだ。

だが、疲れのほうがまさって、古びたソファに丸まって、オクサは眠ってしまった。壁に染みこんだ湿気《しっけ》や泥《どろ》の臭《にお》いも、ほおをこするビロードも気にせずにぐっすりと眠った。

やっと朝になった。終わりのこないかと思われた長い夜の霧《きり》が少しずつ消え、秋の光に空が明る

た。
足早に歩いている。まるで何事もなかったかのように、ふつうの生活が目の前で繰《く》り広《ひろ》げられてい
た。ごみ収集車が各家の前に止まり、近所の人たちが犬の散歩をしたり、バスをつかまえるために
ジーンズのポケットに突っこんだ。ビッグトウ広場の周囲が活気づいてきているのが天窓から見え
外の騒音《そうおん》で目の覚めたオクサはソファから起きあがった。伸びをして、髪をざっとなで、両手を
くなった。

まるで何事もなかったかのように……大きな自然災害も、緊急《きんきゅう》事態も、死者も……。
世界の終わりが近かったことはみんなが知っていた。あの大災害からだれも逃《のが》れられなかった。
それなのに、いまはみんな自分のことでいっぱいいっぱいだ。まるでロボットのように……。
オクサは座りこみ、無意識に床をなでた。ドラゴミラが敷いていた絨毯《じゅうたん》はなくなっていた。板
張りの床はざらざらとして、ささくれ立ったとげがむき出しになっている。
自分の心のように。
ふと片手を床に押しつけたオクサは顔をゆがめた。床の上に血がついた。流さなくてもいい血だ
った。体の痛みは心の痛みを消せるわけではないのに。
人間はそこまで過去を忘れることができるのだろうか？　それほど自分自身を癒《いや》す能力があるの
だろうか？
そう思いながら、オクサは怒りに近いものを感じていた。人々はみんな悲しみや恐怖を乗り越《のこ》え
る。見ていればそれはわかる。なのに、なぜ自分にはできないんだろう？　なぜ自分は苦しみに閉
じこもったままなんだろう？　ひとつの困難を乗り越えると、別の困難があらわれる。それが際限

なく続く。母親とギュスは救われたけれど、テュグデュアルはある意味で失われてしまった。

オクサは息苦しくなった。苦しみが心を突《つ》き刺《さ》す。

死にそうだ。


ギュスが屋根裏部屋に入ってきたとき、オクサはすぐには気づかなかった。ギュスが近づくたびに、浮いている床板が音を立てたので、やっと気づいたのだ。

「あっ、ギュス！　立ってないでこっちにおいでよ」

オクサは少しぐらつく椅子を差し出した。

「気分はどう？」

「こんなに気分がいいのは少なくとも一年ぶりだよ」

「ほんと？　よかった！」オクサは小さく叫《さけ》んだ。「あたし……本当にうれしい」

ギュスは口元をきゅっと結び、ゆっくりとうなずいた。ギュスはわかってくれている……。

「これで治ったと思う？」

「もちろん！　どんどんよくなるよ。保証する」

ギュスが髪を耳にかけたので、顔がよく見えるようになった。

「でも、ぼくがここにきたのは自分の輝かしい健康のことを話すためじゃないんだ」

オクサはけげんそうな顔をした。ギュスはたしかに元気になっている。大好きだったころのギュスが復活したのを見て、オクサは言葉では言いあらわせないほどほっとした。

「覚えてないみたいだけど、おまえは大事な約束をしたんだぜ」

「約束？」オクサは驚いてたずねた。

「全部話してくれるって……」

すぐ下のドラゴミラの部屋からクッカの声が聞こえ、この完璧《かんぺき》な雰囲気を台無しにした。

「ギュス、そこにいるの？」

「オクサと屋根裏部屋にいるんだ！」ギュスはクッカによく聞こえるようにふり向きながら答えた。

「下りてきたくないの？」

ギュスの眉《まゆ》がほんの少し上がったとオクサはたしかに思った。

「うん、クッカ、あとで……」

氷の女王は怒った象のように荒々《あらあら》しい足音をさせて階段を下りていった。その足音はクッカが二階に下りるまで続き、ドアがばたんと閉まるのが聞こえた。

「なんだよ？」ギュスはひざにひじをついてオクサをじっと見つめた。「どうしたんだ？」

オクサは「ストップ」というように、両手を前に出して広げた。二人きりになると必ず、完璧美人のクッカがじゃまをする。そのほかには何も言うことはない。

ギュスは何かをじっと考えているようだ。そして、急に立ち上がると、オクサの腕《うで》をつかんで階段まで引っ張っていき、玄関ホールまで連れて行った。そこにある作りつけの戸棚をあけて、大事なものを取り出した。

「あたしのローラースケート！」

オクサはそう叫ぶと、顔を輝かせてギュスをふり返った。

「またこれを見られるなんて、どんなにうれしいか想像つかないでしょ！」

「ぼくといっしょにちょっとすべったら、もっとうれしくない？」

「それって……でも、ギュス、そんなことしてる場合じゃないよ！」

「どうして？」

オクサは前日までひどい健康状態だったギュスをじっと見つめた。まずは、これが第一の理由になるだろう。

「だいじょうぶだよ、オクサ」ギュスはため息をつきながら言った。「もう元気なんだから。ほら、行こう。外に出たら、きっと気持ちがいいよ」

ギュスはリュックから自分のローラースケートを出し、階段の一段目に座ってはき始めた。オクサはまだ納得していない様子で、母親が寝ているサロンに目をやった。第二の理由だ……。オクサの心配を察したのか、献身《けんしん》的な看護師のようにマリーにつきそっていたフォルダンゴがやってきた。

「グラシューーズ様のお母様は意識の放棄《ほうき》を続けておられます。しかし、トシャリーヌが治療《ちりょう》活動をしています。ロビガ・ネルヴォッサ（神経系統を侵《おか》す毒草。第一巻497ページ「毒入りのプレゼント」参照）の壊滅《かいめつ》に満ちた効果は救済的後退を続けており、お母様の神経系統は再生に入りました。したがって、グラシューズ様とグラシューズ様のご友人の方は心配の重荷なしに散歩を実行されることができます」

「ありがとう、フォルダンゴ……」オクサはほっと息をついた。

「ギュスの言うとおりだよ」パヴェルがサロンから声をかけた。「せっかくいい天気なんだから楽しんでおいで」

ギュスはうれしそうにオクサを見た。

そういうアドバイスはもう必要ない歳《とし》になったのにと言わんばかりに、オクサは父親のほうに目を向けた。それから、ギュスのとなりに座ってローラースケートをはいた。

「すべり方を覚えているかな?」

「人はぜったい忘れないこともあるんだぜ……」と、ギュスは答えた。

二重の意味がこめられたその言葉にオクサは少し眉をひそめ、すでに道路に出ていたギュスのあとに続いた。すべる感じ、動きのしなやかさ、スピード……たしかにオクサは何ひとつ忘れていなかった。

同時に、別の思い出が記憶の底から空気の塊《かたまり》のようにぽっかりと浮かんできた。ギュスは思い出のなかよりやせて背が高くなっていたけれど、ハンサムなのは変わりない。前よりハンサムになったかも? それはまちがいない。

ローラースケートですべっていると、以前の最高に幸せだった感覚がよみがえってきた。それはタトゥーのように心に永久にきざみこまれている。グラシューズであることや、飛んだり、透明人間になったりすることよりももっとすてきな感覚だ。

ギュスと母親にビッグトウ広場の家で再会できたことは奇跡だからだ。

ギュスといっしょにローラースケートができるなんて、昨日までは考えられないことだった。それなのに、いま、二人は前のように並んですべっている。

「こんなロンドンを見るのは悲しいよね……」

二人はザ・マル（バッキンガム宮殿《きゅうでん》とトラファルガー広場を結ぶ通り）をセント・ジェームズパークに沿ってすべった。郷愁《きょうしゅう》と悲しみがオクサの心のなかでせめぎ合う。ロンドンの街が受けた災害の傷あとは……いまだ生々しい。

「これでもまだましになったんだよ」と、ギュスが言った。「ぼくたちがゴビ砂漠から帰ってきたときのひどさを見せたかったよ」

オクサは周りを見回した。街並みにはなじみがあるが、ずっと古びてしまったように感じる。すべてがくすんで、さびついていた。ひびの入っていない建物や通りはひとつもないし、無傷の木も一本もない。ザ・マルの赤っぽいアスファルトも以前はきれいだったのに、いまはかさぶたのようなものでおおわれている。四つの文字盤《ばん》のうち三つを失った、少し向こうのビッグ・ベンも嵐のひどさを物語っていた。バッキンガム宮殿から小さな板張りの店まで、被害《ひがい》をこうむっていないところはない。

二人が通っていた聖プロクシマス中学校にギュスが向かっているのに気づき、オクサの息づかいは荒くなった。大きな木製の門はなくなっていた。二人は石畳《いしだたみ》の中庭に入り、ローラースケートを脱いでスニーカーにはき替《か》えた。

「学校は工事中で閉まってるんだ」と、ギュスが教えてくれた。「災害のせいで建物が危険な状態になったから」

中庭の真ん中にある噴水《ふんすい》のふちに腰《こし》かけ、二人は黙《だま》ってその場所をながめた。古い回廊《かいろう》は半分こわれ、石像やガーゴイル（古い西洋建築物の屋根や外壁につけられた怪物《かいぶつ》の形をした彫刻）も全部くずれ落ちている。瓦《かわら》の破片が地面に散らばって赤いじゅうたんのようになっており、窓も全部割れている。

「前はあんなにきれいだったのに」と、オクサはつぶやいた。「覚えてる?」

「そりゃあ、覚えてるさ」

ギュスはため息をついて立ち上がった。

「見せたいものがあるんだ。来いよ!」

足下で割れた瓦が音を立て、オクサは何百という小さな骨を踏んでいるような気がした。

「地下納骨堂《のうこつどう》?」

「うん、何も変わってないぜ」

ううん、ちがうよ、全部変わったんだよ、とオクサは言いそうになった。小さな礼拝堂のこわれた扉を何の躊躇《ちゅうちょ》もなくあけるギュスからして変わってしまった。二人で最初にここに来たときは、怖がっていたくせに! きっとギュスもそのことは覚えているはずだ。

オクサはびっくりすると同時にいぶかしく思いながら、ギュスのあとに続いた。こわれた椅子や石像をまたいで、やっと地下納骨堂に着いた。信じられないほど以前のままだ。溶《と》けて小さな塊になってしまったろうそくまで残っていた。ギュスは前に来た人たちが残していった散らばったマッチを一本拾うと、壁にすりつけてろうそくの芯《しん》に火をつけた。

「よし! これでゆっくり話ができるぞ」

5　素直な気持ちで

「どうしてわざわざ自分を苦しめるんだ?」

言葉はぶっきらぼうだったが、ギュスの言い方には気だるい優しさがあった。思いやりがあると言ってもいいくらいだ。

オクサは言葉を失い、石の壁にもたれながら、無意識に人差し指の先で壁をひっかき始めた。

「あたしの立場になって考えてみてくれる?」と、オクサは答えた。

ギュスは石像の台座にもたれ、ジーンズのポケットに両手を突っこんだ。

「オクサ、想像力がたくましすぎるんじゃないか?」

「想像力?　ちがうよ。あたしは見たことを信じてるだけ」

ギュスは眉《まゆ》をひそめた。

「どういうこと?」

「クッカが……あたしの部屋に……ううん、あなたの部屋に……」

「ああ……」ギュスはため息をついた。「でも、部屋を少し模様替《もようが》えしたことに気づいただろ?ぼくがマットレスで寝《ね》てて、シングルベッドが部屋の反対側にあったのにも気づいたはずだ」

ギュスのややしゃがれた声がオクサの耳に奇妙《きみょう》にひびいた。

「あれがクッカのベッドだ。おまえの気に入らないのがそのことだとしたら、言っとくけど、彼女はぼくといっしょには寝てない。何考えてんだよ？　あの家じゃあ、なんとかやり繰《く》りするしかないんだ。応急処置で間に合わせてるんだよ」

オクサは心の底ではこう聞いてみたかった。二人が同じ部屋で眠《ねむ》る理由はなんなの？

「それに、けんかしたり、けっこう大変なんだ！」と、ギュスはつけ加えた。

その声にこもっているものと同じくらい悲しさをふくんだ目つきでオクサはギュスを見つめた。

「エデフィアにいる間、ずっとあたしが楽しくやってたと思うの？」オクサは頭のてっぺんからつま先まで震《ふる》えていた。「あたしが……あたしたちがどんなことに直面しないといけなかったか、少しでも想像できる？　門を越《こ》えるとすぐにバーバは死んじゃうし……オシウスと頭のいかれた仲間に監禁《かんきん》されるし……ゾエは自分を犠牲《ぎせい》にして〈最愛の人への無関心〉を受け入れるし……あたしはグラシューズになって、みんなを救うために二つの世界の中心を十二日間マッサージしたし。新たなカオスがあって、人がたくさん死んだし……」

オクサが恐ろしい出来事を数え上げるのを聞いてショックを受けたギュスは、台座にもたれたまま、ずるずると地面に座りこんだ。

「ドラゴミラが……ゾエも……」

「それに、ママとあなたのことが心配でたまらなかった」オクサはなじるように続けた。「そんな拷問《ごうもん》にかけられたみたいな気持ちがわかる？　二人が死の危険にさらされているっていうのに、何もできないし、エデフィアから出られるかどうかもわからなかったんだよ」

息が切れてきて、オクサはそこで口をつぐんだ。そんなオクサからギュスは目を離さなかった。

「それで、信じられないようなことが起きたの」オクサは小声で続けた。

ギュスははっとして、熱っぽい目で先をうながした。

「あたしの〈もう一人の自分〉が……あたしの無意識の部分があたしをこの家に連れてきてくれた。二人を見たの」

「やっぱりな！」ギュスはこぶしを手のひらに打ちつけて叫《さけ》んだ。「おまえだとわかったよ。感じたんだ！　ぼくだけじゃなくて、おまえのお母さんもだ。頭がおかしくなったんじゃないかって、ほかの人たちには思われたけどさ。でも、どうやったんだよ？」

　ギュスのいつもの口調を聞いているとほっとした。自分の心の大事な部分を占《し》めているギュスと仲直りできたという気がする。オクサはそんな自分の心のうちを隠しながら、自分と〈逃げおおせた人〉たちがエデフィアで経験したことをくわしく話してきかせた。ただし、トラファルガー広場でテュグデュアルがオーソンについて行ったことなど、いくつかのエピソードは省いた。その話に熱心に耳を傾けるギュスを前に、オクサは以前のギュスを取りもどしたような気がしてうれしくなった。

　静かでひんやりとした地下納骨堂《のうこつどう》のなかで、時間がゆっくりと過ぎていった。時間がたつのも忘れていた。

　以前のように二人の心は通い合うようになったのだ。やっと。

6 激しい言い合い

しかし平穏《へいおん》は長くは続かなかった……。

「おまえのゴシック系のカラスは?」オクサが話し終えると、ギュスがとつぜん、こう言い出した。

「あいつもさぞかし楽しんだんだろうな!」

「だれのこと?」オクサはむだだと知りながら、しらばっくれた。

「おい、オクサ、たのむからさ、ばかにしないでくれよ。あの病的なテュグデュアル以外にいないだろう?」

いつかこの話題がでてくるのはわかっていたけれど……。

「ふ～ん、何かやばいことがあるんだな……ちがうかい?」オクサのぎこちない沈黙《ちんもく》を見てギュスは言った。

オクサは答えようとしたけれども、言葉にならなかった。

「あいつ、また何をやらかしたんだよ? おまえの〝暗黒の王子〟はさ」

「ことをよけいにややこしくしないでくれたら、うれしいんだけどな……」

そのつっけんどんな調子に驚いて、ギュスはちらりとオクサを見てつぶやいた。

「オーケー。どうもこの話題は危なそうだな……」

ろうの小さな塊《かたまり》になんとか灯っていた炎《ほのお》が弱まった。ギュスは立ち上がって、別のろうの芯《しん》に火をつけようとした。オクサはギュスの横顔と形のいい鼻、のどぼとけ、前より力強い腕《うで》に見とれていた。

　ギュスは変わった。体だけではない。

　とつぜん、オクサは話し始めた。ギュスは口をはさまずに真剣《しんけん》に聞いていた。オクサが話し終えて打ちひしがれていると、ギュスはいらいらと足で地面をけるだけで、オクサをなぐさめようとはしなかった。

「だけどさ、おまえがそんなに苦しむほどの価値はあいつにはないさ……」

　オクサはかっとなってギュスを正面から見た。

「彼のことをそんなふうに言わないでよ！」

　ギュスはさっと背筋を伸ばした。

「あっ、そう？　かわいそうなテュグデュアルと、あいつに悪いことをさせるひどいパパに同情しろっていうのか？」

「やめてよ、ギュス！　もうやめて……」

　オクサは怒りで、息が詰まった。

「なんにもわかってくれないんだ……。あたしの話をちゃんと聞いてたの？　それとも大ばかなの？」

　ギュスは青ざめた。細めた目がユーラシアン（ヨーロッパ人とアジア人の混血）らしさを強調していた。

「ごめん。でも、ぼくがいらいらするのもわかるだろう……」

オクサの表情がかなり和らいだ。

「テュグデュアルは裏切り者じゃない」オクサは前より落ち着いた声で続けた。「とにかく、ふつうの意味ではそうじゃない。彼の心には暗いものがあるかもしれないけど、純粋《じゅんすい》なんだよ。フォルダンゴはずっとそう言ってたし、いまでもそう。フォルダンゴは嘘をつかないし、まちがうことはないってよく知ってるじゃない。テュグデュアルはしかたなく裏切ったんだよ」

「わかったよ、オクサ……それでも、あいつはオーソンの息子なんだよな」

「オーソンは〈変身術〉を使ってヘレナとの間に子どもをもうけたんだ……」

「でも、オーソンにはグレゴールがいるし、テュグデュアルの二年後にはモーティマーも生まれたじゃないか！」

オクサは頭をかいた。

「うん、でも、ヘレナは〈逃げおおせた人〉の子孫だってことを忘れないで！ オーソンが結婚した二人の妻はそうじゃなかった。ヘレナとなら、自分の血統を守れたわけだから……」

「エデフィア出身の血統だよな……」

「そうそう！」ギュスがちゃんと話し相手になってくれていることにほっとして、オクサは声をあげた。「純粋な〈逃げおおせた人〉なうえにグラシューズの血を引いてる。ねっ、すごいでしょ?」

「だけどさ、テュグデュアルを自分の仲間にするのにどうしていままで待ってたのか、よくわからないんだよな。最初から彼を使えたのに、どうしてずっとぼくたちの側においといたんだろう?」

「テュグデュアルはオーソンにとって完璧な息子なのよ。フォルダンゴだったら〝〈外の人〉との間で血が薄《うす》まっていない〟って言うだろうけど、グレゴールやモーティマーたちとちがうのよ。オーソンにとっては奥の手だし、使っても使わなくてもいい切り札なんだよね。エデフィアに入る前には必要なかった。でも、入ってから、テュグデュアルの……利用価値がでてきたのよ。それで、いまあの怪物《かいぶつ》はテュグデュアルを完全に操っているわけ。どうやってるのか知らないけど、完全に言いなりになってる。いまになってわかってきた」

オクサは不安そうに顔をそむけた。

「オクサ、何がわかってきたんだよ?」ギュスは先をうながした。

「気づくのがおそかったけど、はっきりした兆候《ちょうこう》があったんだ」

「たとえば、どんなこと?」

「テュグデュアルとオーソンが面と向かって対決したことが何度かあったのよ。そのたびに、テュグデュアルは催眠《さいみん》術をかけられたみたいに態度がおかしくなった。ずっとあとでヘレナが殺されたときも、殺害の現場を目撃《もくげき》したショックでぼうっとしているだけだとみんな思っていたの。おじいさんやおばあさん、それにティルにも何も言わなかったんだよ。すごく弟をかわいがってるのに。でも、あのとき、テュグデュアルはオーソンに操られていて、行動できなかったのかも。それなのに、あたしたちはなんにも気づかなかった」

「簡単には気づかないもんだよ……」と、ギュスはつぶやいた。

「あとから気づくなんてサイアクだよね。わかる? オーソンは自分の好きなようにテュグデュアルを操って、服従させ、とんでもない企《たくら》みに使うんだよ」

オクサは声を詰まらせた。怒りで体が震《ふる》えるのを静めようと両手を組み、目を伏せた。とほうにくれたギュスはひじをひざについた。長い前髪がはらりと顔に落ちた。

「あの腐《くさ》った野郎……」しばらくしてから、ギュスはやっとそれだけ言った。

オクサはうなずいた。

「チョー腐った野郎って言うべきだよね……」

7　マルクス・オルセン作戦

そのころ、モスクワのノヴォスロボーツカヤ通り四十五番地では……。

ブティルカ刑務所《けいむしょ》をぐるりと囲んだ塀《へい》から数メートル離れたところに、三つの長い人影が雲を突き抜けて降り立った。通りも建物もすべて、氷のように冷たい夜に閉じこめられたように眠っている。この陰気《いんき》な要塞《ようさい》の囚人《しゅうじん》と同じように。

野良犬が一匹やってきて、オーソンと二人の息子の編み上げブーツをなめた。しばらくは腹をすかせた犬のするままにさせておいたが、犬がうなり声をあげ始めると、オーソンはクラッシュ・グラノックを取り出した。数秒すると、犬は瞳孔《どうこう》を開き、舌をだらりとたらして倒れた。まったく容《よう》赦《しゃ》しないという見本が示されたのだ。

塀の向こう側から声がした。警備員たちが見回りを終えるまで、オーソンたちはしゃがんでじっとしていた。

「あいつらは何て言ってるんですか、お父さん？　おれたちの話し声が聞こえたんですか？」と、グレゴールがつぶやいた。

気温と同じくらい冷やかな調子で答えたのはテュグデュアルだった。

「自分の子どもの成績のことを話してるんだよ」

オーソンは満足そうにテュグデュアルをちらりと見たが、グレゴールの顔が怒りでひきつるのには気づかなかった。二人の異母兄弟は父親から同じ能力を受け継《つ》いだはずだが、テュグデュアルのほうがすぐれているのは明らかだった。年下にもかかわらず、彼はいつもグレゴールよりもまさっていた。ロシア人の警備員の会話を理解したことで、〈マルチリンガ〉の能力も優れていることがたったいま証明された。


「よし、行こう……」オーソンはそうつぶやいて立ち上がった。

頭からつま先まで真っ黒に装った三人は地面から浮き上がり、建物の角にある頑丈《がんじょう》そうな塔《とう》――チェスのルークのようだ――のてっぺんに下りた。

警備員を黙《だま》らせるのはオーソンにとってたわいもないことだ。警備員は自分の身に何が起きたかを理解するひまもなかった。ワシの爪《つめ》のように曲がったオーソンの指が警備員のアノラックの毛皮のついたえりを探り、首を絞《し》めた。

「武器も暴力もなしだ……」オーソンは有名なフランス人ギャングの言い回しを引用した。

三人は警備員の体をまたぎ、建物に囲まれた中庭まで浮かんでいった。以前兵舎だった面影《おもかげ》を残した刑務所の建物はいかめしく、人を寄せつけない雰囲気をまとっている。まるでいまにもゾンビが小さな窓から飛び出してきそうだ。

懐中電灯《かいちゅう》を持った二人の警備員があらわれた。オーソンと二人の息子は赤レンガの壁にぴたりとはりついた。三人は巨大なクモのように壁を数メートルはいのぼり、警備員の目から逃《のが》れた。そうして建物のてっぺんまでのぼり、反対側に下りた。


中庭の真ん中に建つ風変わりな建物から鐘《かね》の音がひびいた。

「仲介者聖マリア教会だ……」オーソンがつぶやいた。

グレゴールとテュグデュアルは驚いて同時に父親を見た。彼はこの場所をよく知っているようだ。前に来たことがあるのだろうか？

オーソンは二人についてくるよう合図した。三人は教会の平らな屋根まで浮遊《ふゆう》して行き、鋼鉄の十字架《じゅうじか》の下の凍《い》てついた石の上に腹ばいになった。オーソンは用心深く周りの建物を見回した。そしてサーチライトの光の筋がついた、暗闇《くらやみ》のなかの黒い穴のような窓をじっと見つめた。突然、獣《けもの》が威嚇《いかく》するときのような声がのどからもれた。オーソンはそれを刑務所のいろんな方向に向けて何度か繰《く》り返《かえ》した。いくつかの監房《かんぼう》に明かりがともり、鉄格子から男たちが顔をのぞかせた。

教会の正面に建つ建物の四階から顔をのぞかせた男が、声の出所に最初に気づいたようだ。オーソンの呼びかけに応えるように、その窓から光の合図があった。オーソンは満足そうな笑みを浮かべ、顔をおおっていた覆面《ふくめん》を下げた。

「各自決められたとおりにやるんだ。そうすれば、すべてうまくいく」

そう言うと、オーソンは光の合図があった窓に向かって飛んでいった。あまりのスピードにサーチライトすら、その姿をとらえることはできなかった。オーソンは窓枠《わく》にいったんつかまってから壁に吸いこまれた。

監房のなかにいたその囚人はオーソンが壁を抜けるのを見ても、少しも驚かなかった。簡易ベッドから立ち上がった囚人とオーソンは抱き合った。

「オーソン・マックグロー……光栄だ……」

その囚人は大男だった。年齢《ねんれい》は不詳《ふしょう》。傷だらけの顔が、数々の危険をくぐり抜けてきたらしい波乱に富んだ人生を物語っていた。

「おまえが困っているときはお返しをすると約束しただろう、マルクス」と、オーソンは言った。

「その時が来たようだな」丸天井《てんじょう》の監房をぐるりと見わたしながらつけ加えた。

「ここにおれがいることがどうしてわかったんだ?」

「おいおい、この世界じゃあ、おまえは有名人じゃないか!」オーソンは鼻で笑った。「それにわたしがいつも事情に通じているのは知っているだろう」

サイレンが鳴ったが、二人はまったく動じなかった。

「この悪名高いブティルカ刑務所に別れを告げる時が来たようだな」と、オーソンが告げた。

「喜んでついていくよ。だが、おまえのような能力はないからな」マルクスは鉄格子を指して言った。

「こんなものは問題じゃないのはわかっているだろ?」

オーソンはクラッシュ・グラノックを取り出して窓に向けて吹いた。グラノックがガラスと鉄に当たった。ぱちぱちと音がしてのどを刺激《しげき》する煙が立ちのぼった。マルクスはセーターのえりを立てて鼻をおおったが、オーソンのほうはまったく平気なようだ。外の冷たい空気に煙が吸い取られ、鉄格子が真夏の氷のように溶《と》けた。

「うまくやったな！」と、マルクスが叫《さけ》んだ。

「ああ、だが、ブティルカ刑務所は、おまえをすんなり外に出してくれそうにないようだな」

オーソンはぽっかりとあいた窓から下をながめた。

実際、すでに中庭と屋上に配備された何十人もの警備員が、マルクスの監房に銃《じゅう》を向けていた。オーソンはあわてて顔を引っこめた。同時に、床をたたくブーツの音がこの監房に迫《せま》ってきた。とつぜんの騒《さわ》ぎに興奮した囚人たちの叫び声もする。オーソンは扉《とびら》に向けてグラノックを放った。鋼鉄の蝶番《ちょうつがい》や錠前《じょうまえ》は、窓の鉄格子のように溶け落ちるのではなく、いっしょくたに溶けて一体化してしまった。監房の出入口は完全に封鎖《ふうさ》された。これでだれも出入りできなくなったわけだ。

「わたしを信じるか？」と、オーソンがたずねた。

「百％信じるよ！」と、マルクスが答えた。

「それなら、服をしっかり着こんでこれをつけろ」

オーソンが革の鎧《よろい》を渡すと、マルクスはそれをアノラックの上から急いでつけた。その間にも警備員たちが監房に近づいてくる。彼らは鍵《かぎ》が使えなくなったことを知ると、扉を破るために破壊槌《はかいつい》でがんがん扉をたたき出した。何が起きているかわからない囚人たちはそれに呼応するように、できるだけ大きな音を出せるもので鉄格子をたたき始めた。

「用意はいいか？」

マルクスはうなずいた。オーソンは自分がつけている鎧に、マルクスの鎧をしばりつけるように合図した。二人はくっついて、サーチライトに明るく照らし出されている窓に近づいた。オーソンは獲物《えもの》を狙《ねら》うように目を細め、さっきマルクスに合図を送ったときのような奇妙《きみょう》な叫び声をあげた。

彼の骨ばった指の先から閃光《せんこう》がほとばしり出て、サーチライトにまともに当たった。サーチライトが派手な火花を出して飛び散った。真っ暗になったことで、仲間を死なせたり怪我《けが》をさせてしまうかもしれないと恐れた警備員たちは、発砲《はっぽう》するのをためらった。いずれにしても、オーソンと二人の息子は彼らに考えるひまをあたえなかった。三人はマルクスの監房のある四階とブティルカ刑務所全体を見渡せる教会の屋根から、指先を少し動かすだけで警備員たちの銃を取り上げ、遠くに放り投げた。まるで不吉《ふきつ》なオーケストラ指揮者だ。暗視用の赤外線スコープのついた銃を持った者が最初にその「恩恵《おんけい》」をこうむった。

それから、どこからやってきたのかわからない不思議な引力が警備員たちをおそった。彼らはおたがいにぶつかり合い、自分の体も動きも思いどおりにならず、自分の身を守ることもできずに、ただ痛めつけられるままになった。中庭のあちこちでうめき声があがるのを見て、囚人たちはうれしそうに監房から歓声をあげた。

そうなると、マルクスの脱獄《だつごく》は目をつむってでもできる。しっかりと結ばれたオーソンとマルクスは首が二つに分かれた巨大な鳥のように、不透明《とうめい》な空に向かって飛んでいった。

オーソンの息子二人もすぐに父親たちに合流した。騒々《そうぞう》しいサイレンを鳴らす警察の車やヘリコプターが刑務所にいっせいに向かうころには、四人はすでにモスクワの空に消えていた。

8　時間の問題

五日五晩、〈エデフィアの門〉は〈褐色《かっしょく》の湖〉の黒い水の底にあった。このときほど時間が大事だったことはなかった。

ほとばしるような恋があとかたもなく霧散《むさん》してしまうのには数秒しかかからなかった。物事は思いどおりにいかないこと、時には思ったこととまったく反対になることがわかるのには数分かかった。

そして、ギュスにせまった死の危険をミュルムの秘薬が追いはらうのに数日かかった。ロビガ・ネルヴォッサのせいで錆びついたマリーの神経系統をトシャリーヌが完全に元にもどしてくれるまでには数週間かかる。

〈締《し》め出《だ》された人〉たちが門を通ってエデフィアに入るためには同化キャパピルが必要だ。そのキャパピルが彼らの体に根をおろすのには三十三日間かかる。

十七歳《さい》であることをオクサがかみしめるのにはもうすこし時間が必要だ。〈外界〉のカレンダーでは彼女の誕生日はエデフィアをおそった〈新カオス〉の真ったただ中だった。自分にとって最高のプレゼントは母親とギュスに再会できたことと、二人を救えたことだ。けれど、もう十七歳なのだと自覚するのにはまだ違和《いわ》感があった。

新グラシューズが致命《ちめい》的なダメージをあたえる黒血球グラノックの〈まっ消弾《だん》〉を再び使えるよ

うになるには、まだ八十五日もある。最後に使ったのは半透明族《とうめい》のたった一人の生き残りを滅《ほろ》ぼしたときだった。

こわれたものを修復するのにはどれだけ時間がかかるのだろうか？

永遠の時間があれば十分なのだろうか？

その疑問がオクサの心に突きつけられた。疑いはほんの数分間だけオクサを苦しめた。避けられない事情や道理が判明して、それを理解できたからだ。いつか許せる日が来るのかもしれない。しかし、いまのところ、未来は、あらゆる方向からやってくる疑問に揺《ゆ》らいでいる。

テュグデュアルを父親の影響《えいきょう》から解放することはできるのだろうか？

オーソンとグレゴールとテュグデュアルだけが〈外界〉に出られたのだろうか？

三人はどこにいるのだろうか？

疑問のなかで最も重要なのは、オーソンが何をたくらんでいるかだ。

二週間もしないうちに、その疑問に対する答えの一部がわかった。それは、キッチンのテーブルに置かれた小さなラジオがかなり立てたニュースだった。

「ロシアで無期懲役《ちょうえき》刑を科されていた元傭兵《ようへい》マルクス・オルセンの派手な脱獄《だつごく》のあと、アメリカのサン・クエンティン刑務所《けいむしょ》で何者かがレオカディア・ボルを脱獄させました。ボルは違法《いほう》薬物を実験した罪で禁固三十年の刑を受けたことで知られる生物学者です」

アバクムは人差し指を口の前に立てたまま、紅茶のカップを手に目の前に座っているパヴェルとオクサとギュスを見つめた。三人とも動きを止めてラジオに耳を傾けていた。

「この二人の犯罪者を関係づけるものは何もありませんが、捜査陣《そうさじん》によると、脱獄の手口は驚くほど似通っています。また、ロシア、アメリカ両国当局は、この二つの脱獄に類似した不思議な現象についての証言を強く否定しています」

「オーソンかな？」アナウンサーが別の話題に移るとすぐに、オクサの父親が言った。

アバクムは眉《まゆ》をひそめた。

「うん、彼が関係していると思う」

オクサは音を立ててカップを置いた。

「何をたくらんでるんだろ？」

「知りたいもんだな」妖精人間アバクムが答えた。「でも、オーソンが自分の武装集団を作っているとわかっても驚かないだろうな」

「武装集団って？　何をするための？」オクサは驚いてたずねた。

ギュスは長いため息をついた。

「わからないかい？　ホントに？　おいおい、オクサ……」

オクサは悔《くや》しそうにふくれっ面をした。今度もしゃべる前に考えるべきだった。

「エデフィアはあいつにとって第一段階でしかなかったんだよね」オクサは推論を口に出した。

「仕返しをして父親を殺してから、武器と新たな手段を用意して……」

ふいにテュグデュアルのことを思い出して、のどが詰まった。だが、オクサはぐっとこらえて先を続けた。

「世界を支配したいんだよね。自分がいちばん強いってみんなに見せつけるために！」

スリムなシルエットがキッチンの戸口にあらわれた。

「ちょっと話をしてもいいかしら？」

「バーバラ、入りたまえ」アバクムはバーバラのために椅子を持ってきて、彼女にテーブルにつくよううながした。

オーソン・マックグローの妻バーバラは、エデフィアに入ることができなかったとき、夫の仲間より、〈締め出された人〉たちの仲間になることを選んだ。難しい選択《せんたく》だったろうが、自分の心にしたがったのだ。

バーバラはアバクムのとなりに座った。栗色の髪が繊細《せんさい》な顔を自然にふちどっている。すいた前髪の触れたまぶたがひくひく動いていて、そのまなざしには疲れがにじんでいた。パヴェルが入れた紅茶を受け取り、ひと口飲んだ。

バーバラは何事にも繊細な人だった。この人がオーソンのような男と結婚していたなんて、いまだにみんな信じられなかった。

バーバラはまるでみんなの心を読みとったように、オクサとアバクムとパヴェルを見つめ、気持ちが高ぶっているにもかかわらず、声の調子を抑《おさ》えた。

「わたしたちは、みなさんが考えているよりずっと仲のいい夫婦だったんです」

「そうだろうね、バーバラ」アバクムはバーバラを安心させるように腕《うで》に手をおいた。

「少なくとも最初は――最初の数年間は――オーソンは思いやりのあるバランスのとれた夫でした。自分自身に厳しい分、同じように人にも厳しかったのは本当ですし、頑固《がんこ》なところもありました。でも、それは、好奇心旺盛《こうきおうせい》だったり、野心家だったり、人の幸福ばかり考えたりする人がいるのと同じで、あの人の性格だったのです。彼がそういうふうに育てられたことはわかっていました。いつも最高でなくてはいけなくて、凡庸《ぼんよう》さやいいかげんさや弱いことは許されなかったんでしょうね。でも……」

バーバラはそこで紅茶をまたひと口飲み、カップをやや乱暴に置いた。紅茶がテーブルに少しこぼれた。彼女はあわてて後ろを向いてふきんを取り、こぼれた紅茶をふいた。

「でも？」アバクムが先をうながした。

「でも、あの人の人生はあるひとつのことに左右されていたんです」

オクサたち四人はじっとその続きを待った。こんなふうに打ち明け話をするのはたやすいことではないだろう。

「オーソンは父親の目に自分が弱虫に映っていたことに苦しんでいました。たぶん死ぬまで苦しむのでしょう。そのコンプレックスが、あの人の行動や人生全部を方向づけているのだといまなら理解できます。それに、彼がぜったいに最後までやりとげられないこともわかっています」

バーバラはオクサのほうを向き直って続けた。

「あなたのいうとおりよ。彼は自分がいちばん強いことを世界中に見せたいの。ちょっとニュアンスはちがうかもしれないけれど……まず、権力者にそれを認めさせることね。そういう人たちと肩《かた》を並べて、彼らに自分を認めさせ、それから彼らを超《こ》えたいのよ。オーソンは知り合ってからずっと、そういう競争の論理で動いていた。つねにトップでないといけないという……」

バーバラは両手を太ももについてため息をついた。

「子ども時代や青年時代に受けた侮辱《ぶじょく》のせいで、オーソンは完璧というものが存在しないことをわからない人間になってしまったのね。完璧さをまず自分自身に求め、もちろん、モーティマーやわたしにも求めてきた。年月がたってくると、わたしたち二人には耐えられなくなってきたわ。オーソンの要求が大きすぎて、わたしたちがすることに彼は何ひとつ満足できなくなった。不満なときにはものすごく怒ったわ。息子とわたしはとっても苦しんだ……。そういう怒りの爆発《ばくはつ》と、わたしたちのことを優しく心配してくれるときが交互《こうご》にやってきたから、とても不安定だったわ」

「彼はいつも家族の大切さにこだわっていたからな」と、アバクムが口をはさんだ。

「ええ、そうですね。でも、こういう話をしたのは、あなたがたに用心してほしいからなんです。もちろん、あなたがたはわたしと同じくらいオーソンのことをご存知だとは思いますけど。彼は成功することに目がくらんでいるんです。そして、その成功というのは、支配することでしか得られないんです。自分の野心のためなら、善悪の区別なんかまったくつかないでしょう」

バーバラはぐったりと椅子の背に寄りかかった。

「彼にとっては、手段はどうでもいいんです。むしろ、卑劣《ひれつ》な手段を用いたほうがいいと思っている……」と、バーバラは締めくくった。

その言葉は〈逃げおおせた人〉たちの悪い予感を裏づけるものだった。オクサは急に目を見開いて固まった。前からテュグデュアルには全部わかっていたのだ。彼はこう言っていた。

「やつは悪魔そのものだ。まだわからないんですか？　やつの望みは世界を征服《せいふく》して、おれたち全員を足元に這《は》いつくばらせることだ……。完全なカオスの種をもうまいているはずだ。この世界にはやつの企《たくら》みに加わろうとする人がけっこういるよ。やつはおれたちみんなを支配することができる。おれの言ってることが正しいって、みんなわかってるでしょう……」

だれもテュグデュアルの話をまともに聞いていなかった。大げさなことばかり言う、精神の不安定な少年だとしかみていなかった。だが……。

「おまえは最後の鍵《かぎ》なんだ、ちっちゃなグラシューズさん。最後の鍵というのは究極の力だ」と、オクサに言ったこともある。

オクサは背筋を伸ばして、息を深く吸いこんだ。

「だれも、何ものも、オーソンを止めることはできない」オクサの頭はこれまでになくはっきりとしてきた。「あたしたち以外のだれも……」

オクサはすでに得ている同意を確認するように、まずは父親を、それからアバクム、バーバラ、ギュスを見つめた。

「オーソンがあたしたちを追いかけるのは終わったわ。今度はあたしたちのほうがオーソンを追いかける番よ！」

自分の言葉に自分で驚きながら、オクサは椅子の背に寄りかかって平然と言い放った。

「オーソン・マックグロー、今度は、勝つのはあなたじゃない、ぜったいに……。〈逃げおおせた人〉とグラシューズ・オクサにどんなことができるか知らないっていうなら、もうすぐわからせてあげるわ！」

9　あるもので間に合わせ

病院の救急外来のようになっていたビッグトウ広場の家は、少しずつ療養所《りょうよう》のようなものに変わっていった。

トシャリーヌの奇跡的な効用と仲間のかいがいしい看護のおかげで、マリー・ポロックは死期の迫《せま》った状態からやっと抜け出すことができた。ほおは以前のようにバラ色になり、とうてい取りもどせないだろうと思われていた手足の自由ももどってきた。オクサの目には、回復のスピードが恐ろしく遅いと映ったけれど、マリー本人と彼女が衰《おとろ》えていくさまをずっと見てきた〈締《し》め出《だ》された人〉にとっては奇跡としかいいようがなかった。

「病気の鎮静《ちんせい》が勝利に出会いました！」マリーの具合がよくなると、フォルダンゴはその知らせを聞きたくてたまらなかった人たちに向かって興奮しながら宣言した。「ロビガ・ネルヴォッサはグラシューズ様のお母様の体から駆逐《くちく》されました！」

オクサの母親の看病をしたのはフォルダンゴばかりではない。プチシュキーヌたちはマリーがひまつぶしで読む雑誌や本のページをめくり、ドヴィナイユたちはマリーの長い髪を飽《あ》きずにすいたし、ヤクタタズは見事なマニキュアを施《ほどこ》した——だれも知らなかった才能だ。アカオトシはベッドの近くに少しでもほこりがあると、それを飲みこんだ。こうした生き物たちはジェトリックスの指揮で動いた。ティッシュや枕など、マリーがなにか欲しいものがあると、それをかなえようと、すぐそれぞれの生き物に指令を出すジェトリックスを、オクサは「ナニー・マクフィー（イギリスの児童小説「マチルダばあや」シリーズを原作とした映画の主人公）」というあだ名で呼んだ。

オクサも熱心に看病した。ずっと以前、母親はオクサの不思議な能力のことを知らなかった。そんな母親の前で術を使ったために大騒《おおさわ》ぎとなり、両親の別居にまで発展したことがあった。だが、いまは秘密ではなくなったので、ありのままの姿を見せることができる。母親を笑わせることがオクサの役割だ。水の入ったコップがキッチンから療養中の病人のいるサロンまで、ゆらゆらと浮かんでいくことはしょっちゅうだった。マリーは〈火の玉術〉がお気に入りだ。手のひらから出る小さな火の玉でオクサがろうそくの火をつけると、いちばん喜んだ。あらゆる不思議な能力が娯楽《ごらく》、家事、食事、病人の世話などに役立った。それはビッグトウ広場で魔法の力が最も評価された時期だった。

ギュスのほうはというと、ミュルムの秘薬が体に吸収されるにつれて、ひどい痛みの発作の間隔《かんかく》がしだいにあいていった。まだ痛みとの闘《たたか》いは終わっていないが、マリーと同様によくなっているのはたしかだ。オクサは不安だったり気をつかったりしていることをギュスに気づかれないように、注意深く見守った。かなり骨は折れたし、それがいつも報われるわけではなかった。

「おまえって、目立たないようにするってことができなかったよな。これからも無理だよな」

オクサははっとするまねをした。

「何が言いたいの？」

ギュスはあきれたように目をぐるりと上に回した。

「そっか、あたしがほかにすることがないと思ってるの？　横目でエキゾチックな姿を観察して、はっとするほどかっこいいって、ぽかんと口をあけて見とれることしか？　自分で思ってるほどかわいくなんかないよ」

オクサはそう言いながら笑い出し、ギュスは赤くなってほほえみを浮かべた。

「ゾエ」ギュスは目を輝かせて、黙《だま》っているゾエのほうを向いた。「きみは賢《かしこ》いんだから、この頭のいかれた若いグラシューズにやるべきことがあるって言ってやってくれない？」

今度はゾエが赤くなる番だった。大きなこげ茶色の目、そばかす、ゆるいシニョンにまとめた赤みがかった金髪。ゾエはいつもきれいだ。以前と同じで、彼女は目立たないが、だれもが認める忠実な仲間だ。とはいえ、性格が正反対のオクサにとっては、極端《きょくたん》にひかえめなゾエは謎だ。オクサはゾエのことを一瞬でも疑ったことはないし、ゾエが頼《たよ》りになることは何度も証明されている。しかし、彼女の本音はいつも心のなかにしまいこまれたままだ。最悪のこらしめのひとつである〈最愛の人への無関心〉を受ける前、ゾエはギュスが好きだったとオクサは思っている。だが、それ以来、二人にはそのことについてじっくり話す機会がなかった。物足りなくもあるし、同時に心が痛んだ。というのは、〈最愛の人への無関心〉でゾエの感情というものがすべてなくなってしまったわけではない。それは彼女のまなざしや態度から明らかだったたからだ。

永久になくなったのは激しい恋心だけだ。

「賢いなんて言ってくれてありがとう」と、ゾエはギュスに答えた。「でも、わかってるじゃない、オクサには言ったって治らないって！」

「たしかにそうだよな……」と、ギュスが応じた。「オクサの頭がいかれているのはしょうがないって、あきらめないとな」

オクサは目を輝かせてうなり声をあげた。そして、仕返しのために机の上にあったペンを遠隔操作してギュスのほうに飛ばした。ペンは小さな剣《つるぎ》のようにギュスの頭上に浮いている。

「ぼくを脅《おど》かそうっていうのかい？」ギュスはわざと高慢《こうまん》にちらりとオクサを見た。「それとも、ぼくの心臓に杭《くい》を刺《さ》して黙らせようとしてるの？」

「杭だって……」

オクサはいたずらっぽくため息をついてから、ペンをそっとギュスの手のひらに下ろしてほほえんだ。何気ない顔をしてじょうだんを言うときのギュスがいちばん好きだ。そういうときのギュスがいちばん彼らしい。

「ぼくを殺そうとする代わりに、自分のキュルビッタ・ペトの世話をしたほうがいいんじゃない？胃が悪いみたいだぞ」

「キュルビッタが？」オクサは驚いて言った。

オクサは机の上に置きっぱなしにしていた生きたブレスレットをのぞきこんだ。舌がだらりとたれ、目はどんよりとして、張った腹が異常な音を立てている。熊《くま》の形をした顔は不満そうだ。主人が毎日あげるはずの顆粒《かりゅう》を忘れたために、死ぬほど空腹なのだ！

「ごめん、ごめん」オクサは急いでえさをやった。

「このグラシューズはあんまり真面目じゃないな……」ギュスがつぶやいた。

「わかったわよ、最高裁判所の判事殿《どの》！」と、オクサは言い返した。

わざとしかめっ面をつくってから、パソコンの画面のほうに視線をもどした。

マスコミで騒がれた謎の脱獄《だつごく》事件のことでみんなが疑問を抱《いだ》いたとき、オクサはオーソンの陰謀《いんぼう》と関係のありそうな情報をインターネットで探す役を買って出た。ビッグトウ広場の家のみんなはその考えに賛成した。何もないところで戦うことはできない。手がかりを見つけて予測を立てないと行動はできない。

大規模な自然災害のあと、世界はまだ経済危機と闘っていた。多くの国に危機が広がり、復興は長く困難なものになりそうだ。

日常生活はまだかなり不便で、生きる糧《かて》を得ることがまずは優先された。それでも、機転のきくアンドリューが略奪《りゃくだつ》品の闇市《やみいち》を知っていたおかげで、パソコンを何台か手に入れることができた。災害のひどかったときは、少しでも商品価値のあるものならなんでも略奪されたのだ。それに、製造業が大きなダメージを受け、各工場はやっとのことで操業を再開し始めたばかり。新品を手に入れることは不可能だった。アンドリューが入手したパソコンも最新機種にはほど遠かった。それでも動くだけでありがたかった。

オクサの指揮のもと、ドラゴミラの屋根裏部屋はコンピュータールームのように模様《もよう》替《が》えされ、にぎやかになっていた。急ごしらえのデスクと床を這《は》う無数のケーブルは、意外にも生き物たちの遊び場になった。パソコンなどの機器から発せられる熱が部屋に充満《じゅうまん》して暑かったが、大喜びのドヴィナイユたちは窓をあけることを断固拒否《きょひ》した。

「気温がせっかく受け入れられるレベルに達したんだから、それを満喫《まんきつ》させてください！」汗びっしょりのギュスが空気を入れ替えようとすると、ドヴィナイユのうちの一羽ががなり立てた。「どうしてわたしたちが一生に一度だけ快適な条件で暮らすことをはばむんですか?」

「三十五度だぜ。快適以上だよ」温度計を手にしたギュスが文句を言った。

「でも、人間の体温にすら達していないじゃないですか!」別のドヴィナイユが反論した。

「言い返せない理屈だよね……くちばしを釘《くぎ》で閉じられちゃった(フランス語で「黙らせる」という意味の慣用句)じゃない!」オクサが笑いながら言った。

その言葉にヤクタタズはすっかり途方にくれた。ギュスのデスクの横におとなしく座ったまま、とまどったようにギュスを見つめた。

「くちばしを釘で閉じられたんですか? さぞ痛いでしょうね……」

いつも笑わせてくれるヤクタタズに再会できてギュスはとてもうれしかった。

「心配しなくてだいじょうぶだよ。ただの言い回しだよ。それにさ、見てごらんよ。くちばしを釘で閉じられてなんかいないだろ?」と、ギュスは自分の口を突き出した。「それに、ぼくは鳥や鶏《にわとり》じゃないしな」

その説明にもヤクタタズはどうも納得できないでいる。大きなぼんやりした目でギュスをじっと見つめ、言われたことと自分が見ているものとの関係について考えていた。

「そうなんですか? じゃあ、あなたは何なんですか?」

その重大な質問への答えはその夜三度目の停電で棚上げになった。それぞれが忙《いそが》しく立ち働く家じゅうに叫《さけ》び声《ごえ》があがった。

「ああっ、またか!」モーティマーがいらついて机をどんとこぶしでたたいた。「ちょうど、すっごくおもしろいものを見つけたところだったのに！」
「だいじょうぶ。電気が来たら、またすぐに見つかるよ」と、オクサがなぐさめた。

10　ファンタスティック・ファイブ

オクサがインターネットでオーソンを追跡《ついせき》することを話したとき、モーティマーはすぐに自分も加わることを申し出た。最初、ギュスはその申し出に反対した。彼はいままでの苦い経験を忘れることができず、まだ恨《うら》みと警戒《けいかい》心を抱《いだ》いていた。ギュスにとってのモーティマーは、ともかくオーソンの息子であり、チャンスさえあれば何の迷いもなく裏切る人間なのだ。

しかし、〈逃げおおせた人〉たちは本当に仲間に加わりたいのだというモーティマーの気持ちをギュスに懸命《けんめい》に説明した。ゾエ、アバクム、ドヴィナイユたちやフォルダンゴさえ、モーティマーを弁護し、彼の思いに偽《いつわ》りがないと請《う》け合《あ》った。しかも、モーティマーをいちばんかばったのはオクサだった。

「これ以上、何を言ったらいいのかわかんない！」オクサは前日、怒ったように叫《さけ》んだ。「モーティマーはママの治療《ちりょう》に必要なトシャリーヌを摘《つ》むために、オーソンに隠れて〈近づけない土地〉に行ったんだよ。それに、あたしが〈断崖《だんがい》山脈〉のど真ん中のオシウスの根城に行ったとき助けてくれたんだから。彼がいなかったら、ミュルムの秘薬の小瓶《こびん》を見つけることも、ましてや半透明《とうめい》族から逃《のが》れることもできなかったんだよ」

「わかったよ。でも、モーティマーを見るたびにオーソンのことが頭に浮かぶんだよ。それを止めることはできないだろ」

オクサはギュスにあきれた、という目を向けた。

「まだそうなの？　ひどいよ、ギュス、それって、ひどいし、不公平だよ。モーティマーの生まれは彼のせいじゃない！」

「もう忘れてるのかもしれないけど、そういう考え方のせいで、マロラーヌはエデフィアをカオスに導いてしまったんだぜ。血縁《けつえん》関係を無視したから、おまえの祖先は悲劇的なミスをおかしたんじゃないか。血縁はいつも……悪いサプライズをもたらすものなんだ」

「ギュスの言ってることって……サイアク！　自分のことを棚に上げて、なんでそんなふうに考えるのよ？」

「ぼくが養子だってことを言いたいのか？」

オクサはしまったという思いから悲しそうに顔をそむけて、爪《つめ》をかんだ。

「そうなのか、オクサ？　ぼくが実の親を知らないくせに、血縁にこだわりすぎるっていうのか？」

「たった一回でいいから、モーティマーにチャンスをあげてよ」オクサはギュスの問いかけをかわした。「レミニサンスやゾエっていう前例があることを忘れないで」

「わかったよ」と、ギュスは譲《ゆず》った。「でも、モーティマーは何ヵ月もの間二股《ふたまた》をかけていたんだからな！」

「あたしたちのためにそうしてたんだよ！」

「彼がオーソンやオシウスのために〈千の目〉についての情報を全部わたしていた裏切り者だった

かもしれないってことは、ぜんぜん考えないのか？」

「がっかりね……」オクサは悲しそうにうめいた。「なんにもわかってないんだね？　フォルダンゴの意見もはっきりしてるし、かりにそれがなかったとしても、事実が証明してるじゃない。裏切り者はモーティマージャなくて、テュグデュアルのほうだったのよ。彼はオーソンに操られることに抵抗《ていこう》しようとしたけど、あたしたちがそれに気づかないうちに目の前でオーソンの側にまわったのよ」

　ある思い出がとりわけ強くオクサを苦しめた。グラシューズの部屋からヤクタタズを誘い出したテュグデュアルが、熱にうかされたように部屋の前で待っていたときのことだ。統治録をうかつに机の上に出しっぱなしにしていたのに気づいたとき、オクサは気分が悪くなった。そのときにわいてきた疑いの対象はテュグデュアルへのものだった。彼の言葉がよみがえってきて、オクサの苦しみをあおった。

「おれはよくも悪くもなれる。最も忠実な友人にもなれるし、同じくらいひどい裏切り者にもなれる」と言ったっけ。

　テュグデュアルのそういうあいまいさや言葉にもっと警戒心を抱くべきだった。オクサは後悔《こうかい》にさいなまれた。

「あのころ、あたしたちの周りでは恐ろしいことがたくさん起きたんだ……」オクサは自分を弁護するように言った。「それに、テュグデュアルはいつも謎だったし……」

「テュグデュアルだって？　おまえのおじさんって言ったほうがいいよ」

そうなのだ。新たにわかった血縁関係によると、オクサがあんなに愛していた男の子は自分の父親のいとこなのだ。ギュスが残酷《ざんこく》にも指摘《してき》したとおりだ。あまりにもひどすぎる。だが、いつかは自分にはね返ってくる事実をかたくなに否定していても仕方がないと、オクサは心の底ではわかっていた。

「そうよ、ギュス。あたしもそう言いたかったの」

オクサはギュスの目をまっすぐに見つめて言った。

オクサは背筋をしゃんと伸ばした。現実に向き合うのは苦しいこともある。でももう怖《こわ》くない。

ともかく、モーティマーがネットサーファーのグループの一員になったので、オクサもクッカを受け入れなければならなくなった。彼女に対してギュスはかなり矛盾《むじゅん》する態度をとっていた。はっきりとしたいら立ちと、単なる友情以上の感情だ――それはだれの目にも明らかだった。オクサがいやがるのをわかっているのに、二人は奇妙《きみょう》な親密さを隠さなかった。

「おあいこさ!」

「すごく変わったね、ギュス……」オクサはとまどったように言った。

「おまえが思ってるより、もっと変わったさ」

その返事はオクサに不思議な思いを抱かせた。人は歳《とし》をとるにつれて変わっていくのだろうか?つらいことや幸せは必ず人を変えるのだろうか? 自分や人が以前どうだったかを理解するためにはどうすればいいんだろう?

「停電って、ホント、いらいらする!」クッカが真っ暗な画面の前でうめいた。

オクサはうんざりして、ため息をついた。

「そうだけどさ。病院や電車のほうが、あたしたちより電気を必要とする度合いがちょっとだけ高くない？」オクサの言い方には挑発《ちょうはつ》がふくまれている。

「あったりまえよ！　そんなこと、たいして賢《かしこ》くなくてもわかるわよ」と、クッカは言い返した。

「わたしは、ただ……」

「ホントにいらいらするよな」ギュスが口をはさんだ。

薄暗《うすぐら》い部屋だからオクサのきつい視線がギュスには見えなかった。だが、想像するのはかんたんだ……。同じ場所に居合わせるやいなや、この二人がとげのあるやり取りをすることにギュスは慣れてきた。ゾエとモーティマーは口を出さないことに決めているようなので、正反対の性格のオクサとクッカにギュスは一人で対応しなければならなかった。どちらかの味方をすることはしたくないので、ギュスはことを平穏《へいおん》に済ますために口をはさむ――ただ、それだけのために。ときにはボクシングのレフェリーになったような気がする。

「ファンタスティック・ファイブ（アメコミに登場するヒーローチーム）は元気かい？」

この五人の若者たちは親友同士というわけではなく、大人たちから自然にそう呼ばれるようになり、しゃれでその名を受け入れていた。

「ええ、ありがとう、パヴェル。電気が復活するのを待ってるのよ」と、ゾエが答えた。

「パパ、肩《かた》に発光ダコを乗せてると、幽霊みたいじゃない！」

パヴェルはがっかりしてみせた。

「せっかく人が親切に助けてやろうと思ってきたのに、自分の娘から皮肉な言葉を浴びせられるとはな……」

オクサはぷっと吹き出した。

「頭がいかれてるうえに皮肉屋か……」ギュスがコメントした。

「それはひどいよな、すごくひどい」パヴェルはおおげさに深刻ぶってつけ加えた。

モーティマーは壁のシミに気をとられたふりをして、急に壁に顔をそむけた。オクサと彼女の父親の関係には驚かされる。いまみたいに状況《じょうきょう》がよくないときでも、二人はふざけたことを言い合う時間を必ず作っている。その見せかけの軽さは場ちがいにも見えるけれど、モーティマーにはうらやましかった。

モーティマーはつい自分の父親と比べてしまっていた。オーソンは頑固《がんこ》な父親だった。彼の厳しさのために、マックグロー家の人たちは日常生活では親密になれなかった。だが、オーソンは自分なりの思いやりももっていた。少なくともオクサを見つけるまでは……。というのは、その瞬間からすべてが変わったからだ。すべてがむちゃくちゃになり、家族もルールも崩壊《ほうかい》した。「希望の星」が強迫《きょうはく》観念になり、ほかのことはどうでもよくなった。それが、人間ができうる最悪のことをするための言い訳になったのだ。

父親が恐れを知らない犯罪者になったことはわかっていたが、モーティマーには何も言えなかった。しかし、殺人よりも、別の出来事のほうが決定的だった。

ヘブリディーズ海の島でレミニサンスがモーティマーを捕《つか》まえて殺すと脅《おど》したとき、オーソンは迷った。復讐《ふくしゅう》のためなら何でもやりかねないレミニサンスの手中に自分の息子があって命が危なかったのに、妹に屈服《くっぷく》することを迷ったのだ。

そのとき、何かがこわれた。それはもう取り返しがつかない。

その後、オーソンはテュグデュアルを自分のもとに引き寄せ、モーティマーを二の次にした。あの「新しい」息子はそれだけの可能性を秘めていた……。モーティマーは苦しんだけれど、彼の恨みは異母兄弟になった男よりも父親のほうに向いた。

テュグデュアルはまた一人増えた犠牲者《ぎせい》者でしかない。

モーティマーはもう耐えられなかった。

そうして、彼は決心したのだ。

11 現地到着

グリーンランド沖《おき》のどこか……。


泡立つ海を裂《さ》くようにして潜水艦《せんすいかん》が水面に浮上《ふじょう》してきた。それはまるでなめらかでぎらぎらした巨大なナメクジのように、降り始めた雪で乳白色《にゅうはくしょく》にかすむ月光のなかを静かに進んだ。

一人の男が潜水艦の司令塔にあらわれた。男は大海原をしばらくながめてから、頭を後ろにそらせて笑い出した。おごりと絶望がないまぜになった笑いだ。その笑いは夜の闇《やみ》に静かにひびきわたり、やがて荒《あ》れた波間に吸いこまれた。それから、男は気を取り直して、肩《かた》からかけたカバンから大きな懐中《かいちゅう》電灯を取り出し、光の合図を送り続けた。とつぜん、数キロメートル先の石油プラットフォームからサーチライトの光が空を照らした。まるで地球から宇宙への道を示すように。潜水艦は進路を調整し、その奇妙《きみょう》な構造物に向かってまっすぐに進んだ。

数人がプラットフォームの手すりにひじをついていた。凍《い》てつく風や吹きつける雪もものともせず、二つの柱の間に固定された狭《せま》い橋に潜水艦が近づくのを待っていた。潜水艦が接近してくると、彼らは潜水艦の乗り組員が投げてきたロープをしばり、接岸のために立ち働いた。潜水艦が固定されると、乗っていた人たちが姿をあらわした。年齢《ねんれい》もさまざまな男女二十人ほどだ。暴風雪に驚いた彼らは分厚い発せられたアノラックのなかに首をすくめた。そして複雑に組み合わさった鋼鉄の柱の中にあるらせん階段をのぼり始めた。プラットフォームのてっぺんを見上げる者もいた。その巨大さに頭がくらくらした人たちは凍りついた手すりにつかまりながら歩みを速めた。この旅ではもうすでに驚くことがたくさんあったが、まだ序の口だという気がしていた。

潜水艦を降りた人たちはプラットフォームの一辺に建てられた六階建ての建物に案内された。外気の温度とは対照的に中は驚くほど蒸し暑く、狭い通路には圧迫感《あっぱくかん》があった。鋼鉄だけでできているので、足音も風もあらゆる音が大きくひびく。不気味なきしみやがんがんと打ちつける音がした。彼らは無数の通路を抜けた。観察力のある人たちは、活気あふれる実験室のような部屋がいくつもあるのに気づいた。そして、壁が監視《かんし》モニターにおおわれた四階にある一室に案内された。そこでは黒いタートルネックのセーターとパンツというそろいの服装をした男女が十台ほどのコンピューターを前に忙《いそが》しく働いていた。

新たにやってきた人たちは顔を見合わせた。この人たちはどこからやってきたんだろう？　どういう人たちなのだろう？　そして、自分たちに何を期待しているのだろう？

とつぜん、声がひびきわたった。黒づくめの人たちはヘッドホンをはずし、姿勢を正した。潜水艦を降りた新参者たちは、歓迎の言葉を述べている人を目で探した。だが、だれもいない。実体はないのに妙に存在感のある声が天井《てんじょう》に取りつけられたスピーカーから聞こえてくるのだ。

「諸君が今日ここにいるのは、わたしの基準にかなったからだ。どうして諸君なのか？　答えはわかっているだろう。各分野でトップクラスの人間だからだ。しかし、ご存知のように、この社会では才能と野心は正当に評価されない……」

コンピューターの画面のひとつがとつぜん拡大され、世界中のテレビ局が放映したルポルタージュの抜粋《ばっすい》を映し出した。その部屋にいる人たちのなかのいく人かの顔が画面に映った。全員が画面を見つめ、アナウンサーのコメントにじっと耳を傾け、そばにいる人の視線を避《さ》けていた。

「ここ数日のうちに東欧《とうおう》の刑務所《けいむしょ》で起きたのと同じ手口の脱獄《だつごく》が、アメリカでもいくつかありました」と、CNNのアナウンサーが伝えた。ほかの国の全国テレビも同じようなニュースを伝えている。「脱獄者のなかには世界中の警察が何年も指名手配していた者たちが含まれています。〝千の顔を持つ殺人鬼〟と呼ばれるヘルガ・コリウス……」

新参者のグループの真ん中にいた目つきのするどい女が薄笑《うすわら》いを浮かべた。

「これらの犯罪者が犯した罪と脱獄事件の関係はまだ明らかになっていません……」

急に音がやんだ。そして、演出効果も抜群《ばつぐん》にこの場の主人があらわれた。骨ばった体をしたスキンヘッドの男だ。ここにいる何人かは、エストニアの刑務所やルーマニアの僻地《へきち》の秘密研究所などを出たときに、その男と会っていた。そのときと同じくエレガントで印象深い。彼のそばに黙ってしたがっているのは、四十代のやせた男と、灰色がかったブルーの冷たい目をした真っ黒な髪の若い男だった。

「わたしのために働くことを受け入れたということは、諸君の能力がやっと世界に認められるということだ」みんなをここまで連れてきた男がまた話し出した。「諸君は完全な忠誠を誓《ちか》う代わりに、輝かしい理念のために自分の能力を生かすことができる。世界のエリート集団に加わったことを誇《ほこ》りに思ってもらいたい！」

黒ずくめの男女がいっせいに歓声をあげた。しばらくするとまたしんとして、聞こえるのは風の音だけになった。

「グレゴールが諸君を部屋に案内する前に、最低限の情報をお知らせしておかなければならない。観察眼のある者は、わたしたちがプラットフォームにいることに気づいたと思うが……」

男はそこでふくみ笑いをもらした。

「ここの名は〈サラマンダー（火のなかにすむという伝説上のトカゲ）〉だ。グリーンランド沖のイルミンガー海の真ん中にある。まあ、正確な場所などどうでもいいが。諸君を迎える主人はわたしだ。わたしを知っている者もいるだろう。知らない者のために言っておくと、わたしはオーソン・マックグローという。だが、わたしのことは〝指導者〟と呼んでほしい。さあ、仕事にかかってくれ！　われわれにはやりとげなければいけない大事業がある！」

オーソンが部屋を去ると、彼の仲間たちはこぶしをふり上げていっせいに叫《さけ》んだ。

「われらの力を栄光のために！　死ぬまで指導者についていこう！」

12　オーソンのエリート集団

イルミンガー海の石油プラットフォーム〈サラマンダー〉。

プラットフォームにあるスポーツジムの小さな円窓に、あられがぱちぱち当たっている。最悪の天気だ。空と海が競い合うようにプラットフォームに向かって水や風を吐《は》き出《だ》し、打ちつけ、うなり声をあげている。そのたびに、プラットフォームがぎしぎしと音を立てる。しかし、外の荒《あ》れ模様にもかかわらず、だれもがトレーナーの男――運動選手のようにすらりとしている――の話を熱心に聞いていた。

身体強化訓練の内容は格闘技《かくとうぎ》、武術、護身術を中心に組まれていた。対象のグループは指導者が命名した〈チーム・イール〉。傭兵《ようへい》、元軍人、悪者の手下、殺し屋からなり、まちがいなくオーソンの武装集団の秘密兵器となりそうだ。もうひとつの〈チーム・オクトパス〉も負けてはいない。論争を巻き起こしたり、その分野で問題行為《こうい》を行った世界有数の遺伝学者、神経物理学者や、天才的コンピューターハッカー、金融《きんゆう》の天才などがいた。〈チーム・イール〉が雄叫《おたけ》びをあげながら汗を流している間、〈チーム・オクトパス〉のほうは五階のコンピュータールームか、あるいは実験室で忙《いそが》しく働いていた。

グレゴールは、マルクス・オルセンの説明する、うまく人ごみにまぎれこむ方法や、自分たちと同じくらい鍛《きた》えられたボディガードの裏をかくための巧《たく》みな技などについての講義にじっと耳を傾けていた。このオルセンは優秀な新メンバーだ……。すでに旧ソ連の某国首脳《ぼうこく》を殺害した罪で無期懲役《ちょうえき》の判決を受けていたが、そのほか何件かの著名な政治家暗殺にも関与《かんよ》している。ほかにも、証拠《しょうこ》不十分で罪にならなかった殺人事件がたくさんある。ブティルカ刑務所《けいむしょ》で腐《くさ》らせておくには惜《お》しい人物だ。

「たしかに親父は偉大《いだい》な正義の味方だな」

熱心に自分のノウハウを伝えるオルセンの教え方のうまさに感心したグレゴールは、つぶやいた。

ふとジムの入り口にじっと立っていたテュグデュアルに目が行った。髪を短くしたためにむき出しになった顔は恐ろしいほど青白い。彼は訓練中の男女を無表情にじっと見つめていた。〈サラマンダー〉の住人のなかでただ一人、みんなの熱気に染まっていない人間だ。オーソンがかわいがっているためにいろいろな特権を得ているはずなのに、テュグデュアルはときどき反抗心《はんこうしん》を見せることがあった。しかし、オーソンは彼をそのつどうまくいいくるめた。すべてはお気に入りの息子テュグデュアルによかれと思ってしていることだというのだ。

グレゴールもばかではない。若い異母弟のほうが自分より能力があることはわかっている。二人ともグラシューズの血を受けついではいても、グレゴールの母親は〈外の人〉にすぎないが、テュグデュアルの母親は正真正銘《しょうしんしょうめい》の〈内の人〉だ。

それは決定的に有利な点だ。

そんなことを考えていると、オーソンの長男の顔がくもった。裏切り者のモーティマーが去ったあと、グレゴールは父親の愛を一身に受けられると思い喜んでいた。父親を補佐《ほさ》し、右腕《みぎうで》になり、信頼され、その日が来たら正当に跡《あと》を継《つ》ぐ。それが物事の順序のはずだった。しかし、テュグデュアルがやってきて、オーソンの注意は奇跡的にもたらされた息子にばかり向いている。苦々しくはあったが、グレゴールは父親への完璧な忠誠心を保っていた。それがどんなに高くつこうとも。

自分が観察されていることに気づくと、テュグデュアルはさっときびすを返して姿を消した。黒っぽくスリムな姿は廊下を進み、らせん階段をのぼって六階まで行った。さりげなく豪華《ごうか》な穴倉《あなぐら》――指導者は仲間のあつかい方を知っていた――といった感じの小さな部屋に入った。テュグデュアルは嵐が吹きつける円窓のそばに座って、悲しそうな声で歌を口ずさんだ。

おれは骨まで凍りついている
……
胸に手を当てて、召集《しょうしゅう》を待っている
戦いにのぞむ用意はできている。運命を受け入れる用意も
……
もう一度味わいたい
おれのくちびるの苦い血の味や痛みを

Iron/Woodkid

とつぜん、筋肉がつったようにテュグデュアルは体をこわばらせた。数秒後、部屋のドアがあき、オーソンが姿をあらわした。彼は音をたてずにドアを閉め、テュグデュアルの後ろにやってきた。それがだれであるかは、テュグデュアルはふり返らなくてもわかっていた。

「わたしといっしょに来るんだ」と言いながら、オーソンは息子の肩《かた》に手をおいた。「おまえに任せたい特別な任務がある」

その手は意外にもそっとおかれたのだが、その実、しっかりととらえられたように感じた。言うことをきくしかない。テュグデュアルはかすかに震《ふる》え、荒れる海をしばらくながめていたが、やっと立ち上がった。凍りついたブルーの目が、オーソンのメタルのように冷たく輝く目をのぞきこんだ。こうして数秒間見つめあったあと、オーソンはテュグデュアルを腕に抱《だ》いた。

「もうわかっただろう?」オーソンは息子の耳元にささやいた。「抵抗《ていこう》してもどうにもならないんだ。おまえはわたしの息子なんだから」

オーソンはテュグデュアルをいっそう強く抱きしめた。

「おまえはわたしが命令したことをすべて実行するんだ。そうだな?」

テュグデュアルは急に体の緊張《きんちょう》をゆるめ、うなずいた。

「はい、お父さん……」

13　都市伝説の誕生

ファンタスティック・ファイブは休みなく働いた。フル回転するパソコンの画面をずっと見つめているため、みんな目が赤い。短い休憩《きゅうけい》もめったにとらなかったが、まだ停電がたびたび起こるので、仕方なく休むことはあった。

五人の努力は実を結んだ。

探すものがはっきりしていれば、インターネットはすばらしい手段だ。脱獄《だつごく》事件をさかんに報道していたメディアから出発し、信頼性が危ういものや確認されていないものもふくめて、オクサたちは関連情報をできるだけたくさん集めた。「火のないところに煙は立たない」という言葉をオクサはしばしば思い出した。また、ネット上を駆けめぐるビデオや目撃《もくげき》情報、投稿《とうこう》写真のおかげで、ピックアップした情報のリストは日に日に長くなった。脱獄を目撃した刑務所《けいむしょ》の看守や警備員たちは匿名《とくめい》でグループを作り、警察にでたらめだと決めつけられた証言を公開していた。こうして、〈逃げおおせた人〉たちは幸運にも生情報を得ることができた。

そうした証言は表向きにはまともに取り上げられていなかったが、舞台裏《ぶたいうら》では——世界中の警察ですら——事実として受け止められており、ファンタスティック・ファイブが丹念《たんねん》にリストアップしたのと同じ点が注目されていた。

＊脱獄者はみんな、悪事――ほとんどが重罪だ――が裁かれたときに話題になった人
＊脱獄はすべて夜に行われた
＊脱獄のあった刑務所の電気系統は、人が操作したり、爆発《ばくはつ》物を使ったり、電子工学的な操作をすることなしに破壊《はかい》された
＊鉄格子や鋼鉄のドアや石の壁を溶《と》かすのに使われた物質の成分は、どんな研究所でも特定できなかった
＊警備員たちは急に武器を取られて空中にはじき飛ばされた。彼らは「見えない力によってそうされた」と口をそろえている
＊暗くはあったが、脱獄の際に四つの人影が刑務所の上空を飛んでいき、空に消えたという証言が多かった

以上の点は〈逃げおおせた人〉たちの説をまさに裏づけるものだった。

「鋼鉄や石をいとも簡単に溶かせるのは、反逆者《フェロン》たちが〈アイギス〉に裂け目《さめ》をこしらえるのに使った酸のグラノックなんじゃないの？」

アバクムがうなずいた。

「そんな気がするな、わたしの若いグラシューズ……」

「オーソンがそのストックを無限に持ってなきゃいいけど！」と、オクサが声をあげた。「じゃなかったら、世界中の銀行の金庫を破れるじゃない！」

「それか、原子力発電所をおそうとかさ……」と、ギュスがつけ加えた。

オクサはとがめるような目つきでギュスを見た。

「前向きな意見をありがとう、ギュス……」

「まちがってるか？」

「いいや、ギュス、残念ながらまちがってはいない……」アバクムが答えた。

「四人の人影というのは？」と、マリーがたずねた。

オクサの母親の身体の調子は完全によくなったわけではなかった。しかし、その奇跡的な回復ぶりをみんなが喜んだ。もっと楽な姿勢になるようにマリーがソファに座りなおそうとすると、すぐにパヴェルが手を貸そうとした。それを彼女はやんわりと断る仕草をしてから言った。

「どう思う？」

「オーソンと脱獄者、グレゴール、それに……テュグデュアルか」パヴェルはこう言いながら、心配そうな視線をおずおずとオクサに向けた。だれかがテュグデュアルの名を口に出すときには、パヴェルはいつもそうするのだ。

「だが、われわれはオーソンよりずっと優位に立っているよ」と、アバクムが言った。

「そう思う？」オクサは眉《まゆ》を「ハ」の字にしてたずねた。

「オーソンが武装集団を作ったとしても、そのなかに〈内の人〉は三人しかいないんだ。彼と二人の息子だけだ」

オクサは歯を食いしばった。どうして、みんなはテュグデュアルのことを話すとき、そんなに用心するんだろう？　あたしを傷つけないため？　オクサは顔をまっすぐ上げ、父親の視線をしっかりと受け止めた。あたしは成長した。十七歳《さい》だ。試練もたくさん乗《の》り越《こ》えた。いろんなことに直面することもできる。あることを受け入れる以外は……。だが、それは自分の問題だ。

「そのとおりだ。ぼくたちのほうがずっと数は多い！」ギュスが口をはさんだ。「もちろん、ぼくは数に入ってないけど」

「もう、なんでギュスが、あたしたちとずっといっしょにいるのか、わかんないよ」と、オクサはいらいらして言った。「ホント、自分の荷物をまとめて出て行っちゃえばよかったんだよね。たとえば、遠くのダメ人間の国とか、自分の〝約束の地〟に……」

「オクサ！　何言ってるんだ？」

パヴェルの大きな声がひびいた。その場にいた〈逃げおおせた人〉や〈締《し》め出《だ》された人〉たちのとがめるような声がそれに続いた。

「変わらないといけないいんだよ、ギュス」オクサはつぶやいた。

「そのとおりだよ……」ギュスは挑《いど》むようにオクサをじっと見つめながら言い返した。

意外にも、先に目をふせたのはオクサのほうだった。

脱獄事件の捜査《そうさ》に関して当局が口をつぐむ一方、情報はあらゆる方面に広がっていき、反論の余地のない事実のように受け止められていた。メディアやインターネットに流されたのだから本当のことだろうと、多くの人の目には映ったのだ。まもなく、それは都市伝説となって広まっていった。囚人《しゅうじん》を対象にした軍の実験と極秘の最先端《さいせんたん》技術から生まれたミュータント（突然変異体《とつぜんへんいたい》）のような新種の人間なのだという噂《うわさ》が、あっという間に広がったのだ。こういう状況《じょうきょう》でなかったら、〈逃げおおせた人〉たちはそんな噂を笑い飛ばしていたかもしれない。

その都市伝説がパニックを引き起こしていたころ、インターポールやスコットランドヤードやCIAなどの捜査官が確かな情報を確認していた。すべての脱獄事件の裏には同じ一人の男がいるということを。

〈逃げおおせた人〉はすでにその男がだれかを知っていた。それだけでなく、その男の野望まですべて知っていたのだ。

モーティマーは脱獄事件関連と並行して、脱獄者に似たプロフィールを持った行方不明者にまで情報収集の対象を広げるべきだというすばらしいアイデアを出した。

「もっと正確な名簿《めいぼ》を作ったり、おれの……親父の武装集団についてもっと正確に把握《はあく》できるかもしれない」

その仕事は膨大《ぼうだい》な量だったし、しかも五人の若者の間にちょっとしたいざこざを引き起こした。オクサとゾエとモーティマーは言語が変わってもすいすいとデータを見ることができるのに比べ、ギュスとクッカは魔法使いのように何ヵ国語も理解できるわけではない。そのため二人は自然にいっしょに検索《けんさく》をするようになった。

それがまったくオクサには気に入らなかった。

いつものように、自分の勝手な思いにオクサはいらいらした。そんなことにまどわされている場合じゃない！　だけど、クッカがしなを作ったり、わざとらしくギュスの気を引こうとしたり、きれいな髪を後ろにさっとはらったりしているのを見ていると、この呪《のろ》わしい美女のすべてを抹殺《まっさつ》してやりたい気分になるのだ。

「ギュス、イギリスの行方不明者ファイルで何かおもしろいものが見つかった？」オクサは自分でもびっくりするほどどきつい調子でたずねていた。

ギュスはオクサの言い方をまったく気にせず、見つけたことをその時どきに書きなぐったメモをちらりと見た。男の子というのは、そういうことに無頓着《むとんちゃく》なのだろうか？

「うん！　三日前にニアル・モンローの失踪《しっそう》を家族が届けてるよ」

オクサがギュスに投げた視線はするどく、ひどくいら立っていた。クッカのあごがギュスの肩《かた》に触れているのを見て、どうしても表情を和らげることができなかったからだ。

「そのニアル・モンローってだれなの？」とたずねるオクサの声はやはりとがっていた。

ギュスはメモを見ながら、心底驚いたように言った。

「ニアル・モンローを知らないのか？　ほら、オクサ、思い出してみろよ……」

「ううん、悪いけど、あたし、ニアル・モンローなんて知らない！」オクサはかっとなって言い返した。「だから、あなたの膨大な知識をもって教えていただきたいと言ってるんじゃない」

「わたしはその名前、聞いたことがある気がする。あんまりたしかじゃないけど」ゾエがオクサとギュスを見ながら言った。

クッカとオクサの仲裁をするのがギュスなら、定期的に破裂《はれつ》しそうになる爆弾《ばくだん》の処理班のようにギュスとオクサの間に割って入るのはゾエだった。

「ニアル・モンローは世界で最も若いコンピューターハッカーの一人だよ。十三歳の誕生日にFBIの内部ネットワークに見事に侵入《しんにゅう》したのが彼さ」

「あっ、そうか！」オクサの注意は再び調査のほうに向かったようだ。「思い出した！　スイスの主要銀行のファイルにもアクセスしたんだよね」

「そうそう！」ギュスはうなずいた。「政府のために仕事をするようすすめられたらしいんだけど、まだ若すぎるからって親が断ったんだ。十六歳かそこらだったからさ……」

「それで、いまは行方不明なんだ……」

ファンタスティック・ファイブはじっと考えこんだ。

「モーティマー、だいじょうぶ？」と、オクサがたずねた。

モーティマーはその行方不明事件にショックを受けているらしい。

「きみたちは知らないみたいだけど……ニアル・モンローは聖プロクシマス中学にいたんだ。それに、おれと同じクラスだった」と、モーティマーが答えた。

「ホント？」オクサが叫《さけ》んだ。「えっ、ウソみたい！」

「お父さんは知ってたの？」ゾエがたずねた。

「親父は教師だったんだぜ。それに、親父は何でも知ってたさ」モーティマーは恨《うら》めしそうに答えた。「それはいまも変わってないだろ。それどころか……」

モーティマーはそう言うと、目の前に積まれた紙に目を落とした。ゾエが心配そうに思いやりのあるまなざしでモーティマーを見つめた。彼女の血縁《けつえん》を超《こ》えたモーティマーへの深い愛情は、これまでのいろいろないきさつにもかかわらず変わらなかった。ゾエと同じように、モーティマーも自分のつくべき側を選んだ。ゾエと同じように、彼も心が引き裂かれている。モーティマーがキレないようにものすごく努力しているのをゾエは知っている。

「おれたちがリストアップしたなかには、ＩＴの天才が三人いる」と、モーティマーが続けた。「そのうち二人はアメリカのアッティカ刑務所とライカーズアイランド刑務所から〝解放〟された人。それに加えて、韓国《かんこく》人が一人、数日前から行方不明になってる。ニアル・モンローは四人目ってわけだよな？」

　何か手がかりを見つけると、モーティマーはすぐにグループのメンバーに意見を求めようとした。そういうみんなに溶《と》けこもうとする努力に、もともと彼を信頼していたオクサとゾエは感心していた。ただし、クッカとギュスは無関心な態度をくずさなかった。

「そのとおりだと思うな！」オクサが意気ごんで言った。

「その男の子はオーソンに選ばれた新メンバーよ。そうじゃない？」ゾエも賛成した。

「その子はとんでもない損害をあたえることができるんだよな」

　そう言うと、ギュスは分厚いメモの束をぱらぱらとめくり、紙を一枚取り出した。

「あとひとつ、おもしろいものを見つけたんだ。脱獄事件の元凶《げんきょう》だという超自然的存在についての都市伝説が、すごいスピードで広まってるみたいなんだ」

　みんなははっとした。超自然的存在だって？　そこまで事実に近いことが噂されているのか？

「それだけじゃないんだ。噂はもっと進んでいる。その超自然的存在は別の世界からやってきて、悪事を働こうと潜入《せんにゅう》していた仲間、つまり囚人たちを解放してるんだって……」

「へえ！」と、オクサが感心したように言った。

その噂がもたらす結果についてそれぞれが考え始めたとき、とつぜん、ギュスが叫んだ。

「おい、待てよ！　もし本当に脱獄者たちが〈逃げおおせた人〉みたいにエデフィアから〈外界〉にやって来た亡命者だったら？　その人たちが本物の反逆者《フェロン》だったらどうする？」

14　連鎖《れんさ》反応

「脱獄《だつごく》者は〈内の人〉だっていうの？」オクサが叫《さけ》んだ。「それって、サイアクじゃない……。たしかに、反逆者《フェロン》はメルセディカとルーカスとアガフォンとその子孫のごくひとにぎりの人たちだってずっと思いこんでたけど。それより多いかもしれないし、その囚人《しゅうじん》たちが……あたしたちみたいな人だって可能性もあるわけよね？」

「それだったら、とっくに脱獄してるんじゃない？」ゾエが反論した。「超《ちょう》能力があるから、脱獄なんて簡単なはずじゃない！　オーソンがあんな危険を冒《おか》す必要はないよ」

「それか、最初から捕まらないようにするだろうな」ギュスの考えはそちらのほうに傾いているようだ。

「そうだよね」と、オクサも認めた。「あたしたち、何でもないことで怖《こわ》がっているだけかも」

「たぶんね……」と、ギュスとゾエも納得顔だ。

二人は同時に同じことを言ったので、思わずほほえんだ。

「モーティマー、どう思う？」

こうたずねたオクサは恐ろしい仮説にまだ不安なようだ。

モーティマーは短く刈《か》った頭をかいた。

「親父は自己顕示欲《けんじ》が強かった。いや、いまも強いから、自慢《じまん》できることをひけらかさずにはいられないんだ」モーティマーは神経質そうに小声で言った。「親父が自分の能力を隠していたことさえ、おれは驚いているんだ。おれたちも知らない〈内の人〉が味方についていたんなら、言わずにはいられなかっただろうし、おれも知っていたと思う……」

「だけど、三人目の息子がいたことはうまく隠してたよな」ギュスはそう言いながら、パソコンのほうに向き直って検索《けんさく》を再開した。

ギュスのあからさまな言い方に、モーティマーはうなだれた。とくに観察眼が優れていなくても、どんなに彼が苦しんでいるかはわかる。モーティマーはこぶしをぎゅっとにぎりしめて立ち上がり、部屋を出て行った。そのとちゅうでソーダの缶《かん》を倒し、それを乱暴にけとばした。

オクサはというと、怒りを爆発《ばくはつ》させ、顔をしかめて手をたたいた。

「ブラボー、ギュス！　それに、すごくデリカシーのあるところを見せてくれてありがとう！　いったいどっちの側についているのか、わかんなくなるのよね……」

ギュスはキーボードをたたいていた手をぱっと止めた。

「その質問はぼくよりほかの人にしたほうがいいんじゃないのか？」

なぐられるより——たとえこっぴどくなぐられたとしても——言葉のほうがより深く人を傷つけることができるのをオクサは知っていた。言葉の暴力がときには致命的《ちめい》な結果をもたらすことを目撃《もくげき》したこともあった。オーソンとオシウスの最後の辛辣《しんらつ》なやり取りはまだ記憶に生々しい。それに、レオミドやメルセディカを死に追いやった言葉のことも忘れられない。

ギュスが言ったことは、もちろんオクサを死に追いやるほどではないにしろ、ひどく苦しめることはできる。オクサの打ちひしがれた暗い表情を見たゾエは、クッカをつれて部屋を出て行くことにした。

ひざを抱《かか》えて椅子に座ったオクサはギュスの背中とやわらかくてつやつやした黒髪をじっと見つめた。その髪を一本一本ひっこ抜いてやりたい衝動《しょうどう》を満足させる代わりに、オクサはできるだけ威力《いりょく》を抑《おさ》えた——もちろん、ギュスを殺すのが目的ではない——〈ノック・パンチ〉を放った。キャスター付きの椅子は部屋の端《はし》まですべり、ギュスはふり落とされないように必死に椅子にしがみついた。椅子は壁に衝突したが、ギュスは前のめりになっただけで落ちないですんだ。

「おまえ、どうかしてるぞ！」ギュスは真っ青になって文句を言った。

オクサも同じように青ざめていた。

「敵をまちがえてるんじゃないのか？　悪者はぼくじゃないって、わかってるはずだろ！」

オクサは「だまって」と言いたくてたまらなかった。だが、しょんぼりとギュスを見つめるだけで、ひと言も言えなかった。ギュスはオクサの様子に気づいていないわけではないようだ。顔から険悪な感じがなくなり、以前の思いやりのある優しさがもどっていた。ギュスは座ったままオクサのところまで椅子をころがしていった。

オクサはまたひどいことを言われるのではないかと、ギュスの目を正面から見ることができなかった。目をそらしたとたんに、涙があふれてきた。悲しみと怒りといらいらと後悔《こうかい》の涙……こんなに感情がぐちゃぐちゃなときに、真実を見きわめることなんてできない。

「ごめん……」ギュスがつぶやいた。

「あたしは前のままのあたしじゃない」

ギュスはオクサに近づいた。

「何言ってんだよ。ぼくにとっては、おまえはずっと前から同じだし、おまえがいやでも、これからだってそれは変わらないさ！」

オクサは顔をひざの間にはさんで、声をあげるのをこらえた。

「どうして、あたしが帰ってきてからずっとこうなの？」

「こうなのって、どういうこと？」

「あたしのことを嫌《きら》ってるみたい！」

ギュスはため息をついた。

「嫌ってなんかいないよ、オクサ」

「前はあんなに仲がよかったのに……」

「前って、いつより前だよ？　おまえが別のやつを選ぶ前か？　おまえは自分の好きにすればいいんだから、別に恨《うら》んじゃいないよ。あの裏切り者の〝ゴシック系カラス〟じゃないやつを選んでくれたほうがよかったのはたしかだけどな！」

その言い方には少し棘《とげ》があった。ギュスは後悔しているようだ。ばつが悪そうに髪を後ろにふりはらった。

「でも、ゴビ砂漠でぼくたちの間にあったことは、おまえにとっても大事なことだったと思っていたんだ」ギュスは震《ふる》える声を抑えようとした。「あれは……意味があることだと思っていたんだ。いい意味で、何か強いものが……わかるかい？」

オクサのぎこちない息づかいだけが、ギュスの言いたいことはよくわかっていると物語っていた。

「ぼくにキスしたじゃないか、オクサ、いくらなんでも覚えてるだろ？　ぼくのほうからしたんじゃない！」

ギュスは手を伸ばしてオクサのあごを上げようとした。オクサは抵抗《ていこう》した。

「もしおまえが亀《かめ》のように殻《から》に閉じこもってるんなら、どうにもできないんだ……」

オクサが無表情のままなので、ギュスは彼女の肩をつかんで自分の椅子をさらに近づけた。オクサは驚いて顔を上げた。


ギュスは激しくキスをした。

それから、立ち上がって部屋を出て行った。

15　異端《いたん》の天才たち

豪華《ごうか》な自室にいるレオカディア・ボルをグレゴールが迎えにきた。これでやっと仕事を始められるとレオカディアは思った。

この二十年というもの、彼女は科学者たちからの拒絶《きょぜつ》や、無知な人たちからのひどいさげすみを受けてきた。次第に彼女は科学者仲間から違法《いほう》領域に押しやられた。だれにも真価を認められず、孤独《こどく》のなか、ボルはみすぼらしい地下室の奥にこしらえた自分のラボで実験を続けた。いつか世界中の人たちが目を覚まして、自分の天才ぶりを認めてくれる日が来ると固く信じながら。そうなれば、世界中の人たちがひれふして、自分たちのほうが無知だったと許しを請《こ》うだろう……。

そういう日は決して来ないかもしれなかった。どんよりしたある冬の朝、ワルシャワ郊外《こうがい》のレオカディア・ボルの小さな家を警察が包囲したからだ。五十人ほどの完全武装した警官がラボを荒《あ》らし、長年の努力の成果である実験結果を押収《おうしゅう》していくのを、手錠《てじょう》をかけられた彼女はどうすることもできずにながめていた。

皮肉なことに、この逮捕《たいほ》はボルの自尊心をくすぐった。自分の研究が医学界の注目と羨望《せんぼう》を浴びたのだ。警察の大がかりな捜査《そうさ》がその証拠《しょうこ》だ。しかし、野蛮《やばん》な警官たちが自分を怪物《かいぶつ》のようにあつかったり、メモや実験器具やパソコンを押収していくのを目の当たりにすると怒りで震《ふる》えた。やつらはそれをどうするんだろう？　いちばん高い値をつけた人に売るのだろうか？　よりよい社会を築くための希望がそこに全部詰まっていることがわかっているのだろうか？

サン・クエンティン刑務所《けいむしょ》に収監《しゅうかん》されると言われていたのに、実際にはそうではないと気づいたとき、レオカディア・ボルの希望は打《う》ち砕《くだ》かれた。看守たちのやり取りを聞いたときに言葉になじみがあったし、サン・クエンティン刑務所のあるカリフォルニアのように暖かい気候でもないことがわかった。世界一周しなくても、それぐらいはわかる。

バルト海沿岸のとある国のへき地にある秘密の刑務所——世界のどの政府もその存在を公式には

認めていなかった――のひとつにいるのだと推論した。
とたんに気落ちした。自分もふくめてだれも自分がいるところを知らないなら、どうやってこの狭《せま》くてきたならしい場所から逃げ出すことができるだろうか？　それに、そもそもだれが自分を助けてくれるというのだろう？　自分には友人も家族もいない。周りには自分の並外れた頭脳に嫉妬《しっと》する無能なやつらしかいないのだ。

そして、裁判の日がやってきた。裁判のパロディーと言ったほうがいいかもしれない。よくもこんなにひどいのを見つけてきたと思うような弁護士は、自分にひと言もしゃべらせなかった。自分で弁護したほうが千倍もうまくいったろうに！　判決が下った。違法な医学実験を行った罪で禁固三十年。レオカディア・ボルは激しく抗議《こうぎ》した。反抗心をむきだしにしてどなり、自明なことを認めたがらない科学者仲間の相変わらずの頑固《がんこ》さや裁判官に対する嫌悪《けんお》感をあらわにした。

やつらは何と言ったっけ？　わたしの何を見ているのだろう？

誇大妄想《こだいもうそう》の科学者だって？　頭のおかしい遺伝学者だって？

やつらは何もわかっていない……わたしは未来の予見者であり、人類の恩人なのに！

しかも、もう四十代だから、刑務所を出るころには未来のない哀《あわ》れな老女になっている。しかし、彼女のそうした訴《うった》えに対して、裁判所は冷淡《れいたん》で聞く耳をもたなかった。レオカディア・ボルは自分の天才的な頭脳を世界が知る時はついに来ないのだという思いに打ちひしがれ、バルト海沿岸の国の刑務所にもどった。

ところが、奇跡が起きた。わずか数分のうちに、彼女の人生の振《ふ》り子《こ》は再び希望のほうにふれた。自分を牢獄《ろうごく》から遠くに連れ出してくれた三人の男はふつうの人とはちがうようだったが、黙《だま》って従うべきだと本能的に悟《さと》った。

何時間かして、大海原の真ん中にあるひどく寒い石油プラットフォームに着いた。そこには自分のような男や女たちがいた。さげすまれた、あるいは憎《にく》まれた天才たちだ。ここでは真価を評価され、尊敬されているのだ。

ついにチャンスがめぐってきた。人生で最初のチャンスが。

〈サラマンダー〉の居住部分は六階建ての建物だ。部屋は驚くほど整然と機能的に並んでいる。その建物の心臓部である五階には、オーソンの計画のなかでも最も奇妙《きみょう》で不気味《ぶきみ》なものが集まっている。指導者、そして息子二人とマルクス・オルセンしか、まだそこに足を踏み入れていなかった。

グレゴールとレオカディア・ボルが近づくと、外気を遮断《しゃだん》する気密ドアが開いた。その先にはまぶしいほど白っぽい明かりに照らされた狭い通路があり、通路に沿って鋼鉄で補強された三つの扉があった。

最初の扉の前で、グレゴールとレオカディアは立ち止まった。グレゴールはズボンのポケットから筒《つつ》を出し、それを吹いて気味の悪い緑色のナメクジを出して鍵穴《かぎあな》に近づけた。そのナメクジは吸いつくような音を立てながら、不恰好《ぶかっこう》な体をねじって穴の中に消えた。かちかちというにぶい音がし、生きた鍵がまた出てくると扉が開いた。強い光が部屋の中から差してくるので、二人は目の上に手をかざした。グレゴールはレオカディアに入るよう合図し、脇《わき》にどいて、彼女を通した。

「レオカディア・ボル!」オーソンの声がひびいた。

オーソンは近づいてきて、レオカディアの手を驚くほど親愛をこめてにぎった。だが、レオカディアは驚きを顔に出さずにひかえめにしていた。オーソンは手を離し、状況《じょうきょう》がちがっていれば無作法に思えるほどしげしげとレオカディアを観察した。しかし、メタリックな冷たい目をしたこの男とその超《ちょう》能力に恩があることをレオカディアは忘れていなかった。自由は途方《とほう》もなく貴重なものだ。自分のことを好きなだけ値踏《ねぶ》みしてもらってもいいのだ……。

とつぜん、オーソンは笑い出した。皮肉っぽいいやな笑いだが、ひどく真剣《しんけん》な笑いのようでもある。レオカディアははっと身を引いた。

「下品な笑い方をしてすまない! だが、あなたは本当に……無害に見えるな」

完璧なポーランド語で言われたその言葉に、レオカディアは緊張《きんちょう》をといて愉快《ゆかい》そうな冷笑を浮かべた。オーソンはレオカディアを観察し続けた。背が低くて肉付きがよく、髪を短く切った白髪《しらが》まじりの頭、きれいでも醜《みにく》くもないごくふつうの顔。外見もありきたりなら、それに見合った知能しかない、まったく無害な中年女に見えた。二十世紀にナチスに協力した医師以来の最も危険な科学者の一人にはとても見えない。実験室にいるより羽はたきを持っているほうが似合いそうだ。ただ、目つきだけは生き生きとしていたが、それも意識してそういう目つきをするときだけだ。ちょうどいまのように。

「さぞ、やつらは驚いただろうな……」と、オーソンはうれしそうに言った。

自分を中傷した人たちや裁判官のひどく驚いた顔やおびえた目つきを思い出し、レオカディアは皮肉っぽい笑いを浮かべてうなずいた。

「たしかに驚いていましたよ。あなたが想像される以上に」ときつい声で答えた。

オーソンは再びレオカディアをまじまじと見てから、さもうれしそうに言った。

「それはいい……。あなたを仲間に迎えることができて光栄だ。実に光栄だ」

「ひとつ質問してもいいですか？」

オーソンはかすかにうなずいた。

「どうしてわたしのことをご存知なんですか？」

「おやおや、少しでも遺伝子研究に興味を持っている者なら、偉大《いだい》なレオカディア・ボルを知らないほうがおかしいだろう？」

オーソンが感服したような、それでいて威圧《いあつ》的な視線を投げかけると、彼女はそれを受け止め、思いがけぬ気の強さを見せた。

「どうやってわたしを見つけたのですか？」

「すべては、手段があるかどうかの問題だ。わたしがいろいろな手段を持っていることがわかったんじゃないかね？」

レオカディアはしたり顔でうなずいた。

「だが、過去のことはどうでもいい。いまの仕事に移ろうじゃないか」

オーソンはついてくるよう合図した。

レオカディアはすなおに従った。この男とは気が合うようだ。少なくとも、こういう出会いは人生のなかでそうあることではない。

オーソンに案内されて入った数百平方メートルの部屋は、天井《てんじょう》から床までしみひとつないタイルでおおわれていた。巨大な作業台にさまざまな実験機器がどっしりと構えていた。顕微鏡《けんびきょう》、遠《えん》心分離機《しんぶんりき》、クロマトグラフィー（物質を分離・精製する機器）、シーケンサー（DNAの塩基配列やタンパク質のアミノ酸配列を読み取る装置）、サーマルサイクラー（DNAを増幅させる機器）など、レオカディアが夢みた最新型の機器がそろっている。

白衣を着た男が巨大なコンピューターの前に座っていた。レオカディアははっとした。

「ポンピリウ？　ポンピリウ・ネグス？」レオカディアは小声でたずねた。

男がふり返った。大きな手、ほとんどはげあがった大きな頭、個性的な鼻とするどいブルーの目。そういったものがこの中肉中背《ちゅうにくちゅうぜい》の男の特徴《とくちょう》だろうか。

男は自分を呼んだ人をうれしそうに見つめた。

「レオカディア・ボル……」

「再会できてうれしいかな？」と、オーソンが問いかけた。

レオカディアとポンピリウ・ネグスは顔を見合わせてから、その問いに答える代わりにオーソンに向けてにっこりとほほえんだ。

「わたしたちが知り合いだということをご存知だったんですか？」

オーソンの目の周りに愉快そうな笑いじわができた。

「まあ、あなたたちの職歴がとつぜん中断されるまでの時期について調べたということかな……」

「わたしたちに何を望んでいるんですか？」と、レオカディアが質問した。

「あなたがたの最も得意とする分野で力を発揮してもらうだけのことだ。つまり、それぞれの才能を気高い目的のために使うことだ。親愛なるレオカディア、あなたには遺伝学の分野で、お仲間のポンピリウにはウイルス学の分野でというわけだ」

男はうなずき、女は熱心にオーソンの言葉を聞きながらも、疑り深そうに目を細めた。オーソンは二人に背を向けて、壁にすえつけてあるモニターのほうに進んだ。モニターの下を持って引き上げると、金庫があった。オーソンの奇妙な瞳がアクセスコードだ。中にはただひとつの宝物があった。オーソンが用心深く取り出したのはごく小さな筒状のカートリッジだった。

二人の科学者はがぜん興味を持ったらしい。オーソンはゆっくりと二人のほうをふり向いて、さも得意そうにたずねた。

「半透明族《とうめい》というのを聞いたことがあるかね？」

16　壮大《そうだい》なプロジェクト

タイル張りの水切り台の両側にある高いスツールに腰《こし》かけて、オーソンと二人の科学者は運命の新たなページを誇《ほこ》らしげにめくった。オーソンはひそかな喜びを感じながら、エデフィアの存在や〈内の人〉の能力の概略《がいりゃく》を説明し、あからさまな皮肉をこめてオクサ・ポロックや〈逃げおおせた人〉のことを付け加えた。

おおまかなことだけにもかかわらず、この話にレオカディア・ボルとポンピリウ・ネグスはびっくり仰天《ぎょうてん》していた。自分たちを迎えた主人であり庇護者《ひご》である人が、ふつうの人とは体の代謝が多少異なっていることは二人ともうすうす気づいていた。だが別世界から来たとまでは考えていなかったのだ。二人は真の科学者だった。自分たちの研究分野ではかなり自由にやってきたものの、オーソンの話に彼らの合理的な精神は揺《ゆ》さぶられた。


しかしながら、オーソンは驚くべき半透明族《とうめい》について話すことで、二人の新たな協力者の興味を深く引きつけた。頭のいかれた遺伝学者レオカディアのほうは、すばらしい交配や突然変異体《とつぜんへんい》を生み出すことを想像し、とんでもないウイルス学者ポンピリウのほうは、世界規模の感染を早くも夢見ていた。胸がわくわくする将来というわけだ……。

オーソンのほうも惜《お》しみなく、レオカディアとポンピリウが知りたいことはすべて話してやった。何も包《つつ》み隠さず、細かいことも省かず、めずらしく自分を誇示《こじ》することもなく――ただし、この話の主題であるカートリッジを見せるときだけは別だった。このカートリッジだけはずっと手元から離さなかった。

「あのあわれなオクサ・ポロックは最後の半透明族を殺したのだ」オーソンは芝居《しばい》がかった調子で言った。「恐ろしい犯罪行為《こうい》だ」

レオカディア・ボルとポンピリウ・ネグスが医学倫理《りんり》や人道に反する恐ろしい実験をおこなったために罰《ばっ》せられたことや、オーソンがこれまでやってきたことを考えると、その言葉には疑問が残るのだが……。ともかく、三人は臆面《おくめん》もなくオクサの行為をなじった。

「幸いにも、わたしたちには先見の明があったわけだ」

オーソンはこう言いながら、カートリッジをなでた。

「半透明族のＤＮＡを保存されていたんですか？」と、レオカディアが満足そうにたずねた。

「それよりいいものだ！」オーソンは得意げに答えた。「あなたがたの目の前にあるものは卵子だ……最後の女の半透明族が死ぬ前に、父が用心のために採取しておいた卵子だよ。どうだ、すばらしいだろう？」

半透明族の卵子！

二人の科学者は興奮を抑《おさ》えられなかった。ポンピリウの顔は燃えるように輝き、レオカディアの上くちびるはひどくわなないていた。

「指導者様、それはすばらしい！」ポンピリウはため息をつくようにつぶやいた。

「そんなことはわかっている」オーソンは得意げに頭をそらせた。「そのためにあなたたちが必要なんだ。わかっているだろうが、この卵子は非常に貴重なものだからな。いいかげんなやつに任せて、これを失うようなことは避《さ》けたい」

オーソンは激励《げきれい》とも威嚇《いかく》ともつかないものを秘めたきつい目つきをして、二人の科学者を見つめた。二人から目を離さないまま、オーソンは大事なカートリッジを冷たい作業台の上にそっと置いた。葉巻くらいの大きさで、液体窒素《ちっそ》の詰まったものだ。

「もしこれが破壊《はかい》されたり、だめになったり、あるいは少しでも損傷《そんしょう》したら、二人の人生の行き着くところはひとつしかないと思ってくれ。つまり、死だ」

オーソンのメタリックな冷たい瞳が暗くなった。

「失敗したら、あなたたちは心から死を望むだろうが、その死を決定するのはわたしだということを覚えておいてくれ。あなたたちが自由になれたのはわたしのおかげだ。だから、二人の命は担保《たんぽ》としてあずかっておく。取引は正当じゃないかな?」

オーソンの言葉に黙《だま》って同意する以外に、レオカディアとポンピリウに何ができるだろうか。彼らの「恩人」はまちがってはいない。しかも、選択《せんたく》の余地はないのだ……。いずれにしても、指導者が提案したことは取引ではない。オーソンが自分の出自について明かしたこと、三人が手を結ぶこと、この石油プラットフォームにいるということ、オーソンと二人の科学者の野望……今後はすべてをオーソンに依存《いぞん》するということなのだ。

そのため、恐怖と脅《おど》しの段階を過ぎると、レオカディアとポンピリウは自分たちにあたえられたチャンスについてよく考えてみた。うまくいかなかったにしろ、東欧《とうおう》の臭《くさ》い刑務所《けいむしょ》で死ぬよりは、この豪華《ごうか》なラボで世界を変えようとして死ぬほうがずっといい。

しかし、死ぬなんてとんでもない。

なぜなら、自分たちは成功するからだ。

「よし」オーソンは再び目にメタリックな冷たい光を浮かべて話を続けた。「わたしたちの協力関係の条件は決まったから、プロジェクトの話をしよう。きわめてシンプルなことだ。この卵子から半透明族の胎児《たいじ》をひとつ作り、誕生まで育ててほしい」

無表情だが興奮している二人の科学者はオーソンをじっと見つめた。半透明族のような生き物の存在はすばらしい武器になるだろう。あるいは、大変な可能性を秘めた抑止力《よくし》にもなる。すべてはどういう考え方をするかによる。

最初にほほえみを浮かべたのはレオカディアだった。

満足そうに勝《か》ち誇《ほこ》ったようなほほえみ。それ以上に悪意のあるほほえみだ。

これまでにない側面を持ってはいるが、この「仕事」は彼女の能力に見合うものだ。過去におこなった実験のなかにはこれより難しいものもあった。

「半透明族一人だけですか？」こうたずねたレオカディアの調子は挑発《ちょうはつ》ともとれるほど意気ごんでいた。「もっと作ることもできますけど……」

「そこまではあえてわたしも期待しないがね」と、オーソンは答えた。「まあ、最大限やってくれるよう望んでいるよ。もちろん、ダメージをあたえるようなリスクはとらない範囲で、ということだが」

「わたしもまったくそのように考えています」と、レオカディアは答えた。

「非常に優秀なポンピリウ、あなたのほうだが、あなたの才能はわれわれの新たな協力関係をサポートするのになくてはならないものだ」オーソンはブルーの目をした科学者のほうに向き直った。

「ああ！　遺伝学とウイルス学の前衛的科学者を結集することができたことを誇りに思うよ！」

三人の口からほとばしり出た笑いはまったく感じのいいものとはいえなかった。

「指導者様、最後の質問なんですが……」レオカディアが笑うのをやめてたずねた。「自然はいろいろなことを可能にしますが、要求も厳しいのです。ひとつだけ、細かいことをお忘れではないかと思いますが、胎児を作るためには卵子を受精させなければなりません」

「これがあればいいだろう!」オーソンは試験管を一本差し出した。「わたしの一部だがね……」

レオカディアとポンピリウは目をみはって、納得顔でうなずいた。この〈愛のペスト〉計画は途《と》方《ほう》もなく偉大《いだい》だ。

17 悪夢と〈夢飛翔《ひしょう》〉

テュグデュアルはそこにいた。完全にあきらめたように両腕《うで》をだらりとたらしていた。その薄《うす》いブルーの目は絶望にくもっている。オクサは涙を流しながら、手にクラッシュ・グラノックを持ち、口に当てた。

もうあともどりはできない。

悪がそこに深く根づいていて、破壊《はかい》されずに広がろうとしていたからだ。

悪に支配された人間が死ねば別だ。

オクサは涙をぬぐい、クラッシュ・グラノックを吹いた。テュグデュアルはふらふらしていたが、やがて倒れた。〈まっ消弾《だん》〉がテュグデュアルにおそいかかり、善と悪、愛と憎悪《ぞうお》、自由と服従といった彼が秘めていたものすべてに打ち勝つ前に、彼はオクサに最後の視線を向けた。

以前のテュグデュアルがオクサにもたらしたもの——思い出、さまざまな思い、ときめき——すべてが消え去った。
そして、魂《たましい》が彼の体を永久に離れ、あとに黒い灰を残した。

オクサはベッドから跳《と》び起きた。かけ布団が床に落ちた。ぶるっと震《ふる》え、ひじをひざについて頭を抱《かか》えた。なんてひどい悪夢……。オクサがテュグデュアルを殺す夢を見るのは初めてではない。残酷《ざんこく》な場面に満ちたこの悪夢にたびたびうなされていたが、オクサはそれが何らかの意味——たとえ象徴《しょうちょう》的な意味でも——があると認めたくはなかった。

けっしてテュグデュアルを忘れることはできない。けっして彼を殺すことはない。けっして。

夜の静けさに思いをゆだねるように長い息をして、心をからっぽにしようとしたが、むだだった。簡単には寝《ね》つけそうにない。以前は自分のものだった部屋で寝ている仲間たちを起こさないよう、音を立てずにキャンプ用ベッドの間をすり抜けてキッチンに下りた。そこだけはだれも寝ていないので、一人になれた。オクサは紅茶をいれた。ドラゴミラが生きていたらそうしただろう。

ベルガモットの香りをかいでいると、いろいろなことを思い出した。オクサは窓の枠《わく》に腰かけて雲の動きをじっとみつめた。月光に照らされた白っぽい雲は静かな風に流されている。その動きに心を奪《うば》われるような気がした。きれいで、悲しくて、落ち着く。

「オクサかい?」後ろでつぶやく声がした。

オクサはふり返った。ほとんど真っ暗なのにもかかわらず、キッチンの入り口に立っているのがアバクムだとわかった。

「わたしもここにいていいかい?」

「もちろんよ、アバクムおじさん」

アバクムはドアを後ろ手で閉めて、オクサのそばにやってきた。

「眠《ねむ》れないのかい？」

「うん、あんまりね……おじさんは？」

「わたしもだ」

「バーバはこういうときにすごく効くものを持ってたよね。黄金妖精秘薬。もちろん、おじさんも知ってるだろうけど……」

アバクムはうなずいた。アバクムもバーバがいなくて寂《さび》しいのだろうとオクサは思った。アバクムはドラゴミラが生まれた日から嘎順諾爾《ガシュン・ノール》のほとりで亡くなるまで、いつもそばにいたのだ。彼女がいないことで、おそらく心にぽっかりと穴があいたような感じなのだろう。それでも、アバクムはいつもみんなの手本になって闘《たたか》い、前進し、いつもそばにいてくれる。

アバクムとオクサはしばらく黙《だま》ったままでいた。その沈黙《ちんもく》の重みを二人は分かち合っていた。どんな強い秘薬でも和らげることのできない重みだ。

「なんにも思ったとおりにはいかなかった」オクサが口を開いた。

「何が起きるかは前もってわからないものだ……」

「だけど、あそこまでとはね！　運命は残酷だって言ってもいいよね」

「ほとんどみんな無事だったじゃないか……」アバクムはあきらめの境地にも似た静かな態度で反論した。

オクサは鼻がつんとして涙がどっとあふれそうになった。キャメロンやヘレナ、勝利の保証もなくグラシューズの側についてせいいっぱい戦った人たち……。新カオスのときに死んだ人は多かった。それなのに、自分は何をしただろう？　自分の身内、母親やギュスのことで頭がいっぱいで、急いでレミニサンスに統治を任せ、近親者を連れて〈外界〉に出た。

戦ったすべての人たちにとって、それは公正だったのだろうか？

みんなが誓《ちか》ってくれた忠誠を自分は受ける価値があるのだろうか？

急いでことを運んだのはグラシューズの名にふさわしかったのだろうか？

考えずに行動するという欠点がさらけ出された気がして、オクサはひどく後悔《こうかい》していた。

「おまえはできる限りのことをしたんだよ……」

オクサはびっくりして自分の後見人になった人を見つめた。言葉にしなくても、アバクムはいつもわかってくれる。

「自信ないけどな……」と、オクサはつぶやいた。

「ギュスとマリーは死ぬところだった。あれ以上待っていたら、むだなうえにとんでもない危険を冒《おか》すところだった」

「むだな？」

「わたしたちが去ったとき、エデフィアはひどく痛めつけられていたが、もう危険はなかった。〈ポンピニャック〉の第一公僕《こうぼく》として、わたしは安心しているよ。おまえが〈外界〉に来ることは避《さ》けられないことだった。もしそうでなかったとしたら、わたしが何とかしないといけないと思っただろう、オクサ……わたしのグラシューズ……」

「あたしを安心させようとして言ってくれてるんでしょ」口をとがらせたので、オクサにえくぼができた。

「いいや、人の行為《こうい》というのは、たとえ考えずにしたと思いこんでいても、しばしば思っている以上に意味があるんだということをわかってほしいんだ。おまえの本能が道理にかなった決心をさせているんだ。何も後悔することはない」

この言葉にオクサは考えこんだ。オクサは月明かりで青白く見える広場をながめていたが、ふいにはっとした。

「アバクムおじさん、〈夢飛翔〉をするにはどうしたらいいの?」

アバクムはオクサのほうを向いた。薄暗《うすぐら》くはあったが、アバクムのまなざしのなかに感激の色が浮かぶのがわかった。まるで、オクサがその質問をするのを心の底で待ち望んでいたかのように。

「〈夢飛翔〉は〈もう一人の自分〉とはずいぶんちがうんだよね?」

「ああ、そうだ。〈夢飛翔〉を起こすのはおまえだし、自分でビデオカメラを操作してこれとこれを撮影《さつえい》するみたいに自分でコントロールできるんだ。それとは反対に、〈もう一人の自分〉は自分では操作できない。無意識の自分が行くべきところにおまえを連れて行ってくれるだけだ」

オクサは満足そうな顔をした。

「〈夢飛翔〉をしたい」

「それはいい決断だ、オクサ……わたしのグラシューズ……」

「うまくできないような気がする……」

「いいや、できるよ」

その短く自信ありげな言葉に動揺《どうよう》したオクサは、冷たい水を一杯《いっぱい》飲もうと冷蔵庫をあけた。冷蔵庫の明かりがアバクムの顔を照らした。その顔には期待感がにじみ出ていて、オクサははっとした。もし、オクサが〈夢飛翔〉に成功したら、エデフィアに残った人たちがどうしているかを〈逃げおおせた人〉や〈締《し》め出《だ》された人〉たちに見せることができる。みんなは胸いっぱいになったり、安心したり、なぐさめられたりするだろう。

アバクムが愛するレミニサンス、それにジャンヌとピエール、クヌット家の人たち、小さなティルも見ることができる……。もっと早くに気づけばよかった！　私ってなんて考えの足りないうえに、いやなエゴイストなんだろう……。

〈夢飛翔〉。

いったいどうすればできるのだろう？　オクサはどうしたらいいかまったくわからなかった。グラシューズになってからとくに自分が変わったとは思えない。なる前にしていたこととちがうことができるとか、前より能力が向上したとも思えない。

根本的には何も変わっていない。

集中力の問題だろうか？　それとも、そのための訓練を受けなければいけなかったのに、だれも教えてくれなかったのだろうか？　以前のグラシューズはみんな引《ひ》き継《つ》ぎをして、いろいろと教えてもらったのだ。オクサは途方《とほう》にくれたようにアバクムを見た。

「いろんな能力があるとわかったとき、おまえはどうしたんだい？」と、アバクムがたずねた。

「ええっと……わかんない。考えてなかったと思う。ひとりでにできたんだ」

「そうできたらいいなと思ったんだね」

「うん、そう……」オクサは人形の髪に火をつけたり、聖プロクシマス中学のトイレでモーティマーを〈ノック・パンチ〉でやっつけたり、最初に〈浮遊術《ふゆう》〉ができたときのことを思い出していた。

「グラシューズ様、グラシューズ様！」キッチンのドアの向こうからこもった小声が聞こえてきた。オクサははっとした。フォルダンゴがちょうどいいときに来てくれた！　オクサはドアをあけた。

「おまえに用事があったんだ！」オクサはドアをあけるとすぐに言った。

「グラシューズ様の召使《めしつか》いは、その能力の存在があるなら、完全なる支援《しえん》と援護《えんご》の適用の提案をいたします」

「〈夢飛翔〉をしたいんだけど、どうしたらいいのかわからないのよ。助けてくれる？」

フォルダンゴの目は顔いっぱいになるほど大きくなった。そして、オクサの両手を取って、ぎゅっとにぎりしめた。オクサはじっと見つめられたので、催眠《さいみん》術をかけられたような気がした。

「快適さに満ちた姿勢が〈夢飛翔〉へのアクセスに容易さを追加いたします」フォルダンゴは急にオクサの手を離した。

フォルダンゴはキッチンを出て、ふかふかしたひじ掛《か》けのついた椅子を押してもどってきた。急いでアバクムとオクサが手伝って運び入れ、オクサがその椅子に座った。

「用意できたよ！」

「グラシューズ様はこの椅子の背もたれに頭蓋骨《ずがいこつ》をのせることをお望みでしょうか？」

オクサは言われたとおりにしながら、フォルダンゴにいとおしそうな目を向けた。フォルダンゴの突飛《とっぴ》な言動にはいつも心がなごむ。オクサは椅子に深く腰かけ、頭をやや後ろにそらして、体の力を抜いた。後ろにまわったフォルダンゴはオクサの額に手のひらを置いた。最初は不思議な冷たさが皮膚《ひふ》に伝わり、やがてこまかい波動のようなものに変わった。フォルダンゴが歌を口ずさみ始めると、オクサは目を閉じ、〈外界〉に自分を引き止めようとするあらゆる抵抗《ていこう》を少しずつ捨てていった。

「こんなに長いのはふつうなのかな?」

パヴェルの小声が耳に入ってきて、オクサはビッグトウ広場の家のキッチンに連れもどされた。手首を押されているのを感じたが、それはきっと脈をとられているのだろう。

「心配いらないよ、パヴェル。オクサは元気だ」というアバクムの声が聞こえた。

「その確認は肯定《こうてい》性に補強されています」フォルダンゴがつけ加えた。

オクサはしばらく、半分眠ったような状態のなかをただよっていたが、やがてうっすらと目をあけた。

「ああ……やっと……」パヴェルはほっとため息をついた。

急にこちらの世界にもどってきたために、ついさっきまでいた椅子に、文字通り空から降ってきたかのような錯覚《さっかく》を覚えた。あれから、何時間かたっていることは、太陽が秋の弱い光を通りに投げかけていることからもわかった。

「ハーイ……」オクサは小声で言った。

キッチンに入りきれない人たちは入り口あたりにかたまっていた。

「ハーイ、オクサ!」杖《つえ》をついたマリーがやってきて、オクサを抱《だ》きしめた。

「なあ、エデフィアへの遠足は楽しかったかい？」

ギュスは無表情で真面目な顔をしていたが、目の奥に秘めた小さな光だけがオクサがもどってきた喜びをあらわしていた。オクサはうれしそうにギュスを見つめた。

「エデフィアですって？」オクサはつっかえながら言った。

〈逃げおおせた人〉と〈締め出された人〉の間にがっかりしたどよめきが広がった。だが、すぐにオクサは立ち上がってこう宣言した。

「全部見せてあげるね！」

18　エデフィアに残った人々

〈夢飛翔《ひしょう》〉をするにはリラックスしていないといけないが、〈カメラ目〉のほうはたいへんな集中力が求められる。記憶がまちがっていたらと思うと恐ろしい。自分にだけ関係のあることを見られてしまったらどうしよう。自分の秘めた思いに関することまで……。オクサの様子に気づいたフォルダンゴがやってきて、耳元でそっとささやいた。

「グラシューズ様の召使《めしつか》いは記憶の脱線《だっせん》の回避《かいひ》のために、頭脳向上キャパピルという名の錠剤《じょうざい》を摂取《せっしゅ》されることを助言いたします」

フォルダンゴはそう言うと、ぽっちゃりした手のひらを開いた。その中には真珠《しんじゅ》のように輝く錠剤があった。オクサはうなずいて、それをつまんだ。

「おまえのいうとおりよ」
父親とアバクムが壁に白いシーツを張っている間、オクサは土の味がする奇妙《きみょう》なキャパピルを急いで飲みこみ、サロンの中央に座って、急ごしらえのスクリーンをじっと見つめた。

十秒もすると、最初の映像があらわれた。その映像は文字どおり体のなかから、力強くほとばしり出ている、とオクサは感じた。

〈締め出《しだ》された人〉たちの反応は速かった。口に手を当てたり、椅子のひじ掛《か》けをにぎりしめたりして、〈千の目〉に広がるすさまじい光景にショックを受けていた。グラシューズ・オクサの陣営《じんえい》と、父であるオシウスを殺して首領になったオーソンの陣営との激しい戦いの跡《あと》が、サロンのオクサのそばでしか見ることができない彼らの心と目に突《つ》き刺《さ》さった。

戦いのあとの舞台《ぶたい》には、ほこりっぽい草の上に死体が並んでいた。アボミナリ、骸骨《がいこつ》コウモリ、しま模様のヘビ、青いサイ、剣《つるぎ》のような牙《きば》を持ったトラ……。そればかりではない。戦いの間になぎ倒されたジェトリックス、メルリコケット、ヤクタタズの遺体もいくつかあった。グラシューズ側であれ反逆者《フェロン》側であれ、そうした生き物の遺体は人々が一つずつ、同じようにていねいに埋葬《まいそう》してやった。巨大な墓地には、新カオスの際に命を落とした人々の遺体と埋葬された無数の墓石――質素な平らな石だ――が無数に並んでいた。オクサはその映像を見ながら体が震《ふる》えてしかたがなかった。戦っている最中にはどれほどの人が死んだかわからなかったのだ。〈夢飛翔〉をして初めて、その残酷《ざんこく》な現実が目の前にあらわれ、オクサの心のなかで何かがバンとはじけた。ある歌の暗い一節が記憶によみがえってきて、〈カメラ目〉の映像が揺《ゆ》れた。

大切な人がだれもいない人はなんて幸運なんだろう……

Into the labyrinth/Dead Can Dance

オクサは乱暴に涙をぬぐって鼻をつまんだ。だけど、あたしは一人じゃない……しっかりして、とオクサは自分をしかった。

〈カメラ目〉の映像が再びはっきりして、オクサの意思にしたがって画面が変わった。あたりは煙っぽく灰色だ。若いグラシューズが〈緑の手〉の能力を持つ人たちと協力して地面から生み出した、あんなにきれいだった草木が灰におおわれている。焼《や》け焦《こ》げた〈アイギス〉の黒っぽい切《き》れ端《はし》が木々の枝にひっかかって揺れている。まるで、家事上手のアカオトシとリュグズリアントが必死に働いて落としたよごれの塊《かたまり》のようだ。

墓石の向こうでは、火事がやっと消えようとしていた。その火事は住民たちが新カオスの前に心をこめて修理した四角い家やドーム形の家をすっかり焼きつくしてしまっていた。煙がもうもうと上がる残骸《ざんがい》の周りでは、忙《いそが》しく立ち働いている人の姿が見える。人々はがれきを吹き飛ばし、それを生き物たちが〈千の目〉のはずれの巨大な石切り場に運んでいる。がれきを除去する作業は精力的でスピーディに進んでいたが、その黙々《もくもく》と作業するなかに苦々しさが混じっていることは感じられた。最も熱心に働く人たちのなかにピエール・ベランジェがいた。父親を見たギュスは気持ちが高ぶってくるのを抑《おさ》えられなかった。オクサは声をかけようとギュスのほうを向いた。〈カメラ目〉への影響《えいきょう》はすぐにあらわれた。停電したように映像が消えたのだ。

「オクサ、集中してくれよ！」パヴェルがみんなを代表して言った。

「ギュスのお父さんは元気よ。お母さんも。すぐにわかるよ……。二人ともホントにがんばってるよ」オクサはギュスを安心させるようにそれだけ言った。

オクサは再び白いシーツをじっと見つめ、意図的にピエールの姿を長く映した。それから、〈カメラ目〉の映像はオクサが〈千の目〉と〈クリスタル宮〉の上空を浮遊《ふゆう》して見た様子に変わった。〈クリスタル宮〉の上のほうの階は反逆者《フェロン》の酸の爆弾《ばくだん》でかなりダメージを受けている。そして、映像は再び〈クリスタル宮〉の周囲にある弓形の通りをクローズアップし、〈逃げおおせた人〉や〈締め出された人〉の大事な人たちを一人一人映し出した。コックレル、タカシ、オロフ、レア、小さなティル……。

それから、オクサがエデフィアを治めた短い期間にはほとんど訪れる時間がなかった建物が映し出された。

「ヒルデガルト治療院《ちりょういん》だ……」アバクムがしゃがれた声でみんなに教えた。

〈カメラ目〉の映像はその病院の中を映した。十二世紀にグラシューズ・アンナミラが信奉《しんぽう》した才能豊かな修道女ヒルデガルト・フォン・ビンゲンにちなんで名づけられたエデフィアの病院だ。

病院の中は荒《あ》れ果《は》てていてほとんど廃墟《はいきょ》のようだったが、負傷した人や生き物であふれていた。ひどい状態にもかかわらず、居住地域と同じように、〈内の人〉の復興への強い気持ちが感じられた。家を修復するのであれ、戦いのあと始末であれ、傷口の手当をするのであれ、それぞれがもくもくと強い意志をもって働いていた。

廊下の奥にブルンの姿があらわれた。しみだらけのエプロンを身につけているが、相変わらず毅《き》然《ぜん》としている。祖母の姿を見たクッカはうめき声をあげた。息をこらしてじっとブルンの姿を見つめている。ブルンはさまざまな小瓶《こびん》や薬草を載《の》せたワゴンを押しながら、すれちがう人や生き物にやさしい言葉をかけていた。しかし、彼女のいかにも精力的な最初の印象は映像がクローズアップされるにつれてしだいに消えていった。オーソンの手にかかって娘ヘレナを失った計り知れない悲しみが、その目の奥にやどっているのがわかった。あのあとでテュグデュアルの身に起きたことを知ったら、立ち直れないだろう。だれも思いもしなかったことなのだから……。

とつぜん、ブルンのうしろにテュグデュアルの弟ティルがあらわれた。

「ここで何をしてるの、わたしのかわいい子？」ブルンのしゃがれ声が聞こえた。

「ぼく、手伝うよ、おばあちゃん！」

ブルンはティルを抱《だ》き上《あ》げて、そのやわらかい金髪の巻き毛に顔をうずめた。相変わらずかわいいティルはぽっちゃりした両腕《うで》を祖母の首に回してキスをした。

そこにジャンヌとレミニサンスが髪をふり乱して部屋から出てきたので、ビッグトウ広場の家の人たちの緊張《きんちょう》が一気に高まった。

「ジェトリックスはあんまりあつかいやすい患者《かんじゃ》じゃないわね」と、ジャンヌが苦笑いをしながら言った。「まだドヴィナイユを世話するほうがいいわ。わかるでしょう？」

「ヤクタタズはあまり問題ないわよ！」と、レミニサンスが言った。

緊張して荒い息をしているギュスは画面を食い入るように見つめていた。オクサが言ったように母親は元気だ。聖母のような卵形のきれいな顔には疲れのあとが見えるけれども、冗談《じょうだん》を言っているのを見るとほっとする。

レミニサンスのほうは、相変わらず美しいのはだれも認めるところだが、ひどく老けこんだように見える。背中が丸くなって、背もやや縮んだように見えるし、顔色はくすんでいる。新カオスのショックとグラシューズの代理を務めるという新たな責任の重さがはっきりとあらわれていて、だれよりもアバクムの心を苦しめた。

〈カメラ目〉の映像はとつぜん消えた。オクサがそう決めたのだ。

これまでに映された映像はみんなを十分に安心させるものだったし、十分に衝撃《しょうげき》的でもあった。

エデフィアから遠く離れた――近くて遠い――ビッグトウ広場の家のサロンで〈逃げおおせた人〉や〈締め出された人〉はまだ白いシーツをじっと見つめていた。クッカだけが泣き声をあげていた。どうして責められるだろう？　ギュスはクッカの手を取って優しくにぎった。愛する人たちと見えない境界によって離れ離れになっている、慰めようのない痛みを分かち合うために。パヴェルはアバクムを抱きしめ、ゾエはマリーに引き寄せられて頭を彼女の肩《かた》にのせた。こうして、それぞれがなぐさめを必要とする人を少しでもなぐさめようとした。

オクサだけが一人、サロンの真ん中に立ちつくしていた。彼女が見せた映像は〈夢飛翔〉で実際に見た光景ほど生々しくはなかった。だが、彼女が見たものをほんの一部でも分かち合うことで、みんなを力づけることができ、同時に自分の見た現実に耐えることができるのだ。

オクサの視線はマリーの肩に顔をうずめているゾエから、悲しそうなモーティマーとバーバラのところでいったん止まり、そして手を取り合い見つめ合っているギュスとクッカのところで再び止まった。不思議なことに、嫉妬《しっと》やいら立ちはまったく感じなかった。オクサはそういう感情ではなく遠慮《えんりょ》から目をそらした。急に大人になったような気がした。

「ありがとう、オクサ……」

それぞれの感情がいっぱいになった空白の数分間が過ぎた。知らないうちにギュスがオクサの目の前にきていた。

「〈夢飛翔〉と〈カメラ目〉のお披露目《ひろめ》は成功に満ちた結果をともないました！」感情が高ぶったために色を失ったフォルダンゴが言った。「グラシューズ様はわたしたちの感謝の気持ちに飲みこまれなければなりません！」

驚いたことに、フォルダンゴはオクサの前にひれ伏したかと思うと、そのまま床にうつぶせに横たわった。ジェトリックスがすぐにやってきてフォルダンゴの背中に馬乗りになり、わめき出した。

「おい、おい、召使《めしつか》いさんよ、どこにいると思ってるんだ？　昼寝《ひるね》の時間じゃないんだぜ！　起きて仕事をしろよ、ほら、ほら！」

「感謝の気持ちに飲みこまれるにしちゃ、ヘンなやり方だよな！」目が笑っているギュスが口を出した。「いやじゃなかったら、ぼくはこうやってお礼を言いたいな……」

そう言うと、ギュスはオクサのほおにキスをした。軽いけれど気持ちのこもったキスだった。

「ありがとう、ホントに……」

みんなは悲しみと喜びの混じった感情にとまどいながらも、ギュスと同じようにした。そして、一人、また一人とサロンから出て行って、オクサとごく親しい人だけが残った。

〈夢飛翔〉と〈カメラ目〉という新たな経験にオクサは全エネルギーを吸い取られた。ぐったり疲れていたので、眠《ねむ》ることしか頭になかった。うつろな目をしたオクサは階段に向かった。

「おい、オクサ！」ギュスが呼んだ。

オクサはふり返った。

「あのさ……」ギュスは恥ずかしそうにつぶやいた。「いつか、〈カメラ目〉をちょっとやってくれるかな？　ぼくだけのために」

オクサはいたずらっぽいほほえみを返した。

「いつでもいいよ……見せたいものはいっぱいあるんだ」

「じゃあ、ひとつも忘れないでくれよ。ぼくは全部見たいんだからな！」

オクサは指先でこめかみをトントンとたたいた。

「だいじょうぶ……全部ここに入ってるもん」

19　現代のカオス

この数十年間というもの、さまざまな危機のために世界の金融《きんゆう》市場は何度も揺《ゆ》さぶられた。その点では、つい最近の大規模な自然災害は少なくともカテゴリー４のハリケーンに相当する混乱をひき起こした。つまり、大変な損害だけれども、修復できないほどではないということだ。

地球上のあらゆる地域で、災害以前の状態にもどることはできないと知りつつも、ふつうの生活を取りもどすために人々は懸命《けんめい》に努力していた。さまざまな試練や危険にさらされながら、人々が必要とするものとその優先順位はただひとつのことに集約された。生きのびることだ。食べるものと寝《ね》るところを確保すること。それ以外のことは余計だった。こうして消費は生活必需《ひつじゅ》品に限定され、すでに大きなダメージを受けていた産業を停滞《ていたい》させた。産業復興には時間がかかりそうだ。

大規模な自然災害後の数ヵ月は、生活必需物資に消費が限定されることから、起こるべくして起こる不道徳な現象が続いた。投機が盛んになり、食糧《しょくりょう》や建築資材を独占《どくせん》している人たちは、この状況《じょうきょう》を利用する誘惑《ゆうわく》に勝てなかった。行政や規制の監視《かんし》が機能しない状態なので闇市《やみいち》も栄えた。大多数の人たちが時には反抗《はんこう》しながらも何もできず言いなりになるしかない状況で、あらゆる管理や規制から逃《のが》れた一部の人たちは莫大《ばくだい》な財産を築いた。略奪《りゃくだつ》の辛酸《しんさん》をなめた人たちのなかには自ら略奪者となって、政府のどんな機関よりも統制された組織を作り上げる者もいた。

だが、大多数の人は「システムＤ」を採用した。つまり、自分の才覚でなんとかうまく切り抜けるという方法だ。そういう覇気《はき》や想像力を持たない人は不幸に見舞《みま》われた。

地球規模の災害が起こる前に考えられていた幸福の定義は時代遅れになり、いまでは三つのことだけが大切になった。生きていること——健康であるというおまけは暗黙《あんもく》の了解だ——住むところがあること、食べるものがあることの三つだ。しかしながら、希望が嵐や泥《どろ》にすべてさらわれたわけではない。人々の心の奥底に隠れてはいても、希望は静かにふくらんでいた。

そして、各国の政府も少しずつ統制力を取りもどしつつあった。交通、医療《いりょう》機関、銀行、司法、商業などが回復してきた。社会はその基盤《きばん》や指標、そして秩序《ちつじょ》と均衡《きんこう》を取りもどそうとしていた。古きよき時代の社会の機能が回復した明らかな印のひとつは主な商品取引所が再開されたことだ。そこでは投機はなくなるどころか、ある種の合法性を得てますます盛んになった。基本的な食糧の相場は常に最高値にあった。ものが希少であればあるほど、価格は跳《は》ね上《あ》がる。経済学的に避《さ》けられないことだ。


しかし、そうした価格高騰《こうとう》も、ある日ニューヨーク、パリ、東京の商品取引所が史上まれにみるフィーバーに見舞《みま》われると、たいしたことではなかったとわかった。その日は刻々と食糧価格が最高値を更新《こうしん》し、ほんのひとにぎりの人たちのふところを温めた。しかし、そのバーチャルな果報者がほくほく顔をしている間に、価格上昇《じょうしょう》は世界各地の商品取引所に伝染し、そしてとつぜん、次々と暴落していった。そのスピードといったら、数日前に考えられないほどの高騰の記録を作ったときと同じくらいすごいものだった。

食糧価格のすさまじい暴落は、金融市場を空前の混乱に陥《おとしい》れた。この数日で築き上げられた膨《ぼう》大《だい》な富は、だれにもどうすることもできずに、ひなたの雪のように溶《と》けていった。たしかなことは、過剰《かじょう》な投機はあるにはあったが、こんなことは起こるはずがないということだ。

ともかく、これほどまでのことは。

さっそく最もすぐれた分析《ぶんせき》家による調査が命じられた。その結果、こうした膨大な量の取引は世界中の主な商品取引所で同時に行われたということがわかった。何百万トンという小麦、カカオ、砂糖、石油やほかの一次産品を同時に買うために費やされた天文学的金額がそれを物語っていた。そのため、一次産品の世界的なストックは、需要が常に伸びているだけに危険なほどに減少した。すでに高かった価格はさらに跳ね上がり、人々の間にパニックが広がった。どうやって生きていけばいいのか、どうやって耐えればいいのか、と人々はうろたえた。

それに対して何の対策も立てられないまま、膨大なストックを保有する人たちはパニックを利用して、すべての商品を異常に短い期間に売りつくしたというわけだ。その結果、世界の金融市場はハリケーンにおそわれたかのようにめちゃくちゃになったということが、分析の結果わかった。

公式にはコンピューターシステムのバグだと発表された。しかし、商品取引業界の人たちはもっと重大なことが起きたのだと知っていたし、彼らが目撃《もくげき》したことは目のくらむようなことだとわかっていた。

だれかが、どこかで糸を引いている。

何十億ドルというお金を使うこともいとわず、金儲《かねもう》けをもくろんでいるのでもない、恐ろしく金持ちのだれかが……。

その男あるいは女、あるいは秘密の会社であれ何であれ、それはごくシンプルな目的のためにテロリストのようなやり方で動いている。つまり、世界にカオスを引き起こすという目的だ。

20 ハッカー

石油プラットフォーム〈サラマンダー〉では、三人の男がデスクに張りついてパソコンのキーボードを休みなくたたいていた。彼らの平然とした態度はうわべだけにすぎない。三人は画面に釘《くぎ》づけになった目で、無数の数字の列が表示されるのをものすごい集中力で見つめていた。数字はちかちかと赤い色が点滅《てんめつ》していた。

「よし！」ブロンドの髪を逆立てた若い男が叫《さけ》んだ。「最後の数トンの米を買ったときの四十倍の値段で売ったぞ！」

「やったな、トム！」アジア人らしいなまりのある別の男がたたえた。「ぼくのほうは、地球上のだれもが今後十年、コーヒーにひとつも角砂糖を入れられないほどの量のサトウキビを買い占《し》めたぞ！」

二人の言葉を裏づけるように、彼らのパソコンの画面に表示されているほとんどすべてのデータがフィーバーするようにとつぜん点滅し始めた。三人の男は、このバーチャルな世界に火をつける遊び――だが、その影響《えいきょう》は甚大《じんだい》だ――に夢中になっている子どものようだ。この恐るべき子どもたちの笑いは、悪意というよりは単純なうれしさや無邪気《むじゃき》さをふくんでいた。

悪意はオーソンの専売特許だ。オーソンは部屋から部屋を見回って、誇《ほこ》らしそうに頭をそらし、するどい目つきで成り行きを冷静に見守っていた。だが、彼の「協力者」たちもばかではない。オーソンのそういうポーズが見せかけのもので、ことの順調な進展に指導者が舞い上がり、喜んでいることはわかっていた。

いまのところ、オーソンの動きは一次産品の取引市場を混乱させることにとどまっていた。少なくともその作戦は完全に成功したと言えるだろう。才能ある三人の男とパソコン数台、高速インターネット接続だけで前代未聞の混乱を引き起こしたのだ。

「すばらしい！」オーソンは満足そうに叫んだ。

三人の男は画面から目を離し、疲れきった様子でふり返った。

「きみたちはすばらしいハッカーだな」と、オーソンが続けた。

「ぼくたちは最高のハッカーですよ……」ブロンドの若い男が勢いこんで答えた。

オーソンが謎めいた表情で固まったので、三人ははっとして、やや心配そうな顔つきになった。指導者の反応は必ずしもいつも予想どおりというわけにはいかなかった。満足のいく結果を出さなかったメンバーに、まれにではあるけれどすさまじい怒りの雷《かみなり》が落とされることもあった。この男は指導者であり、救いの主であり、恩人かもしれないけれど、恐ろしい人間、あるいは危険な人物にはちがいない。

「たしかに、きみたちは最高だ！」とつぜん、オーソンは有頂天になって叫んだ。

陰険《いんけん》な笑いが顔に浮かんでいたが、その言葉に三人の男はほっとしたようだった。

「そうでなければ、きみたちはここにはいないよ」オーソンは人を不安にさせるようなため息をついた。

そして、パソコンの画面のほうにかがむと、数字の列をじっと見た。そのとがった顔は商品取引相場の点滅する指数の青色に照らされ、そして赤色に染まった。

「よくやった。だが、これは軽食というか……つまみとでも心得ておくんだな。これから第二段階に進むぞ」

三人は興奮した面持《おもも》ちでオーソンをあおぎ見たので、オーソンは喜んだ。

「心ゆくまで打ちこんでくれると期待しているよ」

「了解しました、指導者様！」アジア人の男が叫んだ。

オーソンは男をじろりとにらんだ。

「もちろんだ！」

オーソンは甲高《かんだか》い声で答えると、いくつかの国名が書いてある紙をわたした。

「きみたちの標的だ……」

21　乱雑な家

屋根裏部屋も入れて四階分百二十平方メートル、バスルーム二つ、寝室《しんしつ》四つのビッグトウ広場の家はポロック家の人々には十分広かった。しかし、いまはここに十八人も住んでいるので恐ろしく狭《せま》かった。生活空間がひどく足りないことにみんなが苦しんでいた。

そのため、牧師のアンドリューは大災害の前に家族と暮らしていた牧師館にもどることを思いついたのだ。

その大きな伝統的イギリス風の建物はビッグトウ広場からかなり遠いロンドン郊外《こうがい》にあった。だが、〈逃げおおせた人〉や〈締め出《しだ》された人〉は以前にはもっと不利な状況《じょうきょう》でも集まることができたのだし、何キロか離れていても、いざというときに行動をともにできない距離《きょり》ではない。


しかし、アンドリューがアバクムといっしょに牧師館を見に行って帰ってきたとき、もうしばらく辛抱《しんぼう》しなければいけないことがわかった。

「なにもかもなくなっていた……」アンドリューはまだショックから立ち直れない様子で告げた。「水道管や電線まで持っていかれている……わたしたちの持ち物も全部盗《ぬす》まれた……」

彼の妻と双子《ふたご》の娘たちの目に涙があふれた。

「窓まで持っていかれたり、壊《こわ》されたりしていた。壁と屋根が一部残っているだけだ」と、アバクムがつけ加えた。

「あんなにきれいな家だったのに」ガリナがつぶやいた。

「でも、あなたたちは路頭に迷っているわけじゃない。それがいちばん大事なことだ」と、パヴェルが割って入った。「いままでどおり、助け合ってやっていこう」

助け合いはみんなの日常生活の一部になっていた。小さな二つのバスルームの前に列を作ることや寝室が寄宿舎の共同寝室のようになっていることも。


寝室……。

これは微妙《びみょう》な問題だった。とくに、自分一人になれるスペースを持つことに慣れた一人娘のオクサにとっては。彼女が不思議な能力を発見し、一人試していた自分の部屋は、いまではベッドがいくつか押しこまれ、ファンタスティック・ファイブの持ち物であふれていた。ただし、この狭苦しい部屋に五人がいっしょにいるのは寝《ね》る時間に限られていた。若いグラシューズと氷の女王の関係は、小休止もときにあるにはあったが平和な状態が続くきざしはほとんどなかったから、それでよかったのかもしれない。

しかし、オクサは自分でもかなり大人になったと思っていた。父親は何と言ってたっけ？　慎《しん》重《ちょう》になれって？　そこまでは無理かも……。オクサが最近見せた唯一《ゆいいつ》の〝賢《かしこ》さ〟はできるだけクッカを避《さ》けることだった。だが、大災害のあとのこうした特殊《とくしゅ》な状況では、全員が最低限の譲歩《じょうほ》をしないと、いっしょに生きることがつらくなるのだ。

「あーあ、がまんできないんだよなあ……」オクサはひとり言をつぶやいた。

オクサのくもったグレーの目はキャンプ用ベッドに腰《こし》かけて長い髪の毛のもつれをほどいているクッカにじっと注がれていた。

ゾエがオクサの視線とひとり言に気づいた。

「どうしてそうなのか、わかってる？」と、オクサにささやいた。

オクサはとっさに、言葉が出なかった。

「まだギュスのせいだなんて言わないよね？」クッカが部屋を出て行ったのを見て、ゾエがたずねてきた。

オクサはくるりとゾエのほうに背中を向けた。

「ちょっと、オクサ……ギュスは少しの間、クッカにひかれたかもしれないけど、それぐらいふつうじゃない？　彼女はホントに美人だし、そんなにばかじゃないよ。ギュスは寂《さび》しかったんだよ。でも、そのせいじゃないよね。わたしとか、ほかのだれでも、あんたは同じように反応してるはずだよね」

「ちがう！」またゾエのほうを向いたオクサはかみつくように言った。「ゾエなら、あたしは二人のためにうれしいと思うよ！」

ゾエはつらそうな表情を隠せなかった。

「オクサ、お願いだから……」

オクサは恥ずかしさで赤くなった。ゾエをまともに見ることはできなかったが、その肩《かた》に手を置き、強く押さえた。ゾエはだれにも恋することはできないのだ。ひどい未来だ。まだたった十五歳《さい》なのに……。

「ごめん……」

ゾエは何でもないというように手をふり、少し震《ふる》える声で言った。

「ギュスがクッカに恋なんかしてないって、わかってるじゃない」

オクサはわざと大げさに肩をすくめた。

「じゃあ、なんでギュスはクッカがすり寄るのをいつもそのままにしとくの？　おしまいには傷つくよ……」

「傷つくですって？　そこまで？」

オクサは荒《あら》い息をした。

「そのことでギュスを恨《うら》んでるなんて、わたしに思いこませようっていうんじゃないよね?」と、ゾエが続けた。「もしそうだったら、ギュスのほうだって同じくらいあんたを非難できるってことを正直に認めなさいよ」

その言葉を聞くと、オクサははっとしてゾエを見つめた。

「ギュスが好きなのは自分だって、知ってるでしょ」ゾエはひるまずに言い切った。

オクサは下を向いて、使い古されてほどけかけているベッドカバーの穴に指を突っこみ、穴を大きくした。

「ギュスはあんたが好きなんだよ、オクサ。ずっと前から」

「ちょっと大げさじゃない?」

アンドリューの双子のうちの一人がとつぜん、部屋に入ってきた。

「ごめんね。ちょっとタオルを探してるんだけど……」

彼女は大きなクローゼットのなかをひっかき回し始めた。

「あったわ!」無数のリネン類のなかからやっと探し当てたタオルをふりかざして叫《さけ》んだ。「どうぞ、おしゃべりを続けて……」と、ウインクした。

彼女はドアを静かに閉めて出て行った。

「かなり立ち入った質問をしてもいい?」ゾエが悲しみの混じった声で会話を再開した。

「う、うん……」

「彼のこと好き?」

「だれのこと?」

ゾエはため息をついた。

「しまいには、わたしをばかにしてるのかなって思っちゃうよ。それか、ぜんぜん信用してくれてないのか……。そっちのほうがひどいかもね」

オクサはひざを抱《かか》えた。

「だって、ゾエ。ギュスのことを話してるんだよ！　ギュスのことは、ずうーっと前から知ってるしさ」

「それはわかってるけど、別に兄弟みたいに思ってるわけじゃないでしょ？」

ついこの間のキスのことが甘い記憶として残っていた。いや、単なる記憶ではなく、あったかい記憶だ。

「うん……兄弟みたいに思ってるんじゃないよ」と、オクサは認めた。

「テュグデュアルを好きなように、ギュスを好きなの？」ゾエが重ねてたずねた。

「テュグデュアルを好きだったようにって言ったほうがいいんじゃないの」オクサはゾエの言葉を訂正した。

ゾエははっとして、オクサの前に来てひざをついて座った。

「あんたがそう言うのを聞いて、あたしがどんなにうれしいかわかる？」

そう言ったゾエの目は心からうれしそうに輝いていた。

「まだ彼のことを考えてる？　あんなことがあっても？」ゾエはたたみかけるようにたずねた。

オクサはゾエの手をとってぎゅっとにぎった。

「ゾエ、言っとくけど、ここに帰ってきてから、いろんなことがわかったんだ……。テュグデュアルに最初に出会ったとき、あたしは十三歳になるちょっと前だった。テュグデュアルみたいな男の子があたしみたいな女の子に興味を持ってるってわかってのぼせたし、自分の株が上がったようで自信がついたんだ。どうしてそうだったのかわからないけど、彼にどうしても気に入られたかったんだ……それは……」

「そういう経験をしたかったっていうこと?」

「うん……それで、彼に好かれれば好かれるほど、あたしも彼のことが好きになった。まるで、嵐に巻きこまれるみたいに……」

「そういうことがぜんぶわかったんだ……」

「うん、ギュスに再会したことでね」

ゾエは深く息を吸いこんだ。

「わたしがいまから聞くことに、あんたは反発すると思う、ううん怒るかもしれないけど……いまここにテュグデュアルがいたとしたら、どっちをとる?」

ゾエの心配をよそに、オクサはじっと真剣《しんけん》に考えこんだ。

「ギュスはスペアなんかじゃないよ。あんたがそういう意味で言ってるんなら」

ゾエの顔がぱっと明るくなった。

「それが聞きたかったのよ……」

雑居状態やいろいろ不自由なことに加え生活必需品《ひつじゅ》が少ないこともあり、ビッグトウ広場の家での暮らしはますます苦しくなった。そのうえ、オクサとクッカがつまらないこと——無断でTシャツを使ったという――でなぐり合いになりそうになったとき、〈逃げおおせた人〉と〈締め出された人〉たちはもう限界だと悟《さと》った。

「みんなで、わたしの家で暮らしたらどうだろう」全員を集めた話し合いの席で、アバクムが言った。「家はダメージを受けているけれど、ここよりずっと広いから、あっちのほうが暮らしやすいと思うんだ」

オクサはほほえんだ。前の晩、大きな野ウサギがビッグトウ広場を横切って駆けていったのをちらりと見た気がしたからだ。このところあまり眠《ねむ》れず、窓の外を見ながらいろんな考えごとをして夜を過ごすことが多かった。

「それに、あっちのほうがずっと安全だ」

家族の安全にいつも頭を悩《なや》ませているパヴェルがつけ加えた。

「でも、パパ。オーソンはあたしたちのことなんか、どうでもいいんだよ」と、オクサがすぐに口をはさんだ。「エデフィアにもどったし、父親に自分が強くなったことも見せたし、またエデフィアを出た。したいことを全部したじゃない。もうあたしたちのことはゴミくらいにしか思ってないんだよ」

「いまのところはそうだがな」アバクムが応じた。「わたしたちが行動を開始して、それを邪魔《じゃま》だとオーソンが思ったとき、わたしたちはあまり人目につかないところにいたほうがいい。もし、オーソンと再会することになったら、特殊《とくしゅ》な能力の応酬《おうしゅう》で、いやおうなく目立つだろうからな」

「でも、あいつは堂々と派手なことをやっていますよ！」と、ギュスが発言した。「二人の息子を連れていろんなところで見られているじゃないですか」

ギュスはこう言いながら、ファンタスティック・ファイブが集めた、不思議な能力を持つ空飛ぶ男についての目撃《もくげき》情報のメモを十枚ばかり見せた。公的な機関から出た情報ではなかったが、みんなはそれが事実だと信じて疑わなかった。

「あたしたちが……ふつうじゃないって気づかれないように、これまでみたいに用心する必要があるのかな？」オクサが問いかけた。「これを見るとさ、本当にいやになるよ」と、メモをぱらぱらめくった。

オクサの父親は驚いたように娘を見た。

「もちろん、用心する必要はあるよ！　いままでよりずっとだ！」と、パヴェルが叫んだ。

「どうして？」オクサはストレートにたずねた。

「ぼくたちは、以前ならとても興味深い研究対象だったんだろうが、いまは世界のわざわいの元《げん》凶《きょう》のように思われているだろうからな」と、パヴェルが答えた。

「どうして？」

「これまでに起きたことがどんなに科学的にうまく説明されたとしても、人々は責任をなすりつけるためのスケープゴートをいつだって必要としているんだ」

父親のこの言い分にオクサは考えこんだ。

「ふうん、なかなかするどい考えじゃない、パパ！」

パヴェルはオクサにほほえみかけた。

「じゃあ、オクサ、わたしの提案をどう思うね？」アバクムがたずねてきた。「引《ひ》っ越《こ》しするべきかい？」

「あたしが決めるの？」

「おまえは、エデフィアと同じようにここでもグラシューズなんだよ」

このアバクムの簡潔な言葉はきわめて明確だった。

オクサはアバクムのすてきな家に住むという考えにひかれていた……。


アバクムの家に行く機会はこれまで数えるほどだったが、あの快適な住まいに滞在《たいざい》したことはずっといい思い出になっていた。昔の農家を改造した寝室が十もある――しかも、各寝室にバスルームがついている！――大きな家だ。穀物サイロを改造した温室、田園が広がる周囲の環境《かんきょう》、他人が持っているものに好奇《こうき》心を丸出しにする隣人《りんじん》もなく、ロンドンで停電をしのぐために使われる発電機の耐えられない臭《にお》い――市民の多くはこれに窒息《ちっそく》しそうなのだ――のないきれいな空気……まるで天国だ！

「すぐに引っ越しできる？」目を輝かせたオクサがたずねた。

「荷物をまとめるだけさ！」明らかにほっとしたようにパヴェルが答えた。

オクサはぱっと立ち上がった。

「それなら、善は急げだよね……」

22　首脳訪問

アメリカ合衆国、ワシントンD.C.のペンシルベニア通り一六〇〇番地（ホワイトハウスの所在地）のほど近く――。

一台のバスが雪におおわれた駐車場《ちゅうしゃじょう》に入っていき、濃《こ》い霧《きり》のなか、うまく駐車しようとそろそろと動いた。

「みなさん、凍《こご》えないように、しっかりと着こんでくださいよ！」と、運転手が乗客に向かって大声で言った。

乗客たちは一人ずつバスを降り、雪の舞《ま》うなか、かの有名な建物を見ようと目を凝《こ》らした。そこを訪れるために何百キロもの道のりをやってきたのだ。靴にくっつく雪のなかを数分間歩くと、真っ白な庭の向こうに北国の女王の館のように荘厳《そうごん》な白亜《はくあ》の建物がやっと見えてきた。フードや傘《かさ》の下からはずんだ声があがった。

何枚もの用紙に記入し、セキュリティに関する質問に答えると、その二十人のグループ全員はやっと、ホワイトハウスへの入館証を手に入れた。

「ここに入れるなんて、夢みたいだよ！」若い男が興奮して叫《さけ》んだ。

まもなく、「夢みたいだ」という感想が正しかったことがわかった。吹雪《ふぶき》のなかからあらわれた人影が若い男に跳《と》びかかり、ぐいっと後ろに引っぱった。あっという間の出来事で、だれも気づかなかった。若い男は身分証明証を取り上げられ、猿《さる》ぐつわをかまされ、手足をしばられてバンの中に閉じこめられた。ほかにも同じ観光グループの中の四人が同様に素早く車に監禁《かんきん》された。この五人には二つの共通点があった。一人で旅行していたこと、自分を拉致《らち》した犯人とよく似ているということだ。

数秒後、五人がバンから出てきた。フードを目元まで深くかぶり、満足そうな笑みを浮かべて、しだいにひどくなる吹雪のなかを進むグループに、急いで追いついた。

「遅れないでください！」見学者を案内するガイドが大声で言った。「離れ離れにならないように！」

ところが、離れ離れになることこそが侵入《しんにゅう》者たちの作戦だったのだ。長々と続く保安チェックとうんざりするくらい長い歴史解説のあと、その五人の仲間は目で合図を交わし合って、大統領官邸《かんてい》のあるウエストウィング（西棟《とう》）に落ち着いた様子でこっそりと入っていった。

オーソンはかなり前にＣＩＡで働いていたころ、その廊下をよく通ったものだった。写真のような記憶力と優れた方向感覚のおかげで、オーソンはやすやすと廊下を進んでいった。

息子二人も負けてはいない。ホワイトハウスの図面を完全に頭にたたきこんでいたので、目をつむってもどこへでも行けた。傭兵《ようへい》マルクス・オルセンとその子分の女ヘルガ・コリウス――全身を白で統一した、まるでララ・クロフト（アクション・アドベンチャーゲーム「トゥームレイダー」の主人公、女性冒険家《ぼうけんか》）――はお供として完璧だった。少なくとも二人は自分たちをそんなふうに売りこんでいたのだから。

「護衛、身元偽装《ぎそう》、潜入《せんにゅう》、スパイ……おれたちは切り札をいっぱい持っている傭兵だ！」マルクスはこの計画を練り上げるとき、そう軽口をたたいたものだ。

オーソンはその言葉ににやりとしたが、目の奥の冷たい光は、評判どおりの仕事をしろとマルクスに告げていた。完璧な計画に少しでも手ちがいがあってはならない。

いまのところは計画どおりにいっていると、オーソンはイヤホンを通して報告を受けた。グレゴールとマルクスはオーソンに問いかけるような目を向けた。

「最新テクノロジーとかいう、くだらない装置はすべてわれわれの制御下《せいぎょか》にある」オーソンは自分たちのほうを向いている無数の防犯カメラを指して言った。「ハイテク社会とはまったくすばらしいもんだな」

オーソンはばかにしきったように口の端《はし》をつり上げた。

「仕事を楽にしてくれる、われらがハッカーに感謝しなければ……」

その会話は二人の警備員が廊下にあらわれたことで中断された。ハイテク装置は遠隔《えんかく》操作でコントロールできても、生身の人間はそうはいかない。しかも、ホワイトハウスのよく訓練された警備員ならなおさらだ。

「動くな！」警備員の一人がピストルを侵入者たちに向けた。「ここは立ち入り禁止だ」

意外なことに、いちばん速くクラッシュ・グラノックを手にしたのはテュグデュアルだった。二人の警備員はとつぜん体の自由がきかなくなったことにうろたえ、目を大きく見開いたまま倒れた。

「息子よ、よくやった！」オーソンがうれしそうに言った。「おまえはたよりになると思っていたんだ」

テュグデュアルは黙ってクラッシュ・グラノックをしまった。その冷たい目は肯定も反発もしていなかった。かがんで警備員の一人を腕《うで》に抱《かか》え、清掃《せいそう》室まで引きずっていく。そして、錠前《じょうまえ》に向かって人差し指を回し、いとも簡単にドアをあけた——究極のマスターキーだ。グレゴールも緊《きん》張《ちょう》に顔をこわばらせながら同じようにした。

「先に進もう」と、オーソンがささやいた。

五人は廊下をいくつも抜けながら、すれちがう人たちを同じように始末した。そして、何の変哲《へんてつ》もないドアの前に立った。

「着いたぞ！」

最後の邪魔《じゃま》者を始末してからこう言うと、オーソンは他の四人を一人ずつ見回した。四人がうなずくと、オーソンはドアノブに手をかけ、押した。


「いったい、きみたちは……」

〈口封《ふう》じ弾《だん》〉と〈ツタ網《あみ》弾〉の組み合わせは効果的だった。デスクの向こうに座った男には言葉を最後まで言い終えるひまも、警報ボタンを押すひまもなかった。

「大統領閣下……」オーソンはばかていねいにあいさつした。

グレゴール、テュグデュアル、マルクス、ヘルガがさっと散って、楕円《だえん》形の執務《しつむ》室の四つの出入口――うち二つは壁にしつらえられた隠しドアだ――の前に立った。大統領はぎょっとして四人を目で追い、それからクラッシュ・グラノックを手でもてあそんでいるオーソンに視線をもどした。

「こういう用心をさせてもらって申し訳ない」と言いながら、オーソンはデスクのすぐ前の椅子に腰《こし》を下ろした。「だが、最低限、親密な環境《かんきょう》でお話ししないといけないということは、すぐおわかりいただけるでしょうな。あなたを痛い目にあわせるようなことはしないと、お断りする必要もないでしょう。ただひとつ、条件はありますがね。わたしの言うことを注意してよく聞くこと。それだけは守ってもらいますよ、大統領閣下」

大統領は目を大きく見開いて少し身動きした。

「こういう形で会いたくはなかったんですがね……」

オーソンはふと馬蹄《ばてい》形のペーパーウェイトに気をとられて、言葉を切った。

「まあ、こういう状況《じょうきょう》なのは別として、今日はわれわれ二人にとって幸運な日だと思うことですな。こうしてやっとお近づきになれたことですし……口封じを解いてほしいですかな?」

大統領はすぐにうなずいた。口の周りにとがった足を立てた昆虫《こんちゅう》は不快だった。オーソンは椅子に背中を押しつけ、面倒《めんどう》くさそうに呪文《じゅもん》を唱えた。

グラノックの力で
殻《から》を破れ
おまえの爪《つめ》で口輪をかけ
おまえの翼《つばさ》で口輪をはずせ

昆虫はすぐにオーソンのクラッシュ・グラノックのなかに吸いこまれた。まだ〈ツタ網弾〉にしばられている大統領はあんぐりと口をあけたままその様子をながめていた。

「きみは何者だ？」大統領はあえぐように言った。

オーソンは片手を上げた。

「おや、そんなに興味を持っていただけるとは光栄だ」と、さも満足げに口元をゆるめた。「大統領閣下、わたしはひかえめな性質《たち》でしてね。だが、あなたは感じのいい方なので、指導者と呼ぶことをお許ししますよ」

「それはありがたい」大統領は怒りに声を震《ふる》わせて言い返した。「何が目的なんだ？」

「わたしの目的ですか？　さっきも言いましたように、お近づきになりたい、それだけです。わたしのことをよく知ってもらえれば、またとない親友になれるでしょう」

「いつか友人になれると保証するようなものは何もないと、わたしは思うがね」

庭に降り続く雪を映しているオーソンの瞳が大きく見開かれ、瞳全体が黒っぽくなった。

「大いなる友情はしばしば小さな対立から始まると言いますからね」

「われわれの対立は仲が良くなることを妨《さまた》げるほど重大だと思うが……」

オーソンは腹を立てるどころか、余裕《よゆう》たっぷりに腕を椅子のひじかけに乗せ、足を組んだ。

「われわれは仲良くなるようになっているんですよ。ニューヨーク商品取引所にアクセスなさってはと、お願いしてもよろしいかな？　ああ、すみません、おできにならないのでしたね」オーソンはばかにしたように大統領をしばっている黄色っぽいツタをちらりと見た。「あなたが納得されるようなものを息子からご覧にいれましょう」

グレゴールがやってきて、世界最強の国の大統領のほうにパソコンの画面を向け、すばやくキーボードをたたいた。オーソンは黒いパーカーの内ポケットから携帯電話を取り出した。

「トム、アメリカの全石油会社から、いまある石油のストックをすべて買ってくれるかい？」

雑音の混じった声が電話から聞こえた。

「値段はどうしたらいいかって？」オーソンはさも愉快《ゆかい》そうに言った。「もちろん、いつものように、いくらでもいい」

オーソンは携帯電話をしまうと、自分を見るよりパソコンの画面に目を向けるよう大統領をうながした。

「いまから、ここで見られますよ」

数秒すると、市場が混乱する最初の兆候が画面にあらわれた。驚愕《きょうがく》する大統領の目の前で数字や数列が真っ赤になった。

「ほら、わたしは宝の山を持っているんだ！」と、オーソンは叫《さけ》んだ。「これほどの石油をさて、どうしたものか？　おたくの夢のようなカリフォルニアの海岸を真っ黒にしようか？　それとも、ラスベガスで盛大に燃やしてしまうかな？」

「はったりだ！　ごまかしだ！」と、大統領はどなった。

答える代わりにオーソンは携帯電話を再び取り出した。

「トムか？　やっぱり気が変わった。石油は全部売ってもいい。きたないからな。鉄鉱石を買ってくれ……やってくれるか？　もちろん、最大限にだ」

しばらくすると、別の指数が高騰《こうとう》した。その楕円形の部屋が静まり返るのとは対照的に、ニューヨーク商品取引所は世界中の商品取引所と同様に嵐が吹《ふ》き荒《あ》れ、熱気に包まれた。

「じゃあ、最近の……取引所の騒《さわ》ぎはみんなきみのせいなんだな！」大統領はうつろな声で叫んだ。

「きみには……そんなことをする権利はない！」

「大統領閣下、わたしのような財産と手段を持っていれば、だれでもそうする権利があるんですよ！」オーソンはかみつくように言った。「そういうシステムを発明したのはわたしじゃない。あなたの世界ではずっと前から認められてきたことだ」

「わたしの世界でだって？　どういう意味だ？」

二人はしばらくの間にらみ合った。オーソンはもうにこやかな顔をしていない。

「これを見たことで、わたしと仲良くするほうがいいということがわかったんじゃないですかな、大統領閣下？」

大統領は言葉もなくゆっくりと頭をふった。それがどういう意味なのかはわからない。

「そうじゃないですか、大統領閣下？」

そう繰《く》り返《かえ》したオーソンの声が妙に大きくひびいたので、大統領ははっとしてうなずいた。

「まあ、そのうちにまた、このことを話し合う機会があるでしょう。お疲れのようなので、今日のところはこれで失礼しましょう。では、近いうちに！」

オーソンはそう言うと急に立ち上がり、お供を率いてフランス窓のほうに歩いていった。

「あっ、うっかりしていました……」

オーソンはふり向きざまに声をあげ、ソファのわきにあるクリスマスツリーの金色の玉をひとつ、人差し指を使って浮き上がらせた。そして、デスクの上にそっとのせた。ぼうぜんとしている大統領の目の前に。

「メリークリスマス、大統領閣下！」

大統領執務室の窓から見知らぬ人たちが出て行くのを見た警備員たちは、ピストルを構えた。しかし、彼らは、自分たちのピストルが真新しい雪の上を何十メートルも飛ばされるのをぼうぜんと見守っただけだった。その間に五人の侵入者は、吹雪のなかへ消えていった。

23 耐えがたい屈辱《くつじょく》

この侵入《しんにゅう》事件のあと、ホワイトハウスはひどい混乱に陥《おちい》った。被害《ひがい》は大きかった。死者こそ出なかったものの、数十人もの負傷者があり、そのなかにはエリート中のエリートである大統領のシークレットサービスもふくまれていた。

世界一の大国の大統領が、たった五人の侵入者によって自分の執務《しつむ》室に三十分近くも監禁《かんきん》されたのだ！ そんなことは前代未聞だったし、あってはならないことだ。どうしてそんなことが可能だったのか？ どこに問題があったのか？ この重大な機能不全の責任者はだれなのか？ 当然ながら、この事件のことを外部にもらすことは固く禁じられ、それを犯したものはテロの共犯として逮《たい》捕《ほ》されることになった。メディア報道の盛んなこの国で、もし新聞やテレビがこの事件をかぎつけたら、ことは事件そのものよりさらに深刻になる……。

大統領が深刻な面持《おもも》ちで開いた報告会では、多くの疑問が出されたが、それに対する答えはほとんど見つからなかった。まるで、全員がきつねにつままれたかのようだった。見学者グループから拉致《らち》された五人はほかの人たちといっしょにホワイトハウスを見学することはできなかったが、代わりに内部保安室を訪問する特権をあたえられた。何時間も尋問《じんもん》を受けたのだ。彼らは最終的には解放されたが、ひどくショックを受け、何かの事件の中心人物になったかのような気がしていた。実際にはあやつり人形でしかなかったのだが……。

侵入者については、入り口の防犯カメラの映像がいくつかあるだけだったが、使えないものばかりだった。カメラが肝心《かんじん》なときにどういうわけかちゃんと機能しなかったのだ。

「見学者が到着したときから、防犯カメラのシステムは外部からコントロールされていました」と、保安責任者が報告した。

「外部からコントロールだと？」

大統領は驚きを隠せなかった。

「ここの安全を保障するのに毎年何百万ドルも費やしているのに、どうしてそんなことが起こりえたのか説明してほしいもんだな」

その場にいた人はみんな困惑顔《こんわくがお》になり、重い沈黙《ちんもく》に包まれた。要するに、大統領自身が見たことしか情報はないのだ。しかも、その情報はあいまいだったので、データベースから有効な結果は引き出せなかった。

そのほかには、侵入者たちが使った吹き矢のような不思議な筒《つつ》が話題にあがった。いくつかの説が検討された。

「忍術《にんじゅつ》ではそういうたぐいの武器を使います」と、国防長官が意見を述べた。

「それに、活動家たちは自然への回帰を好む傾向にあります」と、顧問《こもん》の一人がつけ加えた。

「南米の先住民にもそういう種族がいますな」重要な地位にありそうな別の男が言った。

大統領はその男にいらついた目を向けた。

「あのテロリストたちは、ジャングルに暮らす先住民とはまったく関係ない！」

「スポーツで使用する吹き矢のほうも調べております」ホワイトハウスの保安責任者が口をはさんだ。「実際、ブローパイプと呼ばれる吹き矢はかなりの数の競技者がいます」

みんなはぼうぜんと保安責任者を見つめた。

「的をねらう矢の発射器具とでもいいましょうか……。アメリカ、日本、フランスなどにも連盟があるようです」と、保安責任者はつけ足した。

「メンバーを全員調べろ！」

「いま、その作業をわれわれの部署がやっているところです、大統領閣下」

「わたしをしばり上げるのに使われた奇妙な物については何かわかったか？　あのテロリストが吹き矢のようなものを吹くなり、わたしは縛られたんだ。どうやってあれほどの量のツタをあんな小さな筒から出せたんだろう？」

大統領の周りに座っている人たちは椅子の上でもぞもぞ体を動かした。

「残念ながら、そういう疑問への答えはまだ全部はわかっておりません」有名な科学者が思い切って答えた。「わかっていることはただひとつ、植物からできているということです。しかも、その成分と原料は不明ですが、非常に凝固力《ぎょうこ》の強い物質が混ざっているために……破壊《はかい》することができないのです」

大統領はあごをさすった。

「ロシア人か？」と、小声でたずねた。

すぐにＣＩＡの長官が反応した。宿敵の役割をしばしば演じてきた国がやり玉にあがったことで動揺《どうよう》しているようだ。

「いいえ……」

「大統領閣下」と、ＮＡＳＡの科学者が割って入った。「問題の物質の成分と原料がわかっていないと申し上げたのは、地球上にはない物質だという意味で言ったのです」

大統領とその周りに座っていた男たちの顔に緊張《きんちょう》が走った。

「ということは……」

大統領はそこで口をつぐんだ。受け入れがたい何かを言葉にするのをためらっているようだ。

「地球ではないところから来た物質です、大統領閣下」ＮＡＳＡの科学者は興奮を隠せなかった。

その言葉は、その場にいなかった人なら不思議に思うほど、冷静に受け止められた。アメリカの最高権力機関が宇宙人の存在と介入《かいにゅう》の可能性について、どうしてそんなに平然と話すことができるのだろうか？

「接触《せっしょく》があったのか？」大統領が疲れた声でたずねた。

「いいえ、接触はまったくありません」と、国防長官が答えた。

「何か異変を察知したのか?」大統領はエリア51（宇宙人の存在に関する研究をしているとされる秘密軍事基地。ネバダ砂漠にある）の責任者のほうを向いてたずねた。

「いいえ、とくに変わったことはありません」と、その責任者は簡潔に答えた。「ただ、中国の連絡員が、何ヵ月か前にゴビ砂漠で不審《ふしん》な磁気の動きがあったと知らせてきましたけれど」

「詳細《しょうさい》はわかっているのか?」

「これが報告書です」

国防長官が自分のパソコンを操作すると、すぐに灰色で単調なその地域の衛星写真の画面が壁に映った。それから、とつぜん、小さなゾーンに色がついた。長官は中国の観測者から入手した資料の詳細をズームした。青と黄色に色分けされた磁気の波が湖を囲んでいる。磁気が強くなったところはオレンジ色になっていた。時間を早送りしているカウンターによると、この磁気の動きは数時間続いたようだ。そして、まるで停電したように、その動きはとつぜんやんだ。

「連絡員によると、中国当局はこの現象を重大だと判断してこのゾーンに調査班を派遣《はけん》したそうです」と、国防長官は説明した。

「それで?」大統領が先をうながした。

「中国政府はすぐにこの調査を極秘事項《じこう》にしたそうです」

大統領はひきつった笑いを浮かべた。

「たしかにな……だれにも秘密はあるものだ……」大統領はそう言うと、エリア51の責任者のほうをちらりと見た。

それから、立ち上がって、みがきこまれた大きなデスクに両方の手のひらを押しつけ、その場にいる人たちをまじまじと見た。
「あのテロリストたちと〝指導者〟とかいう男を早急につかまえるよう期待している。もちろん、かかる費用は問わない。われわれの国と世界の安全がかかっている！」

24　申し合わせたような沈黙《ちんもく》

困惑《こんわく》したアメリカ政府は、あらゆる手段を講じてオーソンがホワイトハウスに侵入《しんにゅう》した事件が外にもれることを防いだ。世界一の大国とされているこの国は、自国が主な標的だと信じ、できるだけ秘密裏に大規模な調査を進めた。まさか地球上にあるほかの政府も、同じように奇妙《きみょう》な訪問を受けているとは夢にも思っていなかった。

ロシアのクレムリン宮殿《きゅうでん》でも、フランスのエリゼ宮でも、イギリスのダウニング街十番地（英国の首相官邸《かんてい》の所在地）でも、日本の首相官邸でも、不思議な能力を持つ侵入者を前に警備員は役に立たなかった。それどころか、オーソンと息子たちはもっと大胆《だいたん》に不思議な能力を使うことで、よりスピーディーにことを運んだ。ワシントンでの作戦はオーソンの嫌《きら》う不確定要素があった。「人間がからむと、何が起こるかわからない」と、クレムリン宮殿の詳細《しょうさい》な図面を見ながら、オーソンはグレゴールとテュグデュアルに言った。

クレムリンの警備員たちも、壁を通り抜けたり、相手にさわらずに何メートルも投げ飛ばしたりすることができ、体を麻痺《まひ》させたり、窒息《ちっそく》させたり、腐《くさ》らせたりする物質——だれも成分を特定することはできなかった——を発射する三人を捕まえることはできなかった。戦闘機《せんとう》ですら彼らをどうすることもできなかった。ドイツ製であれ、ロシア製、中国製、サウジアラビア製であれ、どんなミサイルが、三人を追跡《ついせき》しても、標的に到達せずに空中でばらばらになった。

世界の大国が次々と、同じように唐突《とうとつ》で不思議なやり方で三人の接触《せっしょく》を受けた。しかし、どの国もその困惑する事件に対して沈黙《ちんもく》を守っていた。壁を通り抜けたり、ミサイルより速く飛ぶ男たちにしばられ、口を封《ふう》じられて監禁《かんきん》されたことを世界中に知らせるリスクを冒《おか》すことはできないのだ。

こうした秘密主義はオーソンを激怒《げきど》させた。

この日、石油プラットフォーム〈サラマンダー〉にはオーソンと息子たちと最も親密な仲間が、グレゴールに託《たく》された特別任務の結果を聞くために集まっていた。グレゴールが話し始めてまもなく、オーソンは怒り出した。
「わたしたちの訪問に、どこも触れていないと言うのか?」
「少なくとも公式には触れられていないんです……」グレゴールは答えた。
「だが、世界中がパニックに陥《おちい》っているはずじゃないか!」青ざめてひきつった顔をしたオーソンはすぐに息子の言葉をさえぎった。「あいつらはみんな、わたしのことについて協議し、わたしが第三次世界大戦をひき起こすかもしれないと、額を突きあわせて対応策を練っているはずじゃないのか……。あいつらはわたしがどういう人間かわからなかったのか？　わたしに何ができるかも？何とおろかなやつらだ！」

だれもオーソンのほうを見ようとはしなかった。テュグデュアルのまぶたは神経質にひくひく震《ふる》えている。窓に切り取られた灰色の海が不規則に動いているのをぼんやりながめながら、彫像《ちょうぞう》のようにじっとグレゴールの話の続きを待っていた。

実はグレゴールは、急に精神錯乱《さくらん》を起こした通訳の代わりとして、世界中の政府代表が集まる国際連合の会議にもぐりこむことに成功した。〈精神混乱弾《だん》〉は本来、立派な攻撃《こうげき》用のグラノックなのだが、今回はつまらないことに使われたようだ……。彼の任務は父親とテュグデュアルと自分がやった侵入事件の影響《えいきょう》を探ることだ。公式の会議はもとより、国連のバーからエレベーターやトイレの会話にいたるまで──そういう何げない会話のほうが実のあることのほうが多い──あらゆる会話をスパイするのに〈マルチリンガ〉の能力は非常に役立った。

父親の怒りを前に、グレゴールは顔を上げ、急いで先を続けた。

「おおっぴらには何も言われていません。でも、情報がもれていることをにおわせる舞台裏《ぶたいうら》の会話をたまたま耳にしました……」

ここでいったん言葉を切った。もったいぶったグレゴールの話し方がオーソンには気に入らなかった。怒った目をして、こぶしをテーブルにたたきつけた。

「話せ！」と、つっけんどんに命令した。

下くちびると手の震えを抑《おさ》えながら、グレゴールは続けた。

「フランス人や中国人といっしょに酒を飲んだときです。ある国家元首のもとに不思議な侵入事件があって、軍のミサイルが発射されたと聞いたことがあると言ったら、どうなったと思います？二人は声をそろえて、『どうして知っているんだ？』と聞いてきたんですよ」

オーソンの表情が変わった。

「それはいい！」

まるで手でもたたきそうなほどご機嫌《きげん》になった。

「二人は少し酔《よ》っていましたが、顔を見合わせて、同じ反応をしたことにぎょっとしていました。いや、むしろ大きなへまをやらかしたという困惑《こんわく》した表情をしていました。すぐに気を取り直して、最近の難しい世界情勢のために、大げさな噂が流れているらしいと言いつくろっていましたが」

オーソンは不満げに目を細め、指先で自分のあごをトントンとたたいた。

「商品取引所のことは話していたか？」

「ええ、公式の会議で。でも、その問題については気まずい雰囲気をはっきりと感じました。みんな、その問題を過小評価したり、避《さ》けて通ろうと躍起《やっき》になっているようです」

「各国の政府は必死に弱みを見せまいと、おたがいを牽制《けんせい》し合っているということだな」

「そのとおりです。国際規模で投機に対抗《たいこう》する対策を継続《けいぞく》し、商品取引の規制を強化することで合意しただけです」

「いつものように、らちもないおしゃべりか……」オーソンはハエをはらうように手をひとふりした。「あいつらはそれしかできないんだからな。親愛なる各国中央銀行の金の備蓄からわれわれがかすめたものについては何か言っていたか？」

「ロシアはアメリカのことについては知っているようです」

　オーソンは笑った。

「われわれの友人、ロシアは腕《うで》が落ちていないようだな！」

「大西洋の反対側の国で起きていることすべてに興味を持っていることも……」マルクスがつけ加えた。

「パリ、ロンドン、フランクフルト、東京で流行している恥ずべき病気についても秘密にされています」と、グレゴールが言った。

　オーソンはひきつった笑いをもらし、舌打ちをした。

「大国というのは本当にとんでもないやつらだ！」オーソンはさも愉快《ゆかい》そうに言い放った。「世界が消滅《しょうめつ》するほどの大災害があったのに、そこから何も学んでいないんだからな。連帯、力と手段の結集、謙虚《けんきょ》さ、そういったものはいまだにやつらの頭にはないんだ。やつらの根底にあるのは相変わらず思い上がりやごう慢《まん》というわけだ。自分たちが……困っていることをどうしても認めたくないわけだ」

　テーブルについていた全員がうなずいた。オーソンが自分の行動の原則からかけ離れた、そうした徳について話すのは、まったくおかどちがいなのだが……。

　オーソンの顔が再び険しくなった。上着を直し、両手を前で組んだ。

「しかし、最終的にはそうしたことはいい兆候《ちょうこう》だということだ」と、オーソンはいやらしいほどなめらかな声でささやいた。「彼らはわたしの警告を本気にしたくはないわけだ。優位に立っていると思っていると、よく失敗するものだ。われわれの友人たちはまだ知らないが、その失敗は致命《ちめい》的なものになるかもしれない」

25　新生児誕生

　オーソンは興奮で目を輝かせながら、六つのタンクを見て回った。これまでの人生でこれほど興奮したことはそうないだろう。ガラスのシリンダーのような円柱状の透明《とうめい》なタンクを通して、乳白色の液体に浮かぶ人間のようなものの形が見える。オーソンはまったく同じようなタンクの前をひとつずつ通りすぎ、しばらくの間、六つのタンクをながめてから、両手を前で軽く組んで少し離れたところに立っていたレオカディアとポンピリウのほうを向いた。

「すばらしい……」

　二人の科学者はうなずいた。

「いつ誕生するのかな？」と、オーソンがたずねた。

「正確な時期はわかりません」レオカディアが答えた。「ですが、最新の検査の結果によると、そろそろ誕生する時期に来ているようです」

「そうか……思ったより早かったな」

「プロセスを加速させる方法を知っていますから」と、レオカディアは答えた。

　オーソンは疑わしげな、厳しい視線を向けた。

「もちろん、後遺症《こういしょう》が出るようなリスクはまったくとっていませんけれど」レオカディアはあわてつけ加えた。

オーソンはタンクのひとつに再び近づいてガラスにぴたりと身を寄せた。中の液体が揺《ゆ》れ、白い筋のようなものがゆらゆらと水面まで浮かび上がった。

中にあるものの形がよりはっきりあらわれた。

ふつうの人ならだれでも恐怖の叫《さけ》び声《ごえ》をあげ、吐《は》き気《け》をもよおして一目散に逃げ出したろう。だが、恐怖も嫌悪《けんお》も感じていないらしいオーソンと二人の科学者は別だった。この三人は目の前で起きていることをもどかしい思いで熱心に観察していた。その生き物は早く自由になりたいとでもいうように、最初はゆっくりと、しだいに力強く動き出した。胴体《どうたい》と手足と頭を持ったその生き物は人間の形をしていた。

しかし、まったくふつうの人間というわけではない。

レオカディアは電話に跳《と》びつき、誕生に備えて用意していたチームに電話をかけた。オーソンは眉《まゆ》をひそめた。

「誕生のときが来ました、指導者様」レオカディアは長いゴム手袋をはめながら告げた。

「われわれの契約《けいやく》を思い出すがいい」オーソンが低い声で言った。「万が一……わたしの子に何かあったら……」

「そんなことにはなりません！」レオカディアは落ち着いた堂々とした態度でさえぎった。状況《じょうきょう》を完全に把握《はあく》しているという様子だ。

彼女は各タンクの横に取りつけられたさまざまな機器に目を通すと、いちばん急を要するデータを示しているタンクに近づいた。

〈サラマンダー〉に住む科学者や元医療《いりょう》関係者十人はしみ一つない長い白衣を身につけた。レオカディアは最も動きの激しいタンクまで脚立《きゃたつ》を押していき、床から二メートルほどのてっぺんまでのぼった。ポンピリウも同じようにしてタンクの反対側にのぼり、レオカディアと二人で、人工呼吸器につながったねばねばしたホースのようなものを手でつかんだ。それは直径二十センチほどで、太くて青い血管が浮き出たへその緒《お》だった。人工呼吸器とタンクに浮かぶ生き物のへそをつなぐそれは、色を失った大蛇《だいじゃ》のようにぴくぴく震《ふる》えている。レオカディアとポンピリウがへその緒を引っぱって体を水面まで引き寄せると、レオカディアはその体を素早く調べた。

「準備完了だわ！」と、彼女は震える声で宣言した。

二人の科学者は急いで床に下り、タンクに付いた小さな手回しハンドルを回し始めた。心配そうに見つめるオーソンや科学者たちの目の前で液体がチューブを通って抜けていき、水位が下がり始めた。

少しずつ生き物の姿があらわれてきた。液体がほとんどなくなると、生き物は体をねじって丸まった格好でタンクの底に横たわった。レオカディアはタンクの下のほうにある扉《とびら》を開けて中に入り、残った液体の中にしゃがんで、まだ人工呼吸器につながれているへその緒を切る作業にはいった。ホースのように太いのでメスで何度も切らねばならなかった。

「この子はだいじょうぶか？」扉のところにかがみこんだオーソンが心配そうにたずねた。

作業に集中しているレオカディアはそれには答えずに、キャスター付きの医療用ベッドをもってくるようアシスタントたちに合図した。ポンピリウもタンクの中に入り、生き物をガラスの子宮から出すのを手伝った。二人はそれをベッドの上にできるだけそうっと置いた。

身長九十センチ、体重十キロもあるその生き物は新生児としてはかなり大きいほうだろう。しかし、この生き物の最も驚くべき特徴《とくちょう》は、その並外れた体格ではなかった。その体と皮膚《ひふ》はまるで老人のようにしわしわでぶよぶよしている。血管が浮き出ているので、黒い血が流れるのが見える。透《す》き通《とお》って見える心臓は見事に機能している。

体の醜《みにく》さを一瞬忘れて、顔に注目してみよう。その顔を見た人は、純粋《じゅんすい》な恐怖をかきたてられるか、完全に魅了《みりょう》されるかの両極端《りょうきょくたん》の反応を示すはずだ。半透明族よりは人間に近く、ある種の子どもが持つ、人を不安にさせるような、いかめしい美しさがあった。おそらく、オーソンが子どものときにそうだったのだろう。ほおはきれいにふっくらとし、唇の形もよく、不思議な目つきをしている。

まつ毛のない目はオーソンのすべてを受け継いでいた。不吉《ふきつ》な雷雲《らいうん》のようなグレーの瞳、鉛《なまり》のようなそのメタリックな輝き――するどい目つき、あらゆる障害を排除《はいじょ》することのできる残酷《ざんこく》さ。

レオカディアは何度かかみつかれそうになりながら、ゆっくりと手足をばたつかせる新生児に通常の手当をした。白い筋のようなものを取り除き、突拍子《とっぴょうし》もないいぼのように腹から突き出ているへその緒を消毒し、不気味な体をシーツでおおった。そして、いまにも生まれそうなほかの五人の胎児《たいじ》の世話にすぐさまとりかかった。

ベッドの上にかがんだオーソンは、自分の創造の賜物《たまもの》を若い父親のように誇《ほこ》らしくながめた。オーソンが手で子どもの顔を優しくなでると、その場にいた人たちはみんな目をみはった。用心深く黙《だま》っていたけれど。

「おまえは完璧だ」と、オーソンがつぶやいた。

子どもはオーソンのほうを向いてかすかにほほえんだので、小さな歯がいくつか見えた。オーソンは感動に包まれて、すれすれまで顔を近づけた。父と子はじっと食い入るように見つめ合った。

そのとき、子どもが口をあけた。

最初はかすれてきしむような声だったのが、少しずつ甲高《かんだか》くなってサイレンのように耳をつんざいた。

新生児の体の奥からしぼり出される、切れ切れだが力強く震える声は、恐怖でぞっとするような叫び声だった。

やがて、ほかの五人の新生児も同じように大きな産声をあげた。全員が顔をしかめて耳をふさいだが、オーソンだけはひどい叫び声がまるで聞こえないかのように平然としていた。

「完璧だ……」オーソンは最初の新生児を見つめながらつぶやいた。「まったく完璧だ……」

26　変化

アバクムが言っていたように、彼の家も災害のダメージを受けていた。屋根の一部がなくなっていたし、木が何本か倒れたせいで、オクサが初めてテュグデュアルと二人っきりになった特別な思い出のある「森の部屋」も一部がこわれていた。しかし、独特の安全システムのおかげで、略奪《りゃくだつ》といういちばんひどい損害はまぬがれていた。

〈逃げおおせた人〉たちは周りの目を気にせずに、簡単に家を修理することができた。その様子を建築現場で働く人が見たら、うらやましくて真っ青になっただろう。〈浮遊術《ふゆう》〉の使える人たちはクレーンの代わりになって、力を合わせてくずれた部分の骨格を元通りにした。地面に落ちた瓦《かわら》は優雅《ゆうが》なダンサーのように舞《ま》い上《あ》がって屋根の上にもどった。

「すごい！」オクサは瓦の動きを目で追いながら叫《さけ》んだ。「まるでメアリー・ポピンズだね！」

オクサはわけがわからないという顔つきをしているヤクタタズの頭を軽くぽんぽんとたたいた。オクサはキッチンの壁を漆喰《しっくい》で補強しているところだ。

「メアリー・ポピンズですって？」ヤクタタズは驚いたように言った。

「うん、ほら、魔法使いのさ！」

この答えにヤクタタズはますますとまどっているようだ。

「あん？」とだけ言った。

「おい、とんま！　メアリー・ポピンズも知らないのか⁉」ジェトリックスがからかった。

「いいえ、知ってますよ」ヤクタタズが言い返した。「この人です……」

ヤクタタズはしまりのない腕《うで》を上げてオクサを指さした。周囲の豊かな自然環境《かんきょう》に喜んで跳《と》びまわっていた生き物たちは――「氷のような」気温だとぶつくさ言っているドヴィナイユは別として――どっと笑い出した。

「このメアリー・ポピンズさんは愉快《ゆかい》ですよね？」ヤクタタズがつぶやいた。

「すごく愉快だよ！」オクサにはこの気のいい生き物に言い返すなんてことはできなかった。

「ふん！　グラシューズ様が甘やかしたら、どうにもなりませんよ」と、ジェトリックス。

「ジェトリックス、どっちにしても、ヤクタタズはどうにもならないんだから……」と、オクサは笑いながら言い返した。

髪をふり乱したジェトリックスはいったん立ち止まり、ヤクタタズの周りを回りながらはやし立てた。

「どうにもならないヤツ、どうにもならないヤツ……」


アバクムに仕事をいいつけられたギュスは、休憩《きゅうけい》していた屋根の上からその様子をながめていた。雨どいのそばに座って足をぶらぶらさせている。〈エデフィアの門〉から締《し》め出《だ》されたときから、ギュスはずいぶん変わった。愛する人たちから引き離されたショック、暴力や物不足に直面したこと、死ぬほどの痛み……そうしたものすべてが、ギュスに責任ある行動を迫《せま》った。選択肢《せんたくし》はごくシンプルだとすぐにわかった。〈外界〉のひどい状態や世間の厳しさに泣き言を言い続けるか、それとも現実を受け入れるかだ。

〈逃げおおせた人〉たちが帰ってくる前のつらかった時期、すべてが順調だったころなら、自分にできると思いもしなかった努力をギュスはした。たよりになる青年という自分の新しい役割に少しずつなじんだのだ。〈締め出された人〉たちはギュスを必要としていた。とりわけ、まとわりつく死の不安をギュスと共有していたマリー・ポロックはそうだ。日に日に死が近づいていることを、突《つ》き刺《さ》すような体の痛みが残酷《ざんこく》にも思い出させる。おたがいにそのつらさは口にしなかったが、こうした共通の体験から二人は親密になり、ギュスはオクサの母親を「ママ」と呼んだことさえあった。口からするりとその言葉が出てきたのだ。恥ずかしさでぼうぜんとしたギュスは血が出るほどぎゅっとくちびるをかんだ。マリーのほうはというと、聞こえていたとしても、それを顔に出しはしなかった。

それから、〈逃げおおせた人〉たちが帰ってきた。オクサは母親に再会し、ギュスはオクサに再会した。オクサも変わっていた。前よりもたくましくなり、意志も強くなった感じがした。だが、衝動《しょうどう》的なところは変わっていなかった。

そして、前よりきれいになっていた。

こうして家の修理をほぼ終えると、ファンタスティック・ファイブはインターネット接続のしやすい場所に拠点《きょてん》を置いた。穀物サイロを改造した温室の中に張り出した広い中二階だ。

オクサが最初に来たときよりは植物の数は減っていたが、にぎやかなのは変わりない。植物たちはアバクムのミニチュアボックスにしばらく閉じこめられていたため、欲求不満がたまっていたらしい。元の大きさにもどれて、まるで生き返ったように感じているようだ。すぐに以前の習慣を取りもどした。けんかをしたり、過剰《かじょう》にかわいがってもらおうとしたり、大騒《おおさわ》ぎをしたりといったことだ。

その日、五人の若者たちは新たな情報を得ようとインターネットで検索《けんさく》していた。調べれば調べるほど、仮説がだんだん形になってくる。

一日に何十回もしていることだが、ギュスは何げなくオクサのほうに目をやった。オクサは画面をじっと見ながら髪を耳にかけ、耳たぶをさわった。つい数日前、ギュスはその仕草がすごく好きだと思っていたところだった。彼女が考えごとをしているときに眉間《みけん》に寄る小さなしわも、何かおもしろいことがあるときにできるえくぼも、爪《つめ》をかむときにかすかにゆがむくちびるも、ヤクタタズに「あなたはだれですか?」とたずねられたときの笑い声も、ドヴィナイユが気温の文句を言ったときにつくいたずらっぽいため息も好きだ……。

じゃあ、オクサのことで嫌《きら》いなところはあるだろうか、とギュスは考えた。

何もない。

全部が好きだ。

正直じゃないことも、すぐに気を悪くするところも、怒りっぽいところも。

全部が好きだ。テュグデュアル・クヌットのようなゴシック系の男を好きになる趣味《しゅみ》だけは理解できないが。

状況《じょうきょう》が変わったことをおおっぴらに喜ぶことはできなかった。テュグデュアルの裏切りはみんなを苦しめたが、とりわけオクサの苦しみは見るにしのびなかった。だが、ギュスは心の底では大いに満足していた。「あのカラス野郎《やろう》のことが気にくわなかったのには理由があったわけだ……」オクサの心がまだ完全に自由ではないことはしゃくにさわるとはいえ、テュグデュアルはもうライバルではないという確信がギュスにはあった。それはとてもいいことだ。


オクサが自分のほうを向いたとき、ギュスは現行犯でつかまった泥棒《どろぼう》のようにびくっとした。

「ちょっと、何ぼうっとしてんの？　夢でも見てるわけ？」オクサは眉根《まゆね》を寄せた。

「そうかもしれない……」ギュスは視線をはずさずに答えた。

オクサは息を深く吸ってから椅子を回してギュスに向き直った。

「かわいそうなギュス、ほんとにどうしようもないヤツ……」

「かわいそうなオクサ、おまえはカンペキにまちがってるって言わせてもらうよ」と、ギュスは両腕をストレッチしながら言い返した。「ぼくたちが出会ったころから、ぼくは正真正銘《しょうしんしょうめい》の瞑想者《めいそう》だって知ってるだろ」

オクサはぷっと吹き出した。

「正真正銘の瞑想者ですって？　そんなでたらめ、よく言えるわね！」

「現実というのはでたらめなんだ……」

ギュスのマリンブルーの目とオクサのグレーの目がじっと見つめ合った。遊びと真剣《しんけん》さのちょうど中間地点にいるようだ。二人がまだ子どものころは、どちらかが負けて笑い出すまでよくこうやって遊んだものだ。いつもギュスのほうが勝った。オクサは数十秒以上集中することができなかったからだ。だが、オクサだってずいぶん成長した……。いまのオクサは何時間も耐えていられるほど手ごわい相手になったはずだ。

「もう遊びじゃないのがおまえには気の毒だよな。そうじゃなかったら、完全におまえの勝ちなのに……」椅子を少し後ろに引きながら、ギュスがつぶやいた。

「どういうこと?」

「仕事をしなくちゃいけないって言ったのさ」

「瞑想しながら、真剣にね！　まじめなんだ……」

答える代わりにギュスはオクサから目を離さずに、ほほえみもせず、自分の椅子をころがして机にもどった。オクサの目にほんのかすかな失望が浮かんだのをギュスは見抜いただろうか。

ギュスがキスしてくれると思っていたのに。

キスをしてくれたらいいと思っていたのに。

本当にそうだったらよかったのに。

しかし、ギュスは再びパソコンの画面に集中した。少なくとも外見上は。というのは、オクサがよく見てみると、ギュスはでたらめにキーボードをたたいているのが明らかだったからだ。

オクサは愉快だった。そして、どきっとした。

オクサは立ち上がり、足音を忍《しの》ばせてギュスの後ろに回り、肩《かた》に手をおいた。ギュスはふり向かなかったが、キーボードを打つのをやめた。ギュスの体が固まったのを感じてオクサは心のなかでにやりとした。それから、椅子の背もたれによりかかった。ギュスはキーボードに手をおいて、猛《もう》スピードでタイプした。画面の真ん中に大きな文字があらわれた。

ぼくにキスしたいんなら、
ぼくはオーケーだ！

オクサは笑い出した。

「これ以上ロマンチックな言葉はないよね……でも、かわいそうなギュス、何考えてんの？　ぜんぜんキスなんかしたくないよ！」

オクサはギュスの肩から手をはなすと、頭をぽんとたたいた。ギュスはすぐに椅子をくるりと回すと、有無をいわせず、オクサの手をつかんで引き寄せ、キスをした。

一瞬、オクサは抵抗《ていこう》しようとしたが、クッカの怒った目つきとゾエのひかえめな視線を浴びながら優しくキスを受け入れた。

27　新たな仲間

アバクムとパヴェルとモーティマーがとつぜん中二階に入ってきた。オクサたちは彼らが男の子を連れてきているのに気づいて驚いた。

「わあ！　けっこう設備がそろってますね！」男の子はそう言うと、さまざまな機種のパソコンを見て回った。

「ニアル、紹介《しょうかい》するよ。ギュス、クッカ、オクサ、それに、おれの親戚《しんせき》のゾエ」と、モーティマーが言った。

「えーと、前に会ったことがあるよね」

男の子はそう言うと、じっと一人ずつ見つめてから、ゾエのところで視線を止めた。

「そうだった！　みんな、聖プロクシマスにいたことを忘れるところだったよ」と、モーティマーが答えた。

実際、クッカ以外はみんな、学校の中庭で見たことがあった。知り合いではなかったけれども、おたがいをよく覚えていた。

「きみたち、ちょっと……変わったんじゃないか？」ニアルは驚いたようにオクサとギュスをながめた。

「ちょっとね……」オクサはモーティマーに目で問いかけた。

モーティマーはかすかに首を横にふった。いまのところはこのまま秘密にしておいたほうがいいらしい。

「わたしは聖プロクシマスにはいなかったわ！」クッカがしなをつくって言った。

ギュスがあきれたように目をくるりと上に回したが、一瞬のことだったので、その仕草にはオクサしか気づかなかった。しかし、それだけでオクサは満足した。

「ニアル？　ニアル・モンローなの？」ゾエがニアルとモーティマーを順に見てたずねた。

「世界一のハッカーさ！」モーティマーが答えた。

「世界一は言いすぎだけどな……」ニアルは本心から照れくさそうに言った。

ニアルの視線がゾエに向いた。チョコレートのように黒くてなめらかな肌《はだ》のため、赤くなったかどうかはわからなかった。ゾエから賞賛のまなざしを向けられたとき、シルクのような黒くて長いまつげにふちどられたまぶたが異常に速くまばたくのがわかった。ニアルはゾエから目を離さなかった。

「じゃあ、オーソンに雇《やと》われたんじゃなかったんだ！」と、オクサが叫《さけ》んだ。

ギュスは急に疲れを感じて顔をこすった。オクサはいろいろな点で変わったけれど、衝動的《しょうどう》なところはほんとに変わっていない。

「たしかに、ニアルにも接触《せっしょく》してきたんだ……」モーティマーが答えた。

「そりゃそうだよね！」と、オクサ。

「それでどうなったの？」と、ゾエがたずねた。

ニアルは急に心配そうにゾエを見た。

「おれたちを信じてくれって無理強いはできないけどさ。ここでは恐れることは何もないよ」と、モーティマーが言った。「おれたちが信頼できることは十分証明しただろう？」

ファンタスティック・ファイブは好奇心《こうき》を丸出しにしてニアルを見つめた。

「わたしたちもオーソンの狂気《きょうき》の犠牲者《ぎせい》なのよ」ゾエが言い放った。

ニアルは悔《くや》しそうなうめき声をあげた。

「でも、きみの大伯父《おおおじ》じゃないか！」と、ニアルは叫んだ。「それに、モーティマー、きみのお父さんじゃないか！」

「そうなのよ！」ゾエはきっぱりとした態度で言い返した。「だから、よけいに悪いんじゃない。

わかるでしょう?」

　自分がニアルにあたえたショックにゾエは気づいたのだろうか? 自分を見たとたんにニアルが心を揺《ゆ》さぶられたことをゾエはわかっているのだろうか? いずれにしても、オクサは気づいていた。意識してそうしたのかどうかは別にして、ゾエの魅力《みりょく》の効果は絶大だった。「この二人の間には何かが起きている、ぜったいに……」と、オクサは心のなかで思った。

「きみのおじさん……あの……モーティマーのお父さん……つまりマックグロー先生がうちに来たとき、ぼくはたまたま留守にしてたんだ」

　ニアルのゾエを見つめるまなざしはしだいに強くなっていた。

「オーソンって呼んだら? そのほうが簡単でしょ」ゾエがかすかにほほえんで口をはさんだ。

「ぼくの両親はおととしの保護者懇談《こんだん》会以来、彼に会ってなかったからびっくりしたんだ。最初は感じがよかったらしい。大事な仕事のためにぼくの能力が必要だと説明していて。だけど、両親がぼくを彼に預けるのをためらうようなそぶりをしたとたん、態度ががらっと変わったんだって。ぼくの親の表現を使うと、まるで別人みたいだったって……オクサ、きみや……ギュス、きみみたいな感じかな」

　オクサはくちびるをかんだ。

「うん、ただし、あたしたちは世界を混乱させようなんてしてないけどね」オクサは言い放った。

「その反対だよ!」

「オクサ、たのむから、彼の話を聞けよ!」ギュスが割って入った。

「続きを話して、ニアル」ゾエがうながした。

「それから、状況《じょうきょう》は悪化した。彼は両親を脅《おど》し始めた。すごく矛盾《むじゅん》してるんだ。彼が本当は何を求めているのか、なかなかわからなかったみたいだ。彼は急に吹き矢のようなものを出してきて、父親に向けて吹いた。すると、嵐みたいなのが起きた。むちゃくちゃになったよ。自然災害のあとになんとか維持《いじ》していたものが、みんなこわれちゃったんだ」

「腐《くさ》ったやつ……」中二階の入り口で腕《うで》を組んで立っていたモーティマーは思わず吐《は》き捨てるように言った。

「ご両親はどうやって、その嵐から抜け出したの？」と、オクサがたずねた。

「うん……信じてもらえないかもしれないけどさ……」

「みんな、なんだって信じられるほうよ……」ゾエがつぶやいた。

「オーソンは、ぼくを迎えに来る、そのときはいやでもぼくをさらって行くと言ったんだ。そして彼は……」

ニアルは急に口をつぐんだ。手が神経質に太ももをたたいている。続きを言えないようだ。

「飛んでいったんじゃない、ニアル？」ゾエが優しく言った。

ニアルはふらつきながらゾエを見た。ばかげている。なのに、みんなちっとも不思議そうな顔をしてない。もっと悪いのは、何が起きたか、知っているみたいにみえることだ。

「うん……」ニアルはため息をつくようにやっと答えた。「でも、どうして知ってるの？」

「それからどうなったの？」ゾエは質問をはぐらかした。

「うちの親はすごくショックを受けて、オーソンの脅しを真に受けたんだ」

「それは当然よ」ゾエはうなずいた。

「両親はぼくを迎えに来てくれた。それ以来、ぼくたちは隠れているんだ」

みんなの視線がモーティマーに集まった。

「どうやって彼を見つけたの？」と、ゾエがたずねた。

「おれのことをばかだと思ってるんなら困るんだよな。がさつな〝野蛮人《やばん》〟とかさ……」モーティマーはちらりとオクサに愉快《ゆかい》そうな視線を向けた。オクサのほうは少しばつが悪そうにほほえみ返した。「聖プロクシマスの生徒のつながりをたどっていったんだ。それで、ニアルとメルラン・ポワカセの親同士が仲がいいってわかったんだ」

「メルラン！」と、オクサが叫んだ。「彼に会ったの？　元気だった？」

「うん、元気だよ。それに、メルランの家でニアルと彼の両親を見つけたのさ」

そこで、しばらく沈黙《ちんもく》があった。驚いたことに、それを破ったのはゾエだった。

「あなたに少し説明しないといけないわね……」


一時間後、ニアルは興奮を抑《おさ》えきれないでいた。

「ニアル、オーソンがどこに隠れているのか、見つけられると思う？　あなたには見つけられる？」

このゾエの問いには懇願《こんがん》と大きな期待がこめられていた。ゾエはうまい、とオクサは感じた。

ゾエはすごい。ゾエは本当にすごい。

ニアルはゾエを食い入るように見つめた。

ニアルがゾエの質問に熱心に答えているのを見ると、まるで一目ぼれの実況中継《ちゅうけい》のようだとオクサはわくわくした。

「学校の中庭であなたを見たときは、まさかコンピューターの天才だとは思わなかったわ……」と、ゾエ。

「ぼくはきみが別世界から来たなんて思わなかったよ……」

28 神々《こうごう》しい人

その動画を見つけたとき、ゾエは自分の目をうたがった。別のウィンドウを開くために急いでカーソルを動かし、同時にパソコンの音量を調整するキーを何度も続けて押して音を消した。だが、むだだった。耳のいいオクサは椅子を回転させてゾエのほうを見ていた。

「それ、なんなの？」オクサの声は震《ふる》えている。

そのやり取りに気づいたモーティマーは心配そうにオクサを見つめ、ギュスはイヤホンをはずし、ニアルはゾエに目で問いかけた。クッカはというと、オクサと同じくらいうろたえている。

「ゾエ、何を見てたの？」

ゾエの後ろに回ったオクサは体をこわばらせている。いまにもひどい雷《かみなり》が起こりそうだ。オクサには何も見えなかったが、耳にしたことに疑いの余地はない。

その声には聞き覚えがあった。よく知っている声だ。

これまでの人生で最も甘い時間と、最もつらい時間を思い出させる声だ。最も熱く、荒々《あらあら》しい時間も……。

これまでに経験したことのない最悪の失望とセットになった声だ。

「ゾエ、そのビデオ、見せてよ」

ゾエは言われたとおりにした。反対してどうなるだろう？　もう遅い。開いていたタブをクリックしてビデオをスタートさせた。画像がいきなり目に飛びこんできた。クッカが青白い顔をして近づいてきた。出会ってから初めて、オクサは彼女を身近に感じた。彼女の驚きと怒りを身近に感じたと言うべきかもしれない。

みんなに周りを囲まれて、二人はだまってビデオを最後まで見た。それから、クッカはフィンランド語らしい言葉で悪態をつき、オクサのまぶたはひくひくと震え出した。

メロディーはリズミカルで、激しく、魅惑《みわく》的だ。

やや震えているボーカルの声に吸い寄せられるようだ。

表情は厳しく、目つきは氷のように冷たく、態度はどこか浮世離《うきよばな》れしている。

まるで、そこにはいないような。どこにもいないような。あの世にいるような。

ピアノの鍵盤《けんばん》に置かれた両手だけが、何かわからないが、何かを表現しようとしている。

ビデオカメラはボーカルの周りを映してから、急に彼の目や手のアップを映した。そして、その細長いシルエットを映し出し、「ニューホープ」と名づけられたバンドのほかのメンバーとの間を行ったり来たりした。この神秘的で効果的な美しさを持つビデオは見る人の心をとらえるようにうまくできていた。別の男の子に恋する女の子を好きになった少年の話というよくある歌詞だが、ビジュアルのほうは聴覚《ちょうかく》と視覚から、見る人の心をつかむ。抗《あらが》いがたい感覚を呼び覚まされ、心にしっかりと根づいて離れなくなってしまうのだ。

十回、二十回、五十回と繰《く》り返《かえ》し見た。オクサはこの画像と歌から離れられないでいた。そのビデオを何度も見たいという欲望は、オクサをはじめとして、ボーカルを知っている人なら納得できるが、まったく彼を知らないニアルすらオクサたちと同様なのは腑《ふ》に落ちない。天才児本人がそれに気づいた。

「なんか妙《みょう》だな。おかしいよ……」と、ニアルがつぶやいた。

ビデオの下に表示してある再生回数を示すカウンターがどんどん上昇《じょうしょう》していた。ニアルは別のパソコンの前に座り、猛《もう》スピードでキーボードをたたいた。

「世紀のバズマーケティング（ソーシャルメディア上で行われる口コミのマーケティング）だ……」と、ニアルがぶつぶつ言った。

「どういうこと？」画面から苦労して目を離してから、ゾエがたずねた。

「見てくれよ！　信じられないよ！」

不思議に思ったオクサたちはニアルの次々に見せる画面に目をやった。ソーシャルネットワーキングのページでは目につく広告スペースにこのビデオを流しっぱなしにしているし、世界中の主なウェブサイト――商業サイトも、公的機関のサイトも、情報サイトも、娯楽《ごらく》サイトも――のトップページにこのビデオがある。

「サイアクなのは、イントロだけでやめずに、最後まで見てしまうことなんだよ。ふつうは、そんなことで時間をむだにしないで、パスしてすぐに目的のサイトに行くけどさ」

「わたしたちが若いからそういう歌を受け入れやすいのかもしれないよ……」と、ゾエが言った。

「歌はすごくいいじゃない？　テーマと歌詞はちょっと平凡かもしれないけど、伝わってくるじゃない。こういう効果的なメロディーと合わさると、世界中の若い人が何千人も夢中になるんだよ」

「じゃあ、これは世代の問題だって言うの？　ぼくたちに気に入るように作られているっていうこと？　そうかもしれないけど……ちょっとテストしてみよう」

アバクム、パヴェル、マリー、アンドリュー、と試してみると、年齢《ねんれい》はちがうけれどもオクサたちと同じような反応だ。その歌を聴《き》いても特別な反応はない。だが、ビデオを見ると、まったくちがった。かつては仲間だった人だとわかった驚きが過ぎると、みんな画面に吸いつけられ、いやおうなく魅了されるのだ。

青ざめた顔をしたオクサは疲れきって椅子にどさりと腰《こし》かけた。みんなは心配そうな視線を彼女におくった。このビデオのボーカルはすばらしい。ロックバンドのリーダーとしてカリスマ性のある役割を見事に演じていることはだれもが認めるところだ。

「この男のパワーを過小評価するわけじゃないけど、裏に何か別のものがあるような気がするな」と、ニアルが言った。

ゾエのパソコンで六十三回目の再生が終わったところだった。ゾエはパソコンをスリープモードにした。中二階はすぐに静かになり、薄暗《うすぐら》くなった。気づかないうちに夜になっていたのに、だれも電気をつけなかったのだ。

「とにかく、みんなはあの男をよく知っているようだね。いったいだれなの？」ニアルがたずねた。

「テュグデュアルよ」ゾエが答えた。「テュグデュアル・クヌット、あるいはテュグデュアル・マックグローって言ったほうがいいかもね」

モーティマーが見た目にもわかるほど体をこわばらせた。

「オーソン・マックグローの息子の一人なのか?」

オーソンのもとに合流する前は〈逃げおおせた人〉の仲間だったテュグデュアル。彼とみんなの人生を揺《ゆ》さぶった最近の出来事について、ゾエはニアルに簡単に説明した。

「ああ、そうか! それで、みんなぎょっとしていたんだね」

ニアルはそう言うと、両手を頭の後ろで組んで、椅子の背にもたれた。考えごとをしているせいか、アーモンド形の目が少し細くなっていた。

「それにしても、ヘンなんだよなあ」

オクサがつっかえながら何か言ったのがニアルの注意を引いた。

「何て言ったの、オクサ?」

「サブリミナル効果……」

みんながはっとした。

「おい、それって、すごくいい思いつきじゃないか!」ギュスがいちばんに口を開いた。「それに、人の意識を操作するっていうのは、まさにオーソンがやりそうなことだ。画像を解読することはできるのかな?」

「もちろんさ!」ニアルが大声で答えた。「政治家のキャンペーンビデオを解読して遊んだことだってあるんだ。ジョージ・W・ブッシュ(第四十三代米国大統領。二〇〇一-二〇〇九年在任)のプロモーションビデオについてのスキャンダルを知ってる?」

若者たちは首をふった。

「ブッシュの対抗馬《たいこう》を紹介する映像に侮辱《ぶじょく》的な言葉が組み込まれていたんだ。すごく否定的な言葉と結びつけることで、テレビの視聴者にまったく違う印象を与えることができるんだ。そのプロセスは広告の世界ではよく知られている。目では知覚できないけれど、脳には吸収される画像を流して、視聴者にその商品を買う気にさせるんだよ」

「それで映画のとちゅうで急にチョコレートが食べたくなったり、ソフトドリンクを飲みたくなったりするわけね！」と、ゾエがつけ加えた。

「そのとおり！」ニアルがうなずいた。「映画監督《かんとく》だって、劇的な効果を上げたり、恐怖をあおるためにサブリミナル効果を使ってるよ。たとえば、ヒッチコックの『サイコ』（一九六〇年代に製作された米国のサイコスリラー）は映画を見ている人の恐怖感を大きくするために骸骨《がいこつ》の画像をいくつかはさみこんでいるんだ」

「すごいね……」オクサがつぶやいた。

「サブリミナル効果のことなら、驚くべきことはいっぱいあるよ。数時間もらえれば、このニューホープってバンド、というよりオーソンがビデオを通してしたかったことを見せてあげるよ」

29　見事な解読

厳しい顔をして椅子にぐったりと身をあずけたオクサは、ビデオを整然とコマ割りして一枚一枚の画像にしたニアルとギュス――ギュスもコンピューターにはくわしいのだ――をじっと見つめた。二人のそばではゾエとモーティマーが次々と表示される画像を黙《だま》って見つめていた。時おり、ため息や抑えた声がもれるだけだ。中二階のすみっこでアンドリューのかげに隠れていたクッカは時々頭を起こして、いかにも気味が悪いという顔つきをしていた。

クッカはクヌット一家みんなが生まれ故郷のフィンランドからスウェーデンに引っ越さざるを得なくなった原因を作ったといって、いとこのテュグデュアルを嫌《きら》っていた。たしかにテュグデュアルにも責任の一端《いったん》はある。ただしもともとはブルンとナフタリが自分の子どもや孫に自分の出自を頑固《がんこ》に隠していたため、国から逃げるはめになったのだ。それをクッカはどうしても認めようとはしなかった。いとこのアップが出てくると、クッカはまた悪態をついた。

「オン・キロットゥ！　パスキアイネン！（フィンランド語で「呪《のろ》われろ！　ろくでなしの息子！」の意味）」

つねに〈マルチリンガ〉の能力をオンにしているアバクムがふり向いた。

「きみのおばさんや、おじいさん、おばあさんは悪くないだろう……」と、優しくたしなめた。勇敢《ゆうかん》な祖父母やテュグデュアルの母へレナのことを思い出し、クッカは青ざめた。へレナはかつて犯された男にエデフィアで殺された。目に涙がたまり、いまにもこぼれそうだ。フォルダンゴがやってきて彼女の手をぽんぽんとたたいた。

「善は悪の存在によってのみ、その存在を知るのです」フォルダンゴは甲高《かんだか》い声で言った。

その言葉に中二階にいた人全員――とりわけオクサ――がはっとした。みんなの注目を集めていることにとまどったフォルダンゴの顔はナス色になった。

「もし、白や昼が不在に出会いましたら、黒も夜も存在することはできないのです。相反するものの結びつきは、オスとメスのような明白さに満ちた同等性を提供します。たとえば、メスなしのオスのみ、オスなしのメスのみでは、生は座礁《ざしょう》と消滅《しょうめつ》への達成を行います」

そう言うと、フォルダンゴは急いでひょこひょこと歩いてオクサのところに行き、ばつが悪そうにそばに立った。

「おまえはいつも、ふさわしい言葉を見つけてくれるよね。すごいわ」オクサはフォルダンゴにささやいた。

「グラシューズ様の寛大《かんだい》さはどんな限界にもぶつかりません」フォルダンゴはもじもじしながら言った。

「〈内の人〉であれ、〈外の人〉であれ、人間のなかには善と悪がある……」オクサはグラシューズの宣誓《せんせい》の言葉の一部を引用した。

フォルダンゴは大きな頭をぶんぶんふってうなずいたものだから、バランスを失った。そばにいたからかい好きのジェトリックスがすぐにやってきてフォルダンゴを支え、ほどほどということを知らないと皮肉った。

「よし、今度はもっとクリアに見られるよ。おいでよ」と、ニアルが大きな声で言った。

オクサの提案とニアルとギュスの器用さが実を結んだようだ。一枚一枚の画像に分解されてスローモーションで再生されたビデオの前半の主なメッセージの内容が判明した。世界の大国の首脳は恐ろしい災いにたとえられていた。あるいは、地球を前代未聞の困難に陥《おとしい》れた最近の自然災害と同列にあつかう陰険《いんけん》なメッセージもあった。たとえば、バンドのミュージシャンを映した画像の間に、フランス大統領とこわれた建物の画像がわずか二十分の一秒はさまれていた。その少しあとでは、アメリカ大統領と苦しげな目つきをしたひどい状態の死体の画像があった。

「ひどい。大国はことごとくやられてるじゃない」と、オクサが言った。「首脳はみんな、都市ゲリラとか、暴力とか病気とかの画像とセットになってる。ぞっとするね」

「これじゃあ、国民の安全を守るはずの指導者に対して大きな不安を抱《いだ》かせるよな」と、パヴェルがコメントした。

「そういう人たちは信用できないって言ってるみたい」と、オクサ。

「ひょっとしたら、信用するなって言ってるのかも」ゾエがすかさず言った。

「そのとおりだよ！」ニアルがうなずいた。「だけど、ビデオの後半は、メッセージが変わってるんだ。見てごらんよ……」

テュグデュアルの両手がピアノの鍵盤《けんばん》の上を優雅《ゆうが》に動くさま、氷のように冷たい透《す》きとおった瞳、黒っぽいシルエット……テュグデュアルの姿を映した画像にはもっと肯定《こうてい》的な画像が挿入《そうにゅう》されていた。明るい感じの画像だ。平和で健康的で清潔で豊かな世界、つまり理想的で調和のとれた環《かん》境《きょう》のなかで幸せそうな人々が動いている画像だ。オーソンの顔が最初はとぎれとぎれに、ビデオの最後に近づくにつれてしだいに頻繁《ひんぱん》にあらわれるのを見ても、だれも驚かなかった。

「サブリミナル効果はビジュアルだけじゃないんだ」ニアルが説明した。「音もあるんだ。聴《き》いて。〝持ちこたえて〟と〝オーソン〟が代わる代わるに聞こえるだろ。巧妙《こうみょう》だよ。意識させずに、持ちこたえることと、そこに出てくる男を連想させるんだから」

「それにしても、ずうずうしい！」体の前に腕《うで》を大きく広げたオーソンの最後の画像を見たオクサが叫《さけ》んだ。「まるで救世主じゃない！」

「いずれにしても、オーソンはそういうメッセージを送りたいわけだな」アバクムがうなずいて言った。「導火線のようにあっという間に広がるメッセージをな」

アバクムのグレーの目と目の間に深いしわが寄った。こらえてはいるが激しい怒りがくちびるを震《ふる》わせ、そこにいた人たちを驚かせた。いつもなら感情をコントロールできる人なのに。

「テュグデュアルのようなカリスマ性があって謎めいた若い男を利用することで、世界中の若者を思いのままにするつもりなんだ」と、いまいましげに言った。

オクサは足元がふらついた。力が抜け、ニアルの椅子の背もたれをつかんだ。泣き出したいのか、怒りをぶちまけたいのかわからない。マリーが心配そうに杖《つえ》をついてオクサのそばにやってきて、髪をなでた。オクサはこぶしをにぎった。

「こんなことはやめさせないと……」オクサはうわ言のようにつぶやいた。「オーソンを見つけなくちゃ」

マリーはオクサの頭を自分の肩《かた》に引き寄せ、しっかりと抱《だ》きしめた。

「見つけましょう、オクサ、見つけましょうね」

母親の肩ごしに、苦々しげなギュスの視線とぶつかった。オーソンのこの新たな企《たくら》みはみんなを動揺《どうよう》させた。一人の例外もなく。

30 寒い夜

若いカップルが人気のない道を急いでいた。冬の終わりとはいえ、その日はまだ寒かった。女は男に抱《かか》えられるように寄り添っていた。まもなく、二人の歩調はぴたりと重なった。分かれ道にくると、日が暮れてもう薄暗《うすぐら》くなっている狭《せま》い路地に入った。

「あったかいココアが飲みたいわ……」女が寒さに震《ふる》えながらささやいた。

「それまでぼくにぴったりくっついていろよ」男は女に顔を寄せながら言った。

女は立ち止まっていとおしそうに男を見つめ、くちびるにキスをした。

二人はそんな甘い瞬間に気をとられていたため、建物の門のかげから子どもが出てきたのに気づかなかった。いきなり目の前にあらわれた子どもを見て、女はびっくりして声をあげた。

「こんなところで一人で何してるの？　風邪《かぜ》ひくわよ」

身長からすると、せいぜい八歳《さい》くらいの子どもだ。両腕《うで》を体の脇《わき》にたらし、じっと歩道を見つめている。広いつばのついた帽子に隠れた顔を見ようと、女が腰《こし》をかがめた。

「おうちはどこ？」子どもを怖《こわ》がらせないように優しくたずねた。

子どもはゆっくりと顔を上げた。すると、路地にたったひとつある街灯の明かりで顔が見えた。

女は立ち上がって、ぱっと後ろに身を引いた。言葉を発することも、叫《さけ》び声《ごえ》をあげることもできず、同じようにおびえている男の腕にしがみついた。二人は子ども――だが、その生き物を子どもと呼べるだろうか？——から目を離さずに数歩後ずさり、体をこわばらせた。

何かが後ろに下がるのをはばんでいる。何かが。あるいは、だれかが。目の前でものほしげに二人を見つめる子どもと同じようなものが……。

ふり返るべきなのか？　逃げてもむだかもしれない。それでも、男は思い切ってゆっくりとふり向いた。そこには、同じような子どもが、同じようにものほしげなほほえみを浮かべて二人を見つめていた。

二人の子どもは同時に男と女の首に跳《と》びつき、やせた足で彼らの体を締《し》めあげ、むさぼるように口を吸った。


男は信じられないといった様子で、同じようにぼうぜんとしている女を見やった。目の前では、二人の子どもがぽっかりあいた鼻の穴から流れ出たどろっとした黒い鼻汁《はなじる》を小瓶《こびん》に流しこんでいた。恐怖で動けないカップルはこの上なく満足そうな顔をした子どもたちをぼんやりとながめ、こんなばかなことがあるだろうかと思うばかりだった。


とつぜん、二人の子どもはくるりと向きをかえて、うつろな空に消えてしまった。カップルと出会った思い出だけを残して。

しかし、そうではなかったのだ。

男はとっさに女に近づき腕を取ろうとした。女がびくっと身を震わせ、わずかに後ずさった。男はそれに気づき、目をみはった。

彼ががくぜんとしたのは、女のとった行動だけが原因ではなかった。
そうされても自分が何も感じなかったからだ。
というのは、彼は女を抱《だ》きしめたいとか、キスしたいとか、ほおをなでたいとか、笑い声を聞きたいとか、いつまでも見つめていたいとか、そういう思いをこれからはもう抱《いだ》かないだろうということに心の底で気づいてしまったのだ。
やがて、二人は気まずく黙《だま》ったまま、凍《い》てつくような路地を歩いた。今夜は寒い。そろそろ家に帰らなくてはいけない時間だ。

二人がソファの両端《りょうはし》に離れて座り、ココアを飲んでいたころ、六人の子どもからなる残忍《ざんにん》なグループが、その小さな町をすみからすみまで歩き回っていた。

玄関をたたく口をきかない六人の子ども。

彼らは家のなかに駆けこんだ。

家のなかの人たちの首に跳びついた。

原油のような黒い鼻汁で小瓶を満たした。

そして、どんよりした目をして、いかにも満足そうに姿を消した。

31　的中した仮説

「今日のニュースの最後になりますが、学会や医学界で論議を呼んでいる出来事です。フランスの南西部にある人口一万七千人の町カストラックで、ここ数日、原因不明の現象が起きています。離婚申請《しんせい》の割合が短期間で異常に上昇《じょうしょう》しているということです。カストラックに住む結婚したカップルの七五％がすでに別居の手続きを取りました。それだけでなく、ドメスティックバイオレンスが五百倍に増加したことが確認されました。さらに深刻なのは、わずか数日間に二十五歳《さい》未満の四〇％が恋人との別離が原因で自殺を企《くわだ》て、うち四十二人が亡くなりました。

こうした状況《じょうきょう》に対応しきれなくなった医師、弁護士、警察が市外に応援《おうえん》を要請したことから、この奇妙《きみょう》な現象に注目が集まり、カストラックには検疫隔離措置《けんえきかくりそち》がとられました。軍が町のあらゆる出入口に検問所を設け、世界中の専門家が現地に駆けつけ、住民を対象とした検査を行っています。世界中をおそった最近の自然災害の精神的影響《えいきょう》なのか？　生物学的実験が行われたのか？　ウイルスなのか？　いくつかの仮説があがっています……」

「あいつだ！」オクサが叫《さけ》んだ。「犯人はオーソンだよ！」

アバクムは心配そうに短いあごひげをなでた。彼の家の大きなサロンでテレビの周りに集まっていた〈逃げおおせた人〉と〈締《し》め出《だ》された人〉は何も言わなかった。だが、みんなの目は確信に満ちていた。こんな異常な出来事の原因はオーソン以外には考えられない。

「半透明族《とうめい》……オーソンは半透明族を再生させたんだわ」

ゾエは驚くほど落ち着いた調子で言った。しかし、その平然とした様子はうわべだけのものだと、ぴくぴくと痙攣《けいれん》した青白い顔が物語っていた。

「そんなこと、ありえない！」オクサが反論した。「だって……あたしが最後の半透明族を殺したんだもの。〈まっ消弾《だん》〉をくらって消滅《しょうめつ》したのよ。あとには何も残ってなかった」

「でも、この町で何かを引き起こしているのは半透明族以外、考えられないじゃない」ゾエはあとに引かなかった。

ゾエの目はテレビに向けられたままだ。カストラックの検疫隔離措置に関する新たなルポルタージュが放映されている。

「はっきりさせる方法はひとつしかないだろうな」アバクムが口を開いた。

その場がざわついた。何か具体的な手がかりがあるのだろうか？

「ホント？　現地に行くの？」と、オクサが意気ごんで言った。

「ほら、荷物の用意をしろよ、若いグラシューズさん」パヴェルは大げさにため息をついた。

オクサは思わず不安げな目でゾエを見た。ゾエは最初、目をそらせたが、すぐにオクサを見つめ返してきた。

「心配しないで」ゾエはオクサのところに来てささやいた。「あんなことを乗り越えたんだもの、けっこういろんなことに耐えられるのよ。わたしが〈逃げおおせた人〉で、しかもグラシューズの血を引いてるってことを忘れないで」

「忘れてないよ」オクサもゾエに小声で答えた。

作戦はその日の夜にスタートした。飛行機の運航はまだ完全に復旧していないため、アバクム、パヴェル、オクサ、ゾエ、それにモーティマーは、かなり高い高度で浮遊《ふゆう》していくことにした。

事態が深刻なだけに、ある程度のリスクはしかたがない。

「オーソンは仲間の囚人《しゅうじん》を解放するときもたいして用心しなかったよな……」と、パヴェルが言った。「最悪の場合、ぼくたちが見つかっても、あいつの仕業だと思われるだけだよ」


五人は野菜畑から飛び立ち、ふつうの人の目では見えないほどのスピードで垂直に上がった。アバクムは、長持ちはしないけれど驚くべき効能を持つ新しいキャパピルを披露《ひろう》して、みんなを驚かせた。熟れすぎたブドウの味がする、一キログラムを一グラムに変換《へんかん》するグラム化キャパピルだ！パヴェルにつかまったアバクムはトマト一つほどの重さもない。

驚いたのはグラム化キャパピルの効力だけではない。飛行機よりも高いところを飛んでも、呼吸が苦しくなったり、凍《こご》えたりしないことにオクサは驚いた。何度かくるりと回って遊ぶ余裕《よゆう》すらあった。〈浮遊術〉はもうお手のものだ。

「あたしたち、スーパーマンみたい！」オクサは両手をメガホンのようにして父親に向かってどなった。「大気圏《たいきけん》を抜けて宇宙まで飛んでいけると思う？」

「オクサ、そんなことはあとにしよう。いまは飛ぶことに集中するんだ！」体を前に傾け、両腕《うで》をぴたりと体につけたパヴェルがたしなめた。

オクサは父親の言うとおりにしようと、できるだけ空気抵抗《ていこう》の少ない姿勢で飛んだ。薄《うす》い雲や、ときには厚い雲が次々と通りすぎ、冷たいほおに薄い湿気《しっけ》の膜《まく》を作った。はるか下には、時々ぽんやりとした光の輪のようなものが見えた。頭上数キロメートルのところを人が飛んでいるとも知らずに、街は眠《ねむ》っていた。オクサが時々あげる雄叫《おたけ》びのような声が仲間たちを楽しませた。

三時間たつと、ガナリこぼしが顔を出した。

「若いグラシューズ様、あと十二分で目的地に到着します。地上の気温は摂氏《せっし》マイナス一度、湿度は八十四％です」

「了解！」オクサはごほうびにガナリこぼしをなでた。「もうそろそろ着いても文句はないよね……カストラックの状況を教えてくれる？」

ガナリこぼしは姿を消し、二分後にあらわれた。みんなは飛ぶのをやめて空中にかたまって浮かび、おたがいに肩《かた》を組んだ。

「非常事態宣言が出されたために、一万六千五百三人の住民は二千四百人の兵士の監視《かんし》のもと、自宅に待機しています。夜の六時から朝の六時までは、だれも外出できません。町に出入りするための道路は封鎖《ふうさ》されています。カストラックの町は陸軍と空軍の完全な監理《かんり》下にある地域になっています」

「空軍？」オクサが驚いて言った。「まずいよ！　ミサイルを撃《う》たれないといいけど……」

「そういう失望を味わわないためにも、町から数キロ離れたところに着陸したらどうだろう」と、パヴェルが提案した。

「それはいい考えだ」背中につかまっているアバクムが賛成した。

「わたしたちがいまいるちょうど真下に畑があります」ガナリこぼしが言った。「その位置は好都合です。われわれが向かう町から南南東に二キロと八百五十四メートルの地点です」

「それはいい。よし、行こう」と、パヴェルがうながした。

〈逃げおおせた人〉たちはクリームのように濃厚《のうこう》な雲に飲みこまれて消えていった。長くのびる歓《かん》喜《き》の声がひびいたかと思うと、まもなく大気に吸いこまれた。オクサが最後にお気に入りの遊びをやったのだ。

凍《い》てついた畑はざっくり掘《ほ》り返《かえ》されていて、地上に降り立ったオクサたちは歩くのに苦労した。そのため、みんなは走ることにし、障害物競走の選手のようにひょいひょいと土の塊《かたまり》や柵《さく》を跳《と》び越《こ》えていった。アバクムは野ウサギに姿を変えた。パヴェルの〈浮遊術〉に頼《たよ》っていたときとちがい、生き生きとしてうれしそうだ。

遠くには街のかすかな明かりが、ぼんやりとした光の玉のように見えた。もやのせいで青白くかすんでいる。カストラックに近づくにつれ、ガナリこぼしの報告したことが本当だとわかってきた。軍の車両が町を包囲し、武装した人たちが道路を封鎖していた。空気は凍るように冷たく、湿気があり、雰囲気も厳戒《げんかい》態勢のせいで重苦しかった。

「こんな状況のフランスにもどってくるなんて思いもしなかった……」オクサは悲しみの混じったため息をついた。

言葉にはしなかったが、父親とアバクムも同じような思いでいることが、オクサにはわかった。フランスでの日々は幸せで、ある意味でのんきなものだったのに……。

「あいつらはサーモグラフィー（温度分布を画像表示する装置）を持っていると思いますか？」モー

ティマーがたずねた。

「すぐたしかめてみよう」と言って、野ウサギのアバクムが前に跳びだした。

野ウサギは兵士のいるところまで数十メートル走って、兵士たちの目の前で止まり、五分間ほどジグザグに歩いたり跳びはねたりした。そして、道路をふさぐ車両や柵を跳び越えて町に入ってまた戻ってきた。兵士たちはまったく警戒する様子がない。

「サーモグラフィーのほうは心配ないようだ」野ウサギは少し息を切らしていた。「肉眼の監視だけのはずだ」

オクサがやわらかい毛をなでると、野ウサギは背中を丸めてから人間の姿にもどった。

「となると、空から侵入《しんにゅう》するのが正解のようだな」と、結論を出した。「ガナリ、わたしたちを案内してくれるかい？」

ガナリこぼしはみんなの先頭に立って町の上空に向けて飛び立った。この眠っている町がオーソンにたどり着くための鍵《かぎ》だ。五人の〈逃げおおせた人〉は、そのことをまったく疑っていなかった。

だが、五人が中学校の屋根の上に降り立ったとき、これ以上ないほどオーソンの近くにいるとは気づいてもいなかった。

32　マルシェでの情報収集

すばらしいわが子たちが、カストラックの住民の恋愛感情をたらふく吸い取る現場に立ち合えて、オーソンはおおいに満足していた。計画はまったく思ったとおりに進んでいる。いまのところ、運命に導かれて進むところに邪魔《じゃま》は入っていない。

六人の子どもたちはみんな元気だ。一連の吸い取りが終わると、すぐにオーソンは子どもたちを〈サラマンダー〉に連れて帰った。そこでは、ポンピリウ・ネグスがタールのような液体の入った小瓶《こびん》を待ちわびていた。仕事にとりかかるためだ。それから、オーソンはいてもたってもいられず、特派員に化けるとすぐにカストラックの町にもどってきた。

確かめずにはいられなかった。

自分のすばらしい作戦の影響《えいきょう》を確かめずにはいられなかった。

六人の子どもにおそわれた男や女の目のなかをのぞきこんで、自分がどれほど彼らの人生を狂《くる》わせたかを確認せずにはいられなかった。

自分が種をまいたパニックを肌《はだ》で感じずにはいられなかった。

軍や政治家の記者会見に出席したり、ジャーナリストたちがしゃべっていることを聞いてどんなに笑ったことか！　ジャーナリストは事件を誇張《こちょう》し――オーソンはその誇張された表現を喜んだ――軍隊や政治家は状況《じょうきょう》を完全にコントロールしていると声高に訴《うった》えていた。

それはまちがいだ。

一般《いっぱん》の人たちも、政治家も、各分野のプロも、みんなまちがっている。

何をかんちがいしているんだ。このみじめな世界ですべてをコントロールしているのは、この自分、オーソン・マックグローなのだ！　そのうちわかるだろう。


町の中心にある広場に面したホテルの部屋からは、兵隊の動きや、とりわけ、医療《いりょう》用テントを拠点《きょてん》にした研究班の動きが手に取るようにわかった。細菌《さいきん》学、ウイルス学、化学などの専門家以外はテントに入ることは禁じられていたが、彼らの立てた仮説や調査の進み具合――全部ばかげたものばかりだった――を知るのに、オーソンはそこまで近づく必要はない。耳をかたむけてささやきセンサーの能力を使うだけでじゅうぶんだった。


朝になり、人々が通りに出てくると、〈逃げおおせた人〉たちは中学校の屋根から下りた。幸いなことに、その日はマルシェ（朝市）の立つ日だったので、人ごみにまぎれるには好都合だった。朝から人が半分くらい入っている一軒《いっけん》のカフェに気づくと、パヴェルとアバクムはカウンター席に行って、カフェの主人や客たちに話しかけた。その間に、オクサとモーティマーとゾエは、中央広場からいくつかの通りにのびたマルシェをぶらぶらした。まだ温かい菓子《かし》パンの入った袋を手に――三人は夜間飛行のあとで、おなかがぺこぺこだったのだ――わずかな情報ももらすまいと人々を観察したり、会話に聞き耳を立てた。

チーズ屋とおしゃべりしている甲高《かんだか》い女の声が三人の注意を引いた。

「どうしていろんな検査を受けさせられるのかわからないわよ！　夫のことが好きじゃなくなったの。おたがいに赤の他人になったんだから離婚したいだけなのよ。だれにもじゃまさせないわ！」

「でも、先月、銀婚式のお祝いをしたときは、あんなに幸せそうだったのに……」と、チーズ屋が言った。

「まあ、それほど幸せじゃなかったっていうことだわね」女は怒ったように言い返した。

オクサはモーティマーとゾエをちらりと見やった。眉《まゆ》をしかめたゾエは口の内側をかんだ。そして、マフラーを口まで引き上げ、くるりと背中を向けて先を歩いた。オクサとモーティマーは無言でゾエを追いかけ、自分たちのほうを向かせた。オクサはゾエの腕《うで》に手をおいた。しかし、ゾエのトラウマは身内の人間にすらどうすることもできない。ただ、ゾエは彼らの信頼や愛情を支えにすることはできる。

ゾエはかすかにほほえみを浮かべた。彼女にはわかっているのだ。

「このまま続けましょ……」と、顔をあげてつぶやいた。「わたしたちが追っている手がかりは正しいと思うわ」

マルシェではスタンドの前でも通路でも、人々の会話はただひとつの話題に集中していた。カストラックで起きた事件と、町に検疫隔離措置《けんえきかくりそち》がとられたことだ。三人はとりわけおしゃべりな男に近づいた。

「おれは見たことを全部、兵隊に話したよ。まるで尋問《じんもん》されてるみたいだったさ。おれの話はすべて録音された。それでしまいには何を言われたかって？　幻《まぼろし》を見たんだろうってさ！　じょうだんじゃない！　おれはぜったいに幻なんか見てない！　本当に見たんだよ、あの怪物《かいぶつ》たちを。あんたたちをいま見ているのと同じように、たしかに見たんだ」

男は腕をふり回して周りにいる人たちをさした。

「それはあんただけじゃないみたいだ。これを見てごらんよ！」八百屋が新聞を差し出した。

男は新聞を広げた。第一面の大きな見出しにオクサたちの目が引きつけられた。


ミュータント（突然変異体）がカストラックを襲撃《しゅうげき》か？

人間ではない恐ろしい生き物が事件の原因か？


「ほらな！」男はうれしそうに手のひらで太ももをぽんとたたいた。「幻なんかじゃないんだよ！まったく同じものを何人も見ているのに、あそこじゃ、だれも信じてくれないんだからな！」

そう言いながら、男は不安をあおるようなロゴのついた白いテントを指さした。つなぎの服を着た人や兵士たちがひっきりなしに出入りしている。

「何を見たんですか？」と、オクサは思い切って聞いてみた。

男は驚いたような顔をした。自分の話を知らない人がまだいたのか？　しかし、男は自分の見てきたことをもう一度話せる快感にさからえなかった。

「子どもみたいだった……」男は内緒《ないしょ》話をするように始めた。「背丈はこれくらいだったな」

男は自分の腹のあたりに手をやった。

「おれがすれちがった二人は頭のてっぺんからつま先まで黒い服を着ていたよ。最初は顔が見えなかったんだ。帽子のつばで顔が隠れていたからな。それから、とつぜん、家の玄関が開いて、怪物がもう一人出てきたんだ」

「怪物がもう一人？」オクサは口をはさんだ。

男は芝居《しばい》がかった口調になった。

「おれが見たものをあんたも見たら、やっぱり怪物としか呼べないだろうな」

「どうして？」オクサは男のおしゃべりをうながすようにたずねた。

「あの生き物ときたら……まったく怪物さ……しわくちゃの老人のような顔で、肌が透《す》き通《とお》っているから血管がすけて見えるんだ……。それに、あの目ときたら。ばかでかくて真っ黒なんだ。それに……どう猛《もう》そうな目つきだった！」

男はそこで間をおいてから、また話し出した。

「でも、いちばん気味が悪いのは鼻だ……骨も軟骨《なんこつ》も溶《と》けてるみたいに、鼻がないんだよ。かろうじて先っぽがちょっとだけあって、あとは穴があるだけなんだ。穴からは黒い鼻汁《はなじる》が流れていた」

ゾエは思わずうめき声をもらした。腕にしがみつかれたモーティマーは、ゾエの手をぎゅっとにぎりしめた。

「ぞっとするよな……」ゾエの青白い顔色に気づいた男が言った。

「それからどうなったんですか？」オクサがたずねた。

「信じられないだろうが……怪物たちは飛んでいったんだ。まず垂直に浮かんでから、あっという間にいなくなった」男は身ぶり手ぶりをまじえて説明した。

「信じます」オクサはやっとそれだけ答えた。

「その怪物が出てきた家に住んでいた人たちは？」今度はモーティマーが質問した。

「それがおかしいことに、何も見なかったし、聞こえなかったんだと！」男が答えた。「怪物のことを軍に知らせたのはおれだよ。その家の人たちは事情を聴《き》かれて、健康状態のチェックや精神科の検査をいろいろ受けさせられたんだ」

「その家の人たちはカップルなんですか？」と、ゾエがたずねた。

男は驚いてゾエを見つめた。

「どうして、そんなことを聞くんだ？」

「別に理由はないけど……」

「そうだよ、カップルさ。二十歳《はたち》くらいの若いカップルだ。けんかがエスカレートして警察に連れて行かれたよ」

オクサたちはやっぱり、と顔を見合わせた。

「すごい話ですね……」と、オクサがつぶやいた。

「そうだよ、すごい話だよ……」男はうなずいた。

「ありがとう、おじさん！　さようなら！」

オクサはモーティマーとゾエを狭《せま》い路地に連れて行った。

「はっきりしてきたじゃない……」と、オクサが感想をもらした。

「最初からそうだと思ってた」ゾエがつぶやいた。

モーティマーによりかかったままのゾエは、息を深く吸いこんだ。赤みがかった金色のまつげにふちどられた大きな目が、いっそう大きくなった。そして頭をふり、霧《きり》で湿《しめ》ったほおを両手でぬぐった。

「パヴェルとアバクムのところにもどろうか?」ゾエは意外にもきっぱりと言った。「いま聞いたことには二人も興味があるんじゃない?」

33　しだいにわかってきたこと

オーソンはホテルの部屋から、マルシェの入り口でもある広場の向こう側にいらいらした視線を向けていた。

「いまいましい〈逃げおおせた人〉。もうやってきたか……」オーソンは窓枠《わく》をこぶしでたたいた。妹たちの孫、裏切り者の息子……ほかにだれがカストラックに来ているのだろう? きっと、あのいやなアバクムとパヴェル・ポロックもいるだろう。若いグラシューズは「大好きなパパ」がいないと何もできない。いつかは大人にならないといけないだろうに。オシウスから解放されてはじめて、自分は権力者になった。父親のかげに隠れていたら、そうはいかなかっただろう。恨《うら》みがましい思いがのどの奥でふくらんだ。

しかし、窓から離れると、しだいに愉快《ゆかい》になってきた。Pコートをはおり、黒いウールのマフラーを首に巻いて部屋を出た。せっかく〈逃げおおせた人〉たちが自分のところまでやってきてくれたのだから、少しは楽しまなければ!

湯気の上がるローストポテトの皿を前に、五人の〈逃げおおせた人〉は元気を回復しつつあった。

各自集めた情報をひとつひとつ確認していくと、恐ろしい内容ではあるが、成果はあった。オクサたち若者三人はオーソンが半透明《とうめい》族を再生させた証拠《しょうこ》を集めたし、パヴェルとアバクムは情報通のカフェの主人と仲良くなった。

「夫婦や恋人で別れたり、暴力沙汰《ざた》があった人たちは、どうしてそんなことになったのかだれも説明できないそうだ」アバクムが食事をしながら教えてくれた。

「記憶喪失《そうしつ》になったのかな？」と、オクサがたずねた。

「半透明族の部分だけがな。前後のことは覚えているのに、その間がすっぽり抜けているようなんだ」

「気の毒な人たちの恋愛感情を奪《うば》うだけじゃ十分じゃないっていうのかな……」モーティマーが顔をしかめて言った。「そのうえ記憶まで奪うなんて」

「しかも、愛情を吸い取られたうえ、凶暴《きょうぼう》さも植えつけられたようだな」

パヴェルはそう言いながら、おずおずとゾエのほうを向いた。椅子の上でぐったりしていたゾエは熱にうかされたような目をして、パヴェルの無言の問いに答えた。

「ううん、わたしは凶暴な感情は持ってないわ。ちょっと……うつろな感じがするだけ」

ゾエは顔をあげて、背すじをしゃんと伸ばした。

「新しい半透明族は前よりどう猛《もう》な感じがするよね」今度はオクサが言った。「そんな怪物《かいぶつ》を自由にうろうろさせてたら、ホントに危険だよ！」

「ぼくの考えでは、あいつらはそれほど自由じゃないと思うな」パヴェルが反論した。「脱獄《だつごく》させた人たちや、やつの息子たち――すまない、モーティマー――のように、武器として使われてるんだ。オーソンが自分の思いどおりに操っているんだよ」

「誇大妄想狂《こだいもうそうきょう》の野心のために使われているんだよね！」オクサがつけ加えた。

「当局はどう考えているんだろう？」モーティマーが質問した。

「カフェの店主によると、軍が開発した合成麻薬《まやく》によるものだっていう仮説が有力なんだそうだ。戦闘《せんとう》意欲をうながすために愛情を消す麻薬だということだ。カストラックが実験台にされたか、そうでなければ軍の逸脱行為《いつだつこうい》か、あるいは外国の化学兵器による攻撃《こうげき》ではないかとも考えられている。その三つの仮説が立てられているが、何が起きたかを知っているわたしたちは、第三の仮説が事実とそうかけ離れていないことはわかるけどな。しかし、実際には、捜査《そうさ》はまったくはかどっていないようだ。感情を吸い取る半透明の宇宙人が存在するという噂《うわさ》が広まっている。実際に目撃した人たちは、軍の説得にもかかわらず、見たことをおおっぴらにしゃべっているようだ。

　こういう状況のとき、当局は噂をはっきりと否定せず、好き勝手にしゃべらせておくことがよくある。そうすれば、まるでそんな事実はないとか、たいした価値のない噂だと世間に思いこませることができるだろ？　そんなことに耳を貸す必要はないって思わせたいんだ」と、アバクムが説明した。

「事実無根だから、無視するってわけね」オクサがコメントした。

「そのとおり！」パヴェルがうなずいた。「そうして、わざと偽《にせ》の情報を流す。世界の大国のお偉《えら》方《がた》がぐるになって沈黙《ちんもく》を守ろうとしてるってわけだ」

「それじゃあ、その人たちはオーソンよりひどいよね」オクサが文句を言った。「だれも本当のことを言わずに、自分たちの利益のために国民を操ることばかり考えてるんだから」

「うん、だけど、国民も前みたいに、だまされっぱなしになんかなっていないぜ、オクサ」と、モーティマーが反論した。「政府なんかもう完全に信頼してないし、好奇心《こうき》を満足させる手段を獲得《かくとく》したからな。情報は際限なく駆けめぐっているだろ。自分で情報を探せるし、昔は完全に極秘だった情報にもアクセスできるようになったじゃないか」

オクサはゆっくりとうなずいた。

「そうだよね。人は前ほど真に受けないよね。ちょっとは希望があるってことかもね……」

オクサはテーブルに両ひじをつき、手のひらにあごをのせて考えこんだ。よく考えてみると、歴代のグラシューズは何世紀もの間、自分がいま非難した政府とまったく同じような統治をしてきたのだ。〈外界〉のことをなるべく隠そうとした。たしかに国の防衛と安定のためではあるが、結果はまったく同じか、ほぼ同じだ。真実と現実は否定されたのだ。

オクサの正面にある大きな鏡にレストランのくもった窓が映っていた。そこに映った歩行者や、マルシェのスタンドを片付ける人たちを見るとはなしにながめていた。

これから何が起きるんだろう？

オーソンの半透明族は何に利用されるんだろう？　脅《おど》しや圧力をかけるための単なる道具なのか？　それとも、地球規模の策略の始まりなのか？

〝テュグデュアルのバズマーケティング〟とこのことは何か関係があるのだろうか？

オーソンは何を考えているんだろう？

オクサはわけがわからなくなって疲れ、ため息をついた。

オクサを考えごとから現実に引きもどしたのはコーヒーメーカーの立てる音でもなく、激しくたたきつける雨の音でもなかった。いま現実にもどらなくてはいけないという本能というか、何か頭が混乱するような感覚をおぼえたからだ。

そばでは四人の〈逃げおおせた人〉がコーヒーをすすりながら、ほとんど聞こえないくらいのひそひそ声で話をしていた。オクサはまばたきをし、水を飲み干してから、頭がはっきりしないままで再び鏡を見つめた。

オクサが椅子を後ろにはね飛ばして急に立ち上がったとき、レストランのがやがやいう声が、驚きの声に変わった。客はみんな、けわしい顔をして鏡をじっとにらみつけるオクサを不思議そうに見つめた。鏡には、たたきつける雨のなかを男や女が急いで歩く通りが映っているだけなのに。

しかし、〈逃げおおせた人〉にだけはわかった。急ぎ足の人たちにまじって、一人だけレストランの窓のほうを向いて静かにたたずむ人がいた。自分が見られていることに気づいたその男はほほえんだ。

「こんなまねをするのか、オーソン……」アバクムがつぶやいた。「それなら、受けて立とうじゃないか……」

34

オーソンの挑発《ちょうはつ》

オーソンとオクサは少し歪《ゆが》みのある鏡越しににらみ合っていた。まるで時間が止まったかのようだ。だが、そのにらみ合いも長くは続かなかった。アバクムとパヴェルがレストランの外へ飛び出したからだ。

オーソンはピーコートのポケットに両手を突っこみ、歩道に立って二人を待っていた。見かけは少し変わっていた――スキンヘッドにし、エデフィアにいたころより顔が細くなっていた――が、すぐに彼だとわかった。〈逃げおおせた人〉たち全員が自分の前にあらわれると、オーソンの視線はなんでもないようにモーティマーに止まり、それからオクサとゾエに移った。口元には冷たいほほえみを浮かべていた。

「おやおや、わたしのお気に入りの血を分けたお嬢《じょう》さんがた二人とそのボディガードじゃないか」と言いながらせせら笑った。

モーティマーの呼吸は速くなり、上下する胸の動きに合わせて鼻の穴がひくひくしている。父親にとって自分は存在していないも同然だ。それはつらいことだった。

「観光かい？」オーソンが続けた。「このあたりはきれいなところじゃないか？　残念なのは天気が……」

「いいかげんにしろ、オーソン！」クラッシュ・グラノックを手にしたパヴェルがさえぎった。

「ぼくたちがどうしてここにいるか、わかってるだろ」

「みんな、わかってるのよ！」オクサが割って入った。「脱獄《だつごく》に、生物学やＩＴの専門家、それに傭兵《ようへい》を雇《やと》ったり。反逆者《フェロン》の武装集団を構成する人たちのこと……」

オクサはここで息をついだが、宿敵に何もしゃべらせないようすぐに続けた。

「プロモーションビデオ、サブリミナル効果、半透明族《とうめい》！」オクサが怒りをぶちまけるようにどなった。雨のなかでにらみ合っている彼らを不思議そうに見ていく通行人もいる。

オーソンの冷たいグレーの目が黒っぽくなり、あっという間に攻撃《こうげき》的な色あいを帯びた。そして、笑い出した。

「それで、全部わかっているつもりか？　そんな……つまらないことで？　おもしろいやつだ！」

その言葉は皮肉だけでなく、挑《いど》むような調子をふくんでいた。

「つまらないことだって？」パヴェルが言い返した。

オーソンの言葉を打ち消すかのように、軍の車がものすごい勢いでみんなのそばを通り過ぎた。生物学の検査をするテントに向かっているようだ。

「あいかわらず〝若いグラシューズ様〟のままだな。こんなことはこれから起きることに比べたらたいしたことじゃない！」

「あんたは怪物《かいぶつ》よ！」

オクサはこみ上げてくる怒りにのどが詰まり、もう少しで〈ノック・パンチ〉を繰《く》り出《だ》しそうになった。しかし、数十メートル先には武器を持った兵士たちがいる。治安を理由にいつでも彼女たちに跳《と》びかかってくるだろう。そんなことをすればばかげた危険にさらされることは、オクサにも十分わかっていた。

　ただし、それは自分の力を過信しているオーソンには、まったく通用しない論理だった。

　彼の細くて長い指から青みがかった閃光《せんこう》がほとばしり出ると、〈逃げおおせた人〉たちはあわてふためいた。放電をくらう危険――雨が降っているのでよけいに危険だ――に加え、超《ちょう》能力を使って対抗《たいこう》すれば、人々の注目を浴びてしまう。しかし、オクサは怒りでパワーアップした念力を使ってとっさに閃光をそらせた。すぐにゾエとモーティマーも同じようにした。閃光はぱちぱちと不気味な音を立ててレストランの壁に当たった。

「おお、血気にはやる若者たちよ……」オーソンは皮肉なほほえみをくずさずにからかった。「だが、これには、たいしたことはできないだろうな！」

　オーソンがクラッシュ・グラノックを出して息を吹きこむのに四分の一秒もかからなかった。どうすることもできず、その効果はすぐにあらわれた。広場に設置されたテントが土台から揺《ゆ》れ、テントの布がふくらんでぴんと張りつめた。そのため、床からテントのてっぺんまでかぎ裂《ざ》きができ、「危険」と書かれたロゴが裂《さ》けた。そして、テントの布は切り裂かれた気球のように空中に舞《ま》い上《あ》がって飛んでいった。周りは大騒《おおさわ》ぎになった。

「わかったよ、オーソン……」アバクムがさげすむような調子でつぶやいた。「きみに力があって、どんなことができるか、みんなわかってるよ。むだなデモンストレーションはやめてくれ」

「正体を見破られるんじゃないかとびくびくしているくせに、そんなさめたポーズをとらなくてもいいじゃないか！」オーソンが言い返した。

「たしかに、わたしたちは正体を見破られるんじゃないかとびくびくしている！」アバクムも負けずに言い返した。「それはきみも同じだろう」

オーソンがにやりとした。悪い兆候だ。

「そこが、おまえのような卑屈《ひくつ》な男のまちがっているところだ」

オーソンは挑発《ちょうはつ》するようににらむと、またクラッシュ・グラノックを吹いた。標的にされた軍用トラックが一台、周りにいた十人ほどの兵士を巻きこみながら後ろに吹き飛ばされた。そして、そのトラックはぐしゃっという大きな音を立てて二台の乗用車にぶつかり、車止めを突き破り、でこぼこになって町役場の壁に当たって止まった。

オーソンは満足そうにクラッシュ・グラノックをしまい、飛んでいった。〈逃げおおせた人〉たちは何もできず、ただぼうぜんとオーソンの逃亡を見守るしかなかった。それから、この様子に兵士の一団が気づいたことがわかりぞっとした。

機関銃《じゅう》を持った兵士たちがこちらに近づいてきていた。

「おい、そこのきみたち！」そのうちの一人がどなった。「そのまま、手を頭にのせろ！」

五人の〈逃げおおせた人〉はさっと視線を交わした。それから、オクサがうなずいた。

「手を頭にのせろ、と言っただろ！」兵士がまたどなった。

オクサたちは全員、そのとおりにした。ただし、そうしたのはただ空気抵抗《ていこう》を最小限にするためだった。オクサとゾエはさっと視線を交わしてから腕《うで》をおろし、アバクムの手を片方ずつにぎった。

そして、五人の〈逃げおおせた人〉はあまりにもすごいスピードで空に消えたので、広場でそれを見ていた人たちは、今度は自分たちが幻《まぼろし》を見ているのではないかと思った。

またたく間にこのあやしい集団の姿は見えなくなった。まるで蒸発したみたいに。この不思議な現象に脅威《きょうい》を感じた兵士たちは武器を空に向けて撃《う》った。

35 空中の混乱

〈逃げおおせた人〉たちは軍の発砲《はっぽう》にあわてたが、最初の雲の層を越えると、その音すら聞こえなくなった。パヴェルはオクサとゾエからアバクムを引き取り、さらに高度を上げた。アバクムはパヴェルの負担を軽くするために急いでグラム化キャパピルを飲みこみ、大声で言った。

「ひょっとしたら、まだやつに追いつけるかもしれない！」

「あっちの方角に行ったと思うけど」と、モーティマーが腕《うで》を伸ばした。

「ガナリ、教えて！」オクサは忠実な情報提供者に助けを求めた。

ガナリこぼしは羽を広げたかと思うとすぐに鼻をひくひくさせ、モーティマーが示した方向にじっと注意を向けた。

「反逆者《フェロン》オーソンは現在、時速八百八十一キロメートルの速さで北北西に飛んでいます。高度は四千八百五十三メートルです。気温は摂氏《せっし》マイナス十八度で……」

「ありがとう、ガナリ！」オクサは最後まで言わせなかった。「どっちに行ったらいいの？」

「ついて来てください！」

レーダーの役目をするガナリこぼしが前に出て、みんなを案内した。

「あの腐《くさ》ったやつのせいで、あたしたちまで危険な目にあうなんて！」オクサがぶつぶつ言った。

「写真を撮《と》られてなかったらいいけど……」

「防犯カメラはあったよ」ゾエが答えた。「わたしたちの映像はすでに軍の参謀部《さんぼう》で何度も再生されてるんじゃないかな」

ゾエは体をしゃんと伸ばして勢いよくオクサの横を飛んでいる。

「あいつは自分の誇大妄想《こだいもうそう》のために、あんなふうに全部破壊《はかい》してしまうんじゃないかな」ゾエは吐《は》き出《だ》すようにつぶやいた。「でも、つかまえてやる。そうじゃなきゃ、隠《かく》れ家《が》を見つけてやるわ。もうたくさんよ！」

最後の言葉はたたきつけるように発せられた。ゾエは一見優しくて悲しげな雰囲気を持っているが、本当は戦士だ。オクサにはそれがよくわかっていたが、そのコントラストが外にあらわれるたびに驚かされる。そういうとき、オクサはまたいとこ——親友でもある——をいちばん身近に感じるのだった。オクサは体をさらに前に倒してスピードを上げた。

オーソンは、あの卑怯《ひきょう》な〈逃げおおせた人〉たちに一撃《いちげき》を食らわせてやった、と有頂天《うちょうてん》になって空を飛んでいた。わたしを追ってくる勇気はないだろう。それはそうさ！　そうすれば自分たちの姿をさらすことになる。やつらはそれを何よりも恐れている。だから、〈逃げおおせた人〉たちが追ってくるのに気づいたとき、オーソンはひどく驚いた。

彼は悪態をついた。空がもっと暗ければ、オーソンは逃げられただろう。だが、雲の間にところどころ青空が見えるほど、空はかなり明るかった。

〈逃げおおせた人〉たちは必死に遅れを取りもどしたので、オーソンとの距離《きょり》は目に見えて縮まった。オーソンはさらに気持ちを集中させて力をふりしぼり、体が耐えうるぎりぎりのスピードにまであげた。急に進路を変えて追っ手をまこうとした。だが、彼の行くところ、〈逃げおおせた人〉たちは対空ミサイルのようについていく。

オーソンを見つけた。

もう逃がさない。


「つかまえよう！」オクサが叫《さけ》び声《ごえ》をあげた。

わずか数十メートルのところにいるオーソンが雲にもぐった。雲の中でも視界が妨《さまた》げられることのないガナリこぼしに誘導《ゆうどう》され、〈逃げおおせた人〉たちもあとに続いた。恐ろしく低い気温――人間を即座《そくざ》に凍らせてしまえそうだ――のために赤くなったみんなの顔に、小さくてとがったひょうが当たった。だが、〈逃げおおせた人〉たちは寒さに震《ふる》えてはいなかった。「ドヴィナイユを連れてこなくてよかった……」と、オクサはふと思った。

とつぜん、オーソンがふり返って進むのをやめると、〈逃げおおせた人〉たちは急ブレーキをかけたように止まった。すぐにオーソンは片手でグラノックの雨を降らせ、もう一方の手でノック・

パンチと閃光《せんこう》を大量に送ってきた。

スキンヘッドでやせたエレガントな男が空に浮いたまま、攻撃《こうげき》を繰《く》り出《だ》してくる光景はあざやかですらあった。

「あいつ、救世主をきどってるんじゃなくて、神そのもののつもりなんじゃない！」オクサはあやういところで閃光をよけながら叫んだ。

「持っているものを何でもいいから発射しろ！」パヴェルがどなった。

その瞬間、パヴェルは強力なノック・パンチを食らい、背中をまるめた。アバクムをつないでいるベルトが切れそうになった。

全員がクラッシュ・グラノックを吹き始めた。〈逃げおおせた人〉とオーソンのグラノックは空中でぶつかり合い、けたたましい音を立てて破裂《はれつ》した。〈竜巻弾《たつまきだん》〉は互《たが》いの竜巻に巻きこまれて効力を失い、〈ガラス化弾〉はぶつかってするどいガラスの破片となって飛び散った。両者とも、命を守るために後退せざるをえなかった。

二つの〈竜巻弾〉が衝突《しょうとつ》して、ものすごい威力《いりょく》の竜巻ができた。この混乱にまぎれて、オーソンは思い切った行動に出た。だれもどうすることもできずにいる間に、その竜巻のなかに姿を消したのだ。

「しまった！」オクサが叫んだ。

父親もだれも止めることはできなかった。

オクサは急いで竜巻のてっぺんまで行き、その中にもぐった。

「オクサーッ！」

オクサの肩《かた》に手が当たり、しっかりとつかまれた。父親の手とその後ろにアバクムの顔があることがすぐにわかった。ゾエとモーティマーがついてきているかどうか確かめようとふり返ると、体が激しく上下に揺《ゆ》れ、髪が顔にたたきつけられた。危険な状態だが、オクサはほっとした。みんなそろっている。

漏斗《ろうと》形の竜巻の中心にいる間は、落ちていくのは辛抱《しんぼう》できた。しかし、地面が近づくにつれて竜巻が細くなるため、旋回《せんかい》する風の壁に巻きこまれないようにするのが難しい。ずっと下の方にいるオーソンと同じように、〈逃げおおせた人〉たちも体をぴんと張って直立の姿勢のままでおりていこうとした。

「もっと速くおりないと！　あいつをつかまえなくちゃ！」と、オクサが叫んだ。

ほこりと塩気の混じった空気のなかに全員が放り出された。竜巻は彼らを海岸に吐き出してから、そのままどこかに消えたようだ。くるくる回りながら落ちていったオーソンと〈逃げおおせた人〉たちは、空から落ちてきたのを見られていることに気づいてあわてた。サイレンがうなり声をあげている。海面すれすれでとんでもない追いかけっこをしていた六人の人間を、数十人の人たちが恐怖に固まってじっと見つめていた。


マスコミが報道していた宇宙人の存在は、本当だったのだ！

この光景の見物客になってしまった人たちが驚く一方で、〈逃げおおせた人〉たちのほうもひどく動揺《どうよう》していた。自分たちがふつうの人とちがっていることをこれまでずっとひた隠しにしてきたのに、わずか数時間のうちに二度も自らの正体をさらしてしまった。しかも、このことは重大な結果をもたらすかもしれない。

その懸念《けねん》を裏づけるように、銃声《じゅうせい》が響《ひび》いた。地上からの攻撃にうろたえた〈逃げおおせた人〉たちは、急いで雲のほうに逃げた。だが、良心の呵責《かしゃく》など持ちあわせていないオーソンのほうは、酸のグラノックの雨を降らせた。地上はまさにパニックに陥《おちい》ったが、おかげで人々の注意がそらされたことはたしかだ。

「あっちだ！」アバクムがうながした。

〈逃げおおせた人〉たちは海岸からすでに姿を消していたオーソンを再び追いかけようとした。長い間、空を飛び回ったが、オクサのガナリこぼしすら、宿敵がどっちに逃げたのかわからなかった。みんなは悔《くや》しそうに人気のない断崖《だんがい》に下り立った。

「どうして竜巻のなかに跳《と》びこむなんてむちゃなことをしたんだ？」地上に下りるとすぐにパヴェルがかみついた。「命を落とすところだったんだぞ！」

オクサは驚いて父親を見た。疲れきっているようにみえる。それ以上に怒ってもいる……。その向こうには、背中を丸め、首をかしげているアバクムと、しゃがみこむゾエがいた。モーティマーはというと、太ももに両方の手のひらを押しつけてかがんでいる。みんな疲れていた。だが、オクサには怒りの混じった焦《あせ》りしかなかった。

「あいつをつかまえないといけなかったのに！」

オクサの声には抑《おさ》えきれない苛立《いらだ》ちが感じられた。

「オクサ、それはそうだけど、何がなんでも、というわけじゃない」と、パヴェルが言った。

「ううん、何がなんでもよ！」オクサはやっきになって言い返した。「あいつがどんな人間になったか、見た？　カストラックであいつが何をやったか見たでしょ？　あいつは大混乱を起こそうとしてるんだよ、パパ。あたしたちが止めなかったら、だれが止めるっていうの？」

「オクサのいうとおりだ」アバクムはふり返らずに口をはさんだ。

パヴェルは枯《か》れた草の茂《しげ》みを蹴《け》った。

「オクサの言うとおりなのはわかってるよ……。でも、あんな危険なことをして、なんにもならなかったから、いらいらしているんだ」

オクサは目をそらしてくちびるをかんだ。

「何かをして、むだだったなんてことはないわ」急にゾエが反論した。「たとえそのときにはわからなくても、やったことが役に立ったんだって、あとで気づくのよ」

モーティマーは黙《だま》ってうなずき、アバクムとパヴェルはゾエをじっと見つめた。オクサはというと、ほっとしたことを必死で隠そうとした――やっぱりゾエはいちばんの味方だ。

「さっきまでオーソンを追っていたことを忘れちゃいけないよね」オクサは急に元気になった。

「見失ったけど、あいつの隠れ家に近づけたはず」

オクサはポシェットの中をごそごそ探した。

「ガナリ、ここはどこ？」

ガナリこぼしは寒さにぶるっと震えたが、すぐに任務に集中した。答えが出た。

「わたしたちは現在、グリーンランドにいます。タシーラクから北に十一キロメートル、北緯《ほくい》六十五度、西経三十七度の地点です。気温は摂氏マイナス七度です」

オクサはひきつった笑い声をあげた。

「グリーンランド？　あたしたち、グリーンランドまで飛んできたの？」

笑うのをやめようとしたが、やめられなかった。体がけいれんしたようになってしゃっくりと涙が出てきた。ほかの人たちは眉《まゆ》をひそめてオクサをじっと見つめた。それから、アバクムのほおもゆるみ、大笑いし始めた。

「グリーンランドだって！　すごいよね？」オクサはまだ笑っている。

最後に笑いが伝染したのはパヴェルだ。大西洋の北端《ほくたん》のあられがたたきつける断崖で、五人の〈逃げおおせた人〉が愉快《ゆかい》に笑っているのは奇妙《きみょう》な光景だった。

36　反逆者《フェロン》の地盤《じばん》固め

明け方、〈逃げおおせた人〉たちがアバクムの家の野菜畑に降り立ったとき、ニアルがゾエにあこがれる気持ちはだれの目にも明らかだった。〈逃げおおせた人〉たちが「フランス＝グリーンランド特別任務」の詳細《しょうさい》を説明している間、ニアルは中世の聖母マリア像のようなゾエの顔から一瞬たりとも目を離さなかった。ゾエの顔はいつもの悲しそうな雰囲気が疲れのためにかえって薄《うす》れていて、いっそう独特な魅力《みりょく》をかもし出していた。彼女の乳白色の肌《はだ》と、後ろでゆるくまとめた赤みがかったブロンドの髪が日の光に輝いていた。まぶしいほど美しいとニアルは思いながら、息をするのも忘れていた。

「そういうわけで、知らないうちにグリーンランドまで行ってたんだ！」オクサはその信じられない冒険《ぼうけん》談をそう締《し》めくくった。

ニアルのゾエに対する態度がうっとりしたあごがれだとすれば、ギュスのオクサに対する態度を表現するのはもっと難しい。ひざにひじをついてクッションの上に座っているギュスの目はアーモンドの形に似て切れ長で、マリンブルーの虹彩《こうさい》はほとんど見えない。彼はじっと耳を傾けていた。ギュスが何を考えているのか、ましてや何を感じているのかを知るのは不可能だった。

報告の間、オクサは何度もちらちらとギュスに目をやった。最初は問いかけるような視線だったのが、しだいに心配そうなまなざしになった。だが、ギュスはまったくそれに反応しなかったので、オクサはいらいらした。

「どうしたの？」みんなが今回の冒険についていろいろ意見を言っている最中に、オクサはギュスにそうささやいた。

意外にもギュスは急に立ち上がってオクサの肩に両手をおいた。そして、正面からじっと見つめてからキスをした。

短くて優しいキスだったが、強烈だった。

驚かされた。

「どうしたかって？　どうもしないよ、まったく」

ギュスはそう答えると、にっこりとほほえんだ。その輝くようなほほえみは数秒前のあからさまな愛情表現を裏づけていた。

オクサはびっくりしてしまった。


ゾエにうっとりみとれながら、ニアルは左右の足に体重を交互《こうご》に移して、何か言いたそうにうずうずしていた。

「みんなに見せたいものがあるんです」

そう言ってパソコンに向かったニアルのほうに、みんなはついていった。彼はファイルをいくつか開いた。そこには数字の列や表が表示された。

「これは何？」ゾエが質問した。

「数週間前からものすごく大がかりな売り買いが行われていて、市場が不安定になっているようなんだ」

「メディアでも言ってたよね」オクサがすぐに反応した。「価格がすごい勢いで上がったり下がったりしてるって。世界中の商品取引所がごたごたしてるって」

「うん、大がかりな投機があるんだけど、いまのような世界情勢だとそれは避《さ》けられないんだ。だけど、数日前から、買われたものが売りに出されなくなったんだよ」と、ニアルが説明した。

「それはどういうことなんだ？」パヴェルがたずねた。

「すごく大量の商品をだれかが買い占《かし》めて、もうそれを売ろうとしないんですよ。しかも、その買収はバーチャルじゃなくて、実際に資金をつぎこんで現金で支払《しは》い、買ったものをストックしているんです」

「すごい財産が必要じゃない！」ゾエが叫《さけ》んだ。

「何十億も……」

「オーソンはとほうもない金持ちだ」と、アバクムが言った。

若者たちは疑わしそうにアバクムを見た。

「オーソンですって？」オクサは驚いたように言った。「これをやっているのはオーソンだっていうの？　まあ、誇大妄想狂《こだいもうそうきょう》のあいつならやりそうなことだけどさ……」

「グレゴールとテュグデュアルとオーソンがトラファルガー広場の噴水《ふんすい》から出てきたときに、背中にリュックを背負っていただろう？」

「お金が入っていたの？」マリーが口をはさんだ。

「いいや、マリー、もっといいものさ。ダイヤモンドが入っていたんだよ」

オクサは額を手のひらでぱちんとたたいた。

「そうか！〈断崖山脈《だんがい》〉の洞窟《どうくつ》は宝石がちりばめられていたもの。ルビーやエメラルドやダイヤモンドとかで壁全体がおおわれているのをあたしも見た。信じられない……エデフィアから持ち出された何キロもの宝石がどれだけの金額になるかわかる？」

「そうね……」マリーがうんざりしたようにため息をついた。「すごい額になるわね」

みんなはパソコンの画面を黙《だま》って食い入るように見つめた。

「なるほど、それはすばらしい知らせだ！」パヴェルがいちばんに沈黙《ちんもく》を破った。

「パパ？　これがいいことだって言うの？　それともじょうだん？」

「パパじゃないみたいだわね」マリーがこっそりとオクサにささやいた。「心配性で苦労性でやたら危機感をあおる、わたしの夫はどこへ行ったのかしら？」

「生気をあたえてくれるグリーンランドの空気に神経をやられたのかもね！」オクサは両親と昔のようなやり取りをしていることがうれしくてたまらず、大声で言った。

「いじわるなおまえたちは黙っていなさい」パヴェルはわざとまじめな顔をして文句を言った。「その知らせを喜んだのは、事実を知ったことで、これからもっと具体的に今後の対策を考えられるからだよ」

「そのとおりだ。わたしだってうれしくなくはないよ」アバクムがうなずいた。「わけがわからずに先に進むのは難しいからな」

アバクムはゾエのほうを向いた。ゾエはニアルのそばに手をついていたので、彼がマウスを動かすたびに、二人の腕《うで》が触れ合った。

「それに、ゾエが前に言ったことは正しかったんだ……」と、アバクムは言った。

「何のこと、アバクム？」

「そのときはむだなことに見えても、あとになって大事だとわかるっていうことだよ」

ニアルは溶《と》けたキャラメルみたいに甘くて大きな目でゾエを見つめた。ゾエはにっこりしながら画面を見つめたままでいた。ほかの人たちはみんな、ゾエとニアルの間に育ちつつあるものに感動していた。

ゾエには恋愛感情はまったくないかもしれないが、だからといって愛されることを求めていないとは言えない。

「だいじょうぶ、オクサ？　なんか、心がお留守になってるみたいだけど……」

ゾエの声でオクサははっとわれに返った。そして、ガラス戸から離れて、ベッドにあぐらをかいて座った。両手のこぶしでほおづえをついている。ゾエは窓にもたれてオクサの返事をじっと待っていた。

「こんなことを言うとへんに思うかもしれないけど……テュグデュアルはいま起きていることがわかってるのかなって、考えてしまうんだ……。ちょっとはまともな判断ができるのかな？　オーソンに抵抗《ていこう》できないことに苦しんでるのかな？　白状するけど、すごく気になるんだ」

「彼がオーソンのそばにいて幸せかもしれないって思ったことないの？　そこが彼のいる場所かもしれないって？」

「ゾエ！　どうして……どうしてそんなことが言えるのよ！」

オクサの声はわなないた。

ゾエの態度は一見無情だが、肩《かた》をがっくりと落とした様子は別のことをあらわしていた。

「ものごとを白と黒にはっきり分けられないことはわかってるよね。テュグデュアルはきっと根は悪くないんだろうし、フォルダンゴが言うように、心は純粋《じゅんすい》なんだと思う。だからといって、暗黒の道を選ばないとは限らないよ。前にもそういうことがあったのは知ってるじゃない」

オクサは逃げ出したい思いと叫び出したい欲望に引《ひ》き裂《さ》かれて、息が苦しくなった。

「自分のことを考えてみなさいよ。あんたは善の道を選んだけど、目的を果たすためには悪いことをする気持ちもあるでしょ？　つまり……」

オクサがぼうぜんとした表情をしているのを見て、ゾエはいったん口をつぐんだが、最後まで言おうと決心した。

「あんたの心は純粋だけど、だからって、人を傷つけたり、生きているものを殺したりすることがないとは言えない……」

ゾエの優しそうな外見と、率直ではっきりした物言いがコントラストをなすことはよくある。

「テュグデュアルはオーソンに操られてるんだよ。彼に選択《せんたく》の余地はないのよ」オクサは必死に反論しようとした。

「いつだって、人には選択の余地があるわ、オクサ」

ゾエは天使の顔をした拷問《ごうもん》官のように、オクサが何としても認めたくない現実をつきつけてくる。オクサがうろたえているのを見ると、ゾエはオクサの手に触れようとそっと手を伸ばした。その仕草になぐさめられるよりは動揺《どうよう》してしまう気がして、オクサはゾエの手を避けそうになった。だが、それからオクサは、何か言いたそうなゾエの視線にぶつかった。人は運命にあやつられているとオクサが考えるケースでも、ゾエは個人の自由意思が基本だという視点から人生を見ているのだろうか。

彼女の祖母レミニサンスはひどい父親オシウスや、まともな神経をしていない双子《ふたご》の兄オーソンの支配下に甘んじていただろうか？

いや、彼女は逃げた。

彼女は選んだ。痛い目にあったり、ひどい結果を招いても……。

モーティマーはどうだったか？　彼に対するオーソンの影響《えいきょう》力はだれも疑う余地がない。しかし、彼は父親から離れることに成功した。勇気があったからか？　恐怖からか？　絶望からか？

動機は重要ではない。

選択の余地はあった。そして、彼はそれを選んだのだ。

ゾエはどうか？　自分を犠牲《ぎせい》にし、いちばんひどい仕打ちを受けたのではなかったか？

オクサは目を閉じて、うつむいた。

テュグデュアルとオーソン。テュグデュアルが操られていることはだれも否定しない。でも、それだけだろうか？　それは言い訳でしかないのだろうか？

オクサはうめいた。

ゾエが百％正しくはないとしても、百％まちがってもいないのだ。

37　接近

オクサはその曲の最後の和音を聞いてからパソコンを消した。もう夜もふけた。みんな寝室《しんしつ》に行っている時間だし、サイロの中からは植物たちのいびきがかすかに聞こえてくる。

オクサは椅子の背にもたれかかり、両手を頭のうしろで組んだ。目がちかちかして疲れてはいたけれど、まったく眠《ねむ》くなかった。二時間前、サントレの木の巨大な葉陰《はかげ》でまたギュスにキスされたのだ。

いや、正確にはそうではない。

正直に言うと、エデフィアから帰ってきて初めて、おたがいにキスをしかけたのだ。そのキスはいままでのとはちがっていた。最初の自然発生みたいなキスとも、そのあとの急いで逃げるようにしたキスとももちがう。二人ともが望んでしたキスなのだ。味わいと……うっとりする甘さがあった。キスだけでなく、手も大胆《だいたん》になって、おたがいをなでたり、肌《はだ》にさわったりした。これまでは踏み越えなかった一線だ。


オクサは賢《かしこ》い。ゾエとの会話のショックが、自分をギュスに向かわせる勢いをあたえたことはわかっている。しかし、それがいちばんの理由ではなかった。

たしかに、テュグデュアルはオクサにとって苦しみの種だった。

彼の位置づけは変わったけれど、それでも心に大きな位置を占《し》めていた。

しかし、ギュスの占める位置はもっと強固で、安心感があって、驚いたことにもっと深いものだった。もう疑いはなかった。ひょっとすると、ずっと前からわかっていたのかもしれない。

ところで、言おうとしたんだ
そこで……待っていると

By the Way/Red Hot Chili Peppers

ギュスはその日の夕方、ずっとその歌を口ずさんでいた。最初はとくに気にとめなかった。何度も繰《く》り返《かえ》すのでちょっといらいらしたけれど。ただ、よく聴《き》いてみると、隠されたメッセージがあるような気がして驚き、楽しくなった。ギュスはふだん、そんなに積極的ではない。ニアルがギュスににっこりしながら、オクサが作業をしているほうを見た。その様子を目のはしでとらえ、オクサは機会を逃《のが》さなかった。

「二人とも、何をたくらんでるの?」

「だから、こいつは被害妄想気味《ひがいもうそう》だって言っただろ」ギュスがニアルにささやいた。

「被害妄想ですって?　あたしが?」オクサはさも怒ったように抗議《こうぎ》したが、笑いを抑《おさ》えられなかった。「来てよ。二人だけで決着をつけようじゃないの」

オクサは立ち上がってギュスの腕《うで》を引っぱった。ギュスはまったく抵抗《ていこう》せずに、植物がのびのびと茂《しげ》ったサイロの真ん中についてきた。

二人の甘い瞬間を目撃《もくげき》したのはサントレだけだ。

そして、中二階にいたゾエは謎めいたほほえみを浮かべていた。

まだ考えごとにひたってぼうっとしていたオクサは、ため息をついた。椅子の背によりかかって頭をのけぞらせ、サイロのてっぺんにあるガラスの丸天井《まるてんじょう》のほうをぼんやりとながめていた。サイロの中の電気は全部消してあり、乳白色の月光の輪が少しだけ丸天井を照らしていた。

まちがいない。

だれかがサイロの屋根にいた。
両手両脚《りょうあし》を広げて寝《ね》そべって動かないだれかが。
空から落ちてきたように。
夜に押しつぶされたように。

オクサは息を止め、丸天井から目を離さずに中二階の階段を下りた。ガラスの天井にめりこんでいる黒い十字架《じゅうじか》のように、人影は動かない。オクサは不思議に思って、もっと近くに行ってみようと思った。素早く床から浮き上がり、謎の訪問者のすぐ下まで飛んでいった。どうしてそんなことをしたのかもわからないまま、とくに恐怖心もなく、オクサはその人影の形にぴったりと自分の体を合わせて天井にはりついた。月の光を浴びながら、自分の体の影のようなその人影に向かい合い、そのことにとまどっていた。

時間が止まってしまったようなこの奇妙《きみょう》な状態のまま、オクサは何時間でもいられたことだろう。しかし、彼女の目の前のシルエットは動き出した。もっと正確に言えば、ガラスの天井に食いこみ出したのだ。

ガラスが温かくなるのを感じて初めて、何かが起きているとオクサは気づいた。よけるひまはなかった。急にガラスを突き抜けてきた謎の訪問者の体にオクサの体は押しつけられた。すぐに両腕と両脚がオクサにからまった。宙に浮いたまま、むりやり包みこまれた。

氷のように冷たい恐怖の深淵《しんえん》に引きずりこまれた。

オクサはあばれた。

「テュグデュアル！　はなしてよ！」

テュグデュアルはそれどころか、オクサを痛いほど締《し》めつけた。オクサは長い怒りの叫《さけ》び声《ごえ》をあげた。のどが詰まりそうだ。テュグデュアルにしがみつかれたまま、サイロのてっぺんに向けて力の限り飛び上がった。ふと、昔のことがよみがえった。この動きを初めてしたとき、オクサは天井にぶつかって気を失ったのだ。オクサが意識を取りもどしたとき、テュグデュアルはそばにいた。そのとき二人の関係が始まったのだった。あれからそんなに時間はたっていないのに、彼は最も危険な敵の一人になってしまった……。

二人はぴったりとくっついたまま、二人の体に触れてやわらかくなったガラスの天井を突き抜け、寒い夜空にのぼった。

「はなしてよ！」オクサは再びどなった。

「オクサ、ちがうんだよ！」テュグデュアルはさらにオクサを抱《だ》き締めながら言った。

オクサは力をふりしぼった。その効果はすぐにあらわれた。ノック・パンチが至近距離《しきんきょり》から繰り出され、テュグデュアルをいちばん近い雲までふき飛ばした。混乱したオクサは息づかいも荒《あら》く、家の周りを何周かした。

「ちがうんだよ……」とテュグデュアルは言ったんだっけ？　実際、彼は自分が思っていたような人とはちがっていた。もっとひどかったのだ！　オクサが空に目を凝《こ》らすと、テュグデュアルはいん石のようなすごい勢いでもどってくるところだった。そんな簡単にあきらめるはずがない。自分はどうすればいいんだろう？　話を聞いてあげるのか？　何のために？　ぜんぶわかっているのに……。オーソンのそばにいたら、だめになるだけだと彼を説得してみようか？　ひょっとしたら、うまくいくだろうか？　自分たちの関係、二人の間に起きたことに免《めん》じて……。

「オクサ、あぶない！」

モーティマーとゾエが同時にクラッシュ・グラノックに息を吹きこんだ。オクサまでもう数メートルというところで、テュグデュアルは近づくのをやめた。〈ガラス化弾《だん》〉を二発浴びて空中で固まってしまったのだ。

百分の二、三秒の間、時間がとまったように感じられた。すると、浮遊《ふゆう》する人がどこからかあらわれた。再び時間が動き出し、急に速く進み出した。その人はテュグデュアルを腕に抱《かか》え、すばやく遠くに連れていったので、だれもどうすることもできなかった。

オクサはふらふらして落ちそうになった。

「どうして、あんなことしたの？」オクサはモーティマーとゾエにつっかかった。

二人がオクサのそばにきたので、三人は家の屋根の上でにらみ合う形になった。

「テュグデュアルはあんたの魅力《みりょく》に引かれてここに来たんじゃないよ」ゾエが最初に口を開いた。

いつもとちがって、ゾエの言葉や視線からは、抑えようのない怒りがほとばしっていた。オクサはうろたえた。

「何がわかるっていうの？」オクサはかっとすると同時に涙を浮かべていた。

「ねえ、オクサ……じゃあ、そばにほかの反逆者《フェロン》がいたのをどうやって説明するの？　わからなかったかもしれないけど、あれはグレゴールだよ。もしテュグデュアルに悪意がないなら、一人で来たはずじゃない？　グレゴールなんかをお供に連れてくる必要はなかったはずでしょ。いっとくけど、グレゴールはわたしたちにぜんぜん好意なんか持ってないのよ」

オクサはぼうぜんとゾエを見た。頭のなかがごちゃごちゃになって震《ふる》え出した。体のバランスがうしなわれそうだった。

「さあ、寒いし、家のなかにもどろう」と、モーティマーが言った。

二人が支えようと伸ばした手をオクサは思わず乱暴にはらった。ゾエは降参、というふうに両手を上げ、オクサのあとに続いてサイロの丸天井まで行った。三人は天井のガラスに身を沈《しず》めた。

38　余波

もちろん、その夜の訪問は大変な騒動《そうどう》を巻き起こした。

意外なことに、グレゴールは夜の訪問のことをオーソンに話す必要はないと判断した。テュグデュアルにもその理由はわからなかった。それに、ゾエの予想とはちがって、テュグデュアルがグレゴールの存在に気づいたのは、コーンウォール地方の断崖《だんがい》で彼に〝ガラス化を解除〟されたときだった。それから、大西洋をわたって〈サラマンダー〉まで帰ってきたのだ。

テュグデュアルの命を救ったこと――グレゴールが助けてくれなかったら、アバクムの野菜畑にガラスの破片となって落ちていただろうということは、テュグデュアルにはよくわかっていた――と、それを黙《だま》っていることで、グレゴールはテュグデュアルとの関係をまったくちがうものにしようとした。この異母兄弟をテュグデュアルはまだどうあつかっていいのかわからなかった。夜の訪問の秘密は暗黙《あんもく》の相互依存《そうごいぞん》関係を作り出した。万一オーソンが知ったら、彼の怒りはグレゴールにもテュグデュアルにも爆発するだろう。しかも、グレゴールは父親に忠実なはずなのに……。

では、彼はどういうつもりなのか？

どうしてテュグデュアルを追いかけたのか？

それをどうして黙っていたのか？


アバクムの家では、雰囲気はもっとぴりぴりしていた。オクサは怒っていたし、ギュスはもっと怒っていたし、パヴェルにいたっては怒りを通り越していた。つまり、程度の差こそあれ、みんなが怒っていたのだ。

「あのねえ、あたしが死ぬまで文句を言うつもりじゃないでしょ！」オクサはかっとなって言った。

「もうわかったよ。たしかにうかつだったよ！　許しがたいくらい無分別だったよ！　むちゃだったよ……それに、ゾエとモーティマーが用心してくれていてよかったよ。そうじゃなきゃ、どうなってたことか……」

心は怒りの針にちくちく刺《さ》され、オクサは自分への憤慨《ふんがい》でくらくらしてきて口をつぐんだ。彼女の言い方はぶっきらぼうで、人を無意味に傷つけるものだ。体は十七歳《さい》になったけれど、性格は思春期特有の欠点を残したままだ。

ゾエはすみっこに座って、両手をひざの間にはさんでうつむいていた。モーティマーのほうは、オクサが何か言うたびに顔をこわばらせ、みんなが集まっているサイロの中二階のすみに立っていた。彼の態度は一見落ち着いて見えたが、固くにぎったこぶしとわずかにひきつった顔に傷ついていることがうかがわれた。

モーティマーは必死に耐えようとしていた。


客観的に見ていたのはニアルだけだった。彼はほかの人たちと同じように昨夜の事件の話にじっと耳を傾け、そのことを嘆《なげ》き、自分なりの意見を持っていたが、けっしてそれを口にしようとしなかった。ただし、オクサの怒りが爆発したときには、ゾエのところに行って手をにぎらずにはいられなかった。ゾエはニアルのほうを見ずにされるがままになっていた。ニアル以外にはだれもゾエが震《ふる》えていることや苦しんでいることに気づいていなかった。ニアルは反抗《はんこう》心と嘆きと誇《ほこ》らしさの混じった感情にとらわれていた。まるで、こういう状況《じょうきょう》でゾエのそばにいて少しでもなぐさめることができるのは、自分の特権であるかのように。

その場のぴりぴりした雰囲気が最高潮に達したころ、ニアルはギュスをちらりと見てから、重い沈黙《ちんもく》を破ってこう告げた。

「ニューホープのコンサートが発表されましたよ」

オクサは青ざめ、クッカは悪態をついた。パヴェルははっとして、アバクムは顔を上げた。ぽんやりしているゾエをのぞいて、みんなの視線がオクサに集まった。

「行かないと……」モーティマーがつぶやいた。「親父がたくらんでいることを知るチャンスはそれしかない」

全員がうなずいた。ギュスやマリーや〈締め出《し》された人〉のほうが少しばかり熱心にうなずいていたかもしれない。時間がたつにつれ、オーソンの企《たくら》みについていろんなことがわかってきた。そして、しだいに高まってくる危険に〈逃げおおせた人〉がさらされるにつれ、それだけ〈締め出された人〉は何もできないことを思い知らされる。

「いつあるの、そのコンサートは？」オクサは暗い目をしてたずねた。

「それが巧妙《こうみょう》なんだよ」ニアルが答えた。「テンションを上げるために、場所も日時も直前にインターネットで発表されるんだって。つまり、いちばんラッキーで、いちばんモチベーションの高い人だけがコンサートのチケットを手に入れられるというわけさ。すごい制約だけど、このバンドが短期間に獲得《かくとく》したファンの数や盛り上がりから考えて、とんでもない騒《さわ》ぎになると思うよ」

「何かヒントみたいなものはあるのかな？」パヴェルが質問した。

「何もないんです」ギュスが口を出した。「噂だけはものすごい数だけど。ふつうのアラート機能ではひっかからないようにできているんです。信頼できる情報を拾い集めようと思ったら、ニューホープのウェブページにつねにアクセスして、あのいやな歌を何度も何度も聴《き》いていないといけないんだ」

アバクムとパヴェルがようやくほほえんだ。

「じゃあ、いつでも出かけられる準備をしておかないといけないな」と、アバクムが言った。

「それに、そのコンサートに参加するのに、ぼくたちはだれよりもずっと有利だ」パヴェルがつけ加えた。「場所と日時がどうであれ、ぼくたちはそこに行ける。それまではネットサーフィンを続けて、何か少しでもニュースがあったら教えてくれ……」最後のほうはギュスとニアルに目配せして言った。

パヴェルはサイロの中二階から床に下りる階段のとちゅうでふり返り、手すりによりかかっている二人の男の子をじっと見つめた。

「ブラボー……きみたちは本当によくやってくれてるよ」

「ありがとう、パヴェル！　たよりにしてもらっていいですよ」と、ギュスが答えた。

灰色の砂のようにくすんだ顔色と髪をしたパヴェルはうなずいた。

「たよりになるのを疑ったことはないよ、ギュス、ぜったいに」

ギュスは急いで顔をそらしたが、パヴェルは自分の言葉がギュスの心に届いたことがわかった。

中途半端《はんぱ》な状態はまる二日間続いた。その間、ニューホープに関連したソーシャルネットワークのページへのアクセス数は爆発的に増え、オクサの心もどきどきした。三日目のグリニッジ標準時で正午より少し前、日にちが明らかになり、インターネット上は大騒ぎになった。

コンサートはその日の夜、開催《かいさい》地のローカル時間で午後十時に行われる。

世界中の何百万人というファンは待ちきれない思いで、わくわくしながら準備を始めた。

それから、会場が発表された。ファンのほんの一部はうれしくてたまらなかったが、圧倒《あっとう》的多数はほとんど絶望的な心境になった。

アバクムの家でも興奮が最高潮に達していた。言葉どおり、〈逃げおおせた人〉たちの出発の準備はできていた。

みんなは出発までの数時間で、クラッシュ・グラノックとキャパピルケースをいっぱいにし、暖かい服を選び、元気の出る食事をした。それから、現場の状態に応じたいくつかの戦略をくわしく練った。


不安をあおるような美しい真っ赤な夕焼けとともに日が暮れてきた。その空に溶《と》けこむように〈逃げおおせた人〉の中心メンバーが飛び立っていった。

「行ったことあるの？」

ゾエの声にオクサは驚いてふり返った。ゾエがすぐ近くを飛んでいた。二人はオクサが怒りを爆発させて以来口をきいていなかった。オクサはきまりが悪かったし、ゾエは傷ついていた。しかし、自分たちを本当に仲たがいさせるものは何もないと二人は知っていた。

「ううん！」

オクサはそう答えながら、思い切ってゾエのほうを向いた。横顔しか見えなかったが、その完璧《かんぺき》な美しさは分厚くて黒い毛糸の帽子でさらに際立っていた。いつもの悲しげな優しさ以外には何も表情にはあらわれていなかった。

「行ったことある？」思い切ってオクサも聞いてみた。

「うん、おばあちゃんが〈絵画内幽閉《ゆうへい》〉される数週間前にいっしょに行ったの。すごくいいところだったよ……」

二人は黙ったまま並んで飛んだ。こんな奇妙《きみょう》な状況でも――だが、〈逃げおおせた人〉たちのすることに、ふつうのことがそもそもあるだろうか?――仲直りできたことに満足していた。

「ゾエ」

「うん、オクサ」

「すごく大事な質問をしてもいいかな?」

ゾエはいぶかしげにちらりとオクサを見た。

「うん……」

「樽の中に入ってナイアガラの滝《たき》に飛びこんだ人たちがいたっていうんだけど、そんなこと、できると思う?」

ゾエはとたんに笑い出したものだから、浮遊《ふゆう》していた体がぐらついた。まるで小さなエアポケットに入ったかのように。

「あの滝を見たら、そんなばかなことをやろうなんて考えはなくなると思うよ!」

ゾエはにっこりして言った。

39　世紀のコンサート

ナイアガラ周辺ももちろん自然災害により、世界各地と同じように電力供給に大きな問題があった。そのためか、〈逃げおおせた人〉たちが大西洋の向こう側に着いてわかったのは、町が暗いということだった。用心して、飛行機にぶつかる心配のなさそうな高度をとって、ナイアガラの滝《たき》の上空まで飛んでいった。ガナリこぼしが合図をすると、みんなは雲を突き抜けて垂直に下降した。最後の雲を抜けるとすぐに、想像を絶するコンサート会場の様子が目の前にあらわれた。

十機ほどのヘリコプターが円をえがいて飛び、そのライトがレーザー光線のように夜の闇《やみ》を突きぬけている。ヘリの窓から黒い服を着た男たちが、いかめしい見張り番のように身を乗り出している。その下には、ナイアガラ川のカナダ側の岸に張り出したテラスに巨大なステージが設置されていた。そのすぐ先には、馬蹄《ばてい》形をしていることから「ホースシュー・フォールズ」とも呼ばれるカナダ滝があり、水が大音響《おんきょう》を立てて流れ落ちている。えんえんと連なるバスや車でファンが到着し始め、そのファンを収容する広いスペースが川岸に整備されていた。

うまく配置された、いくつかの巨大スクリーンはテュグデュアルの映像をノンストップで流していた。オクサはその前に浮かんで、一晩中食い入るように見ていたい誘惑《ゆうわく》と闘《たたか》わなければならなかった。

「どうする?」映像からやっと目を離したオクサが言った。

ヘリコプターのプロペラの音と、ニューホープの歌を大音量で流すスピーカー、それにナイアガラの滝のとどろきのせいで、会話をするのも難しかった。

パヴェルがみんなに少し待つよう合図して偵察《ていさつ》に行った。会場の周りを遠回りし、ヘリコプターの巡回《じゅんかい》をうまく避《さ》け、侵入《しんにゅう》計画を練ってもどってきた。内部から敵を攻《せ》める「リンゴの中の虫」と似ているなとオクサは思った。自分でも驚いたことに、ギュスがここにいてこの危険な冒険《ぼうけん》をいっしょにできないのをオクサは残念に思っていた。

会場への出入口は厳重に監視《かんし》されていた。というのも、インターネット上で招待券を手に入れたおよそ六千人のラッキーなファンのほかに、何千人という人たちが何とか会場に入ろうと押し寄せてきていたからだ。まるで民兵のようないかつい警備員たちが押し寄せる人々をふるいにかけ、チケットを持っていない人を乱暴に押しやったので、暴動のような騒ぎになった。〈逃げおおせた人〉たちが長い列にまぎれこんだとき、四人の女の子が、長旅に疲れはて興奮しているニューヨークから来たグループをおそった。ナイフを手にした四人の目的ははっきりしていた。ニューヨークの子たちからチケットを奪《うば》い取ることだ。

「あの子たちがやられるのを見過ごすことなんてできないよ！」オクサが怒って叫《さけ》んだ。

「オクサ、ここにじっとして、何も見ていないようにふるまうんだ！」パヴェルはオクサの腕《うで》をつかんで厳しく言いわたした。「そういう役目をするのはぼくたちじゃない」

「でも、パパ……」

「オクサ、やめろ！」パヴェルは低い声でしかった。「目立たないようにしていないといけない場所があるとしたら、それはここだよ」

そう言うと、パヴェルはニット帽をいっそう深くかぶり直した。オクサはしぶしぶ言われたとおりにした。父親はまちがっていないと思い直し、何度もため息をつきながら、分厚いマフラーを首に巻きつけ、それを鼻のところまで引き上げた。しばらくして、ゾエがオクサをひじでつついた。

「見てよ……」

警備員たちがチケットを奪おうとしていた子たちに跳《と》びかかり、警棒やスタンガン、カンフーなどを使って取り押さえ、装甲《そうこう》された現金輸送車のような車のほうに連れていった。

「これで安心したかい？」オクサの腕を押しながら、パヴェルがささやいた。「これなら公平だろう？」

「うん……だけど、あの車の中で何が起きているかはあんまり知りたくない気がする……」

一人の男が目についた。大男だからではなく、どこかで見たような気がしたからだ。

「マルクス・オルセン……」その有名な傭兵《ようへい》の脱獄《だつごく》を報じたテレビニュースを思い出し、アバクムがつぶやいた。

「これで、オーソンとの関係が確認されたわけだ。ぼくたちは正しかったんだ」と、パヴェルがつけ加えた。

「ばっちりだったって言ったほうがいいんじゃない？」オクサが声をあげた。

「うん、そうだけど、喜んでいいかどうかはわからないな」

五人の〈逃げおおせた人〉の顔がくもった。オクサの父親は眉間《みけん》に深いしわを二本寄せて、深く息を吸いこんだ。

「どうもいやな臭《にお》いがするな……ものすごくいやな」と、吐《は》き捨てるように言った。

コンサートが行われるゾーンへの運命の入り口。その両側数メートルは、会場を取り囲む柵がいっそう高くなっていて、とても乗り越えられないように思えた――少なくともふつうの人間にとってはだが……。

「なんか、ものものしいよね……」その柵《さく》を見つめながら、オクサがもらした。「まるで、すごく重要な軍事基地みたいじゃない」

「だいじょうぶ？」ゾエが心配そうにたずねた。

オクサはうなずいた。二人の横には、アノラックのポケットにこぶしを突っこんだモーティマーが青白い顔をして立っていた。

「よし、ここで分かれよう」と、パヴェルが言った。「こういうイベントにぼくたちみたいな年寄りがいると、『チョー変』なんだって。ある若いグラシューズによると……」

緊張《きんちょう》感を解きほぐそうとしたその言葉に、オクサはかすかにほほえんだ。

「アバクムとぼくがどこにいるかはわかってるな」パヴェルが続けた。「ほんの少しでも問題や危ないことがあったら、この場所からできるだけ速く離れてぼくたちと合流するんだ。いいかい？」

三人の若者はうなずいた。

「行こう……」と、オクサはつぶやいた。


警備員は何時間か前にプリントアウトしたばかりの貴重な招待券をスキャンしてから、モーティマーとゾエとオクサを金属探知機にかけ、観客ゾーンに入れてくれた。

大音量だったせいで、ベースの音が地面を揺《ゆ》らし、その場にいた観客の体内や髪の中にまで広がっていくようだった。音楽のリズムに刺激《しげき》され、待ち時間の長さがもどかしいのか叫び声をあげる若者——ほとんどは女の子だ——もいた。オクサはいらいらした。そばでじっと待っているごくふつうの女の子オクサ・ポロックが、いま最もてはやされているスター、テュグデュアルと親しかったことを知ったら、このヒステリックな女の子の群れはどう反応するだろうか？　氷のような冷たい表情の下の熱いキスのことまでは言わないにしても……。オクサは頭をふった。そんなことは考えないほうがいい。いろんな意味で。

「どうし……警備……ガス……てるのか……」

オクサはモーティマーのほうを向いた。

「なんて言ったの？」

オクサはこうどなってから、ささやきセンサーの能力をオンにした。

「どうして警備員たちはガスマスクを持ってるのかな、と思ってさ」モーティマーが繰《く》り返《かえ》した。

オクサは眉根《まゆね》を寄せて、観客ゾーンの周りをぐるりと囲んで立っている男たちのほうを見た。無表情に手を後ろで組んだ軍隊式の姿勢だ。たしかに、彼らの服装や目の色と同じ黒いガスマスクがベルトにぶら下がっている。唯一《ゆいいつ》色どりがあるのは、ハイネックセーターとニット帽についている赤い火トカゲのマークの刺繍《ししゅう》だった。

「もう少し前に行ってみようよ」ゾエが提案した。

三人は二、三歩、前進した。会場を照らすスポットライトやヘリコプターのライトがまぶしく、音楽のボリュームも強すぎて、平衡《へいこう》感覚がおかしくなりそうだ。この光や音の氾濫《はんらん》に影響《えいきょう》を受けていないのはステージと巨大スクリーンだけだ。いまは画面に「ホールド・オン」という歌のビデオが映っているが、〈逃げおおせた人〉たちはサブリミナル効果のあるメッセージが詰まっているのを知っている。

オクサたちはそれ以上、前進するのをあきらめた。ステージに近づけば近づくほど、場所の取り合いが激しくなる。あちこちでけんかが起きたが、口輪をしていない大型の番犬のように駆けつけてくる警備員にすぐにとり押さえられた。

ほとんどのスポットライトが消され、ステージとスクリーンだけが浮かび上がると、一気にテンションが上がった。「三〇〇」という数字があらわれ、それから「二九九」、「二九八」とカウントダウンされていった。ファンで埋《う》めつくされた会場が騒然《そうぜん》となった。五分以内にニューホープとそのカリスマボーカリストがステージにあらわれるのだ！ 数週間のうちに社会現象、ほとんど伝説にすらなった人物が初めて公衆の前にあらわれるのだ！ 長いポールに取りつけられたビデオカメラは、世紀のコンサートをとぎれることなく撮影《さつえい》している。

スピーカーで増幅《ぞうふく》されたオーソンの低い声が聞こえてきても、オクサとモーティマーとゾエは驚かなかった。その声は、数字が変わる画面を見つめる観客といっしょにゆっくりとカウントダウンしていた。

「あいつ、目立つことをしないと気がすまないんだよね！」オクサが辛辣《しんらつ》に言った。

「よく気をつけるんだ」モーティマーが注意した。「このカウントダウン以外のことに気をつけていないと」

三十二、

三十一、

三十……。

オクサたち三人はうつむいた。その周りでは観客が光に集まる蛾《が》のようにステージに吸い寄せられて、しだいに前へと押していく。

ほかのことなんかどうでもいい。

果てしないこの長い一日にたまった疲れをものともせずに。

この寒さにもかかわらず。

舞《ま》い始めた雪が肌《はだ》を刺《さ》すのもどうでもいい。
二十、
十九、
十八……。

歓声が耳をつんざき、ふくれ上がった。観客が大波のようにステージに押し寄せた。
九、
八、
七……。

オクサはモーティマーとゾエの手をとり、ぎゅっとにぎった。
二、
一……。

ステージのスポットライトがすべて消えた。それから、ものすごい雷《かみなり》の音がひびき、ストロボのような稲妻《いなずま》が走った。観客たちはその向こうに、自分たちを恍惚《こうこつ》とさせてくれる人の登場を待っていた。

まぶしいライトが再びついたとき、その人はいた。

40　影響力《えいきょう》

金属っぽい血の味がオクサの口の中に広がった。オクサはとっさに舌でくちびるをさぐり、無意識のうちにくちびるをかんでいたことを知った。だが、痛みなどどうでもよかった。わずか数メートル先のステージに立っているテュグデュアルの姿を見ることのほうがずっとつらいのだから。

いまみたいに氷のように冷たそうでいて内面は燃えるように熱い――氷は火と同じようにものを焼く――態度をするときほど、彼が美しいときはない。前よりずいぶんやせている。短い髪のせいで、こけたほおや隈《くま》のある目や数え切れないピアスがむき出しになっている。ピアスはスポットライトの光を反射して、小さなスパンコールのように顔を照らしていた。

オクサは身震《みぶる》いした。モーティマーとゾエの指がオクサの指にからんできた。愛情がこもっていた。それに熱狂《ねっきょう》する群衆のなかで離れ離れにならないためでもある。「ホールド・オン」の最初の調べが観客をひとつにまとめるようにナイアガラの川岸に鳴りひびいた。リフレインのところではみんながテュグデュアルについて歌った。歌の最後のほうでテュグデュアルがピアノの前に座ると、叫《さけ》び声《ごえ》や、わっと泣き出す声や、すがりつくような声がいっそう大きくなった。泣きすぎて顔つきが変わっている女の子もいる。化粧《けしょう》が流れ落ちてほおにいろんな色のあとをつけていた。そんな反応にオクサたち三人はただ、あっけにとられていた。こういうシチュエーションでなければ、オクサはその様子をばかにして笑っていただろう。若い子たちのこういう反応は奇妙《きみょう》だし、こっけいですらあった。

ポップなロックのリズムとバラード調のメロディーが交互《こうご》に演奏され、歌は次々に進んでいった。夢中になっている観衆は寒さも滝《たき》の冷たいしぶきも感じないらしく、テュグデュアルについて歌っていた。険しい顔をした警備員とオクサ、モーティマーとゾエだけがコンサートを楽しんでいなかった。

「ぜったい、何かが起きるはずだ」モーティマーはあたりに注意をはらいながら言った。

オクサとゾエは不安そうにうなずいた。オーソンが単にコンサートのためだけに、これほどのお金とエネルギーを使うはずはない。コンサートが二時間続いたあと、音楽がやみ、マイクを持ったテュグデュアルが静かにするようたのんだ。

「最後に……」

何千という抗議《こうぎ》の声があがった。

「最後に」と、テュグデュアルが繰《く》り返《かえ》した。「今夜ここに来てくれたみんなのために、特別に作った未発表の歌を歌います……」

オクサはハッとした。テュグデュアルが自分のほうを見たからだ。

もっと正確に言えば、オクサにはっきりと視線を注いだのだ。心のなかでいろんな思いがぶつかり合うのと闘《たたか》いながら、オクサは自分に注がれる視線の奥に何かを読み取ろうとしていた。しかし、冷たい仮面の下に隠された苦悩《くのう》という、彼女がよく知っている以外のものは見つけられなかった。

モーティマーとゾエは肩《かた》がぶつかるほどオクサにすり寄った。テュグデュアルがオクサをステージに上げるなんてことになったら大変だ。しかし、テュグデュアルはそんなことはせずに、イヤホンとつながった、えりについた小さなマイクに口を近づけ、何かをつぶやいた。

「出来のいい息子は親愛なるお父さんの指示が必要なのね」と、ゾエが皮肉っぽく言った。

テュグデュアルはやっとオクサから視線をはずした。オクサはひどく不安になってきた。テュグデュアルはピアノの前に座り、バンドのほかのメンバーに合図をすると歌い始めた。同時に、後ろのスクリーンに映像が流れ始めた。オクサたち三人はその映像に強い催眠《さいみん》効果があるだろうととっさに思った。

「スクリーンを見るな！」モーティマーはオクサとゾエに言った。「きっと、サブリミナル効果のあるメッセージがいっぱい詰まってるよ。見てみろよ！」

モーティマーはおびえたように周りの観客を指さした。メロディーの美しい歌に聴《き》き入《い》ってうっとりとして、目はうつろになっている。

おれといっしょに来いよ
怖《こわ》がるんじゃない
おれといっしょに来て、人生の深さを見出そう
おれといっしょに来いよ
怖がるんじゃない
おれが連れていくところのほうがいいところなんだ

観客の心に歌詞が染みこんだころ、ヘリコプターがやってきて、ぶるんぶるん音を立てながらコンサート会場を取り囲んだ。

「あっ、やばい！」オクサが叫んだ。「見て！　警備員たちがガスマスクをつけてる！」

「スポンジュー・キャパピルを飲まないと、早く！　そうすれば安全だわ！」と、ゾエが叫んだ。

三人は急いで大きな錠剤《じょうざい》を飲みこんだ。それは無数の穴があるスポンジのような植物からアバクムが作ったものだ。

怖がるんじゃない
おれといっしょに来いよ

黒い服を着た男たちがヘリコプターのスライドドアから顔を出した。彼らはガスマスクをつけ、銃《じゅう》のようなものを外に向けている。そこから青みがかった火花をあげて煙が噴《ふ》き出《だ》していた。

観衆は空を見上げてうれしそうに叫んだ。ヘリコプターから煙幕《えんまく》と紙ふぶきが落ちてくる！　きれい！

怖がるんじゃない
おれといっしょに来いよ

「いけない！」オクサがどなった。

オクサたち三人が大げさなくらいに想像していた最悪のシナリオが、少しずつ恐ろしい現実に変わりつつあった。

最後のドラムのソロとともに、テュグデュアルは腕《うで》を大きく開き、体をななめにしてステージの上に浮き上がった。オクサたち三人のほかに、その様子がまったく自然だと思える人がいるだろうか？　仕かけなしに？　テュグデュアルは宙に浮いたまま目を閉じ、しばらくの間じっとしていた。

効果は抜群《ばつぐん》だ……。


おれが連れていくところのほうがいいところなんだ

そして、テュグデュアルは優雅《ゆうが》に勢いをつけ、暗い淵《ふち》に落ちていく滝のなかに飛びこんだ。

そこにいたニューホープの何千人というファンは叫び声もあげなかった。

泣きもしなかった。

どうしようもないヒステリックな状態にも陥《おちい》らなかった。

ファンたちは言われたことをやっただけだ。滝に沿って設置されている手すりめがけて走り、それを乗り越えて泡立つ滝に飛びこんだ。

41　悲劇のダイビング

「視聴者《しちょう》のみなさん、こちらはナイアガラの滝《たき》から生中継《ちゅうけい》のCNN、チャック・ジョンソンです……。いま、目の前で恐ろしい出来事が起きています。ニューホープのコンサートにやってきた何百人という若者が柵《さく》を乗り越えて滝に飛びこんでいます！　バンドリーダーが劇的に姿を消したシーンを目撃《もくげき》し、あとを追ったのです！　……ああーっ、何ということでしょう……おぞましい集団自殺の現場の真っただ中におります……あれ、何をするんですか？　ビデオカメラにさわらないでください、そんなことをする権利はありませんよ……あっ、わたしの電話……」

バーン……ガシャン……ビーッ……。

「こちらはNHKのジュンイチロウ・ニシムラです。ナイアガラの滝から生中継でお伝えしています……。恐ろしい光景を目《ま》のあたりにしております……。ニューホープのリーダーが、このスペシャルコンサートにやってきた何千人というファンの目の前で自殺したばかりです……。恐ろしいことです。なすすべもない警備員の目の前でファンたちは滝に飛びこんでいます……助けてあげてください！　こら、ビデオカメラにさわらないで。撮影《さつえい》しているんだ……」

ビーッ……。

実際、ファンたちは動物の群れのようなすごい勢いで滝に駆け寄った。だれも止めることはできなかった。人の塊《かたまり》が通り抜けたとき、ゾエは乱暴に突き飛ばされ、バランスを失って地面に倒れた。すぐにオクサとモーティマーが〈ノック・パンチ〉を放って、ゾエを踏みつけていこうとする人たちを押し返した。この人たちは、理性や本能ではどうすることもできないものに操られているようだ。

「みんな、死んじゃうよ！」二人に助け起こされたゾエが叫《さけ》んだ。

「行こう！　なんとか阻止《そし》しないと！」オクサが答えた。

オクサたち三人は観客ゾーンの上に浮き上がり、手すりまで飛んでいった。そこではアバクムがなんとかしようと必死になっている。

ノック・パンチもほかの超《ちょう》能力も何千人というファンの勢いを押しとどめることはできなかった。彼らは、寄生虫のいいなりになったバッタのように（オクサとギュスが「脳に入りこんだ寄生虫がバッタを水際に誘い出しておぼれさせる」という話をしたエピソードから。第一巻九八ページ参照）、現実感がなくなっているのだ。

滝に飛びこもうと最初に決心したのはオクサだった。

はじめは水の冷たさにびくっとしたが、アドレナリンが大量に出ているためか、じきに気にならなくなった。それに、大変なのは水の冷たさよりも、滝の水圧に耐えることだった。一秒間に二千八百立方メートルの水が落ちているると、ナイアガラに来る前にギュスが教えてくれた。水の渦《うず》にめちゃくちゃにかき回されながら、オクサはギュスのことを考えていた。まるで二人の心がつながっているかのように。ギュスがまるでそばにいるかのように。「がんばれよ、オクサ！」という声がはっきりと聞こえた。その声にオクサは励《はげ》まされた。力がみなぎり、何も怖《こわ》いものはないと感じた。

水の中は地上より暗かった。何も見えないまま、オクサは人間の体らしきものにひっきりなしにぶつかった。発光ダコのおかげでやっとはっきりと見えるようになると、何百人という若者のなかで自分がやみくもに動いていることがわかった。ついさっきまで、大好きなアイドル――その同じ人間が最悪の行為《こうい》をすることを強いたのだが――といっしょに歌っていた若者たちだ。

オクサはいちばん近くにあった体――長い黒髪の女の子――を水から引きあげようと力をふりしぼった。

滝に飛びこむために押し寄せた群衆によって、カナダ側の岸の広場にあったスポットライトはほとんどこわされていた。しかし、両岸の間に浮かび上がったオクサには、黒い服を着た男たちがロットワイラー（ドイツ原産の警備用の大型犬）の群れのような凶暴《きょうぼう》な顔つきで数珠《じゅず》つなぎになっているのが見えた。その先には、この騒《さわ》ぎの張本人が堂々とステージに立っているのがわかった。自分を神だとかんちがいし、自分に酔《よ》いしれる自信満々のオーソンだ。

オクサはそれとは反対のアメリカ側の岸に女の子をおろし、潜水《せんすい》キャパピルを一粒《つぶ》飲みこんでから再び滝に飛びこんだ。

モーティマーとゾエもオクサと同様に、次々と数十人の若者を川から助け上げた。怒りと悲しみにかられたアバクムも三人に加わった。彼は川岸に腹ばいになり、腕《うで》を何メートルも伸ばして、手の届く限りの人たちをつかまえた。パヴェルはいつもは慎重《しんちょう》なくせに、このときはすぐに闇《やみ》のドラゴンを呼び出した。ほかにどうすることができただろう？　目撃されることや黒い服の男たちがいるリスクなんてどうでもいい……。ドラゴンの大きさ、大きな爪、持久力は必死の救出作戦におおいに貢献《こうけん》する。それだけが大事なことなのだ。

コンサートとその後の混乱を生中継で報じていたテレビ中継《ちゅうけい》が奇妙《きみょう》にも中断される前に、テレビで事件を知った救急車が近隣《きんりん》の町から押し寄せてきた。サイレンをけたたましく鳴らす救急車の回転灯が連なり、夜の闇にちかちか光るのが見えてきた。

同時に、これも予想できたことだが、オーソンのヘリコプター十機がコンサートステージの前に下りてきた。黒い服を着た男たちが乗りこみ、楽器にしがみついてぼうぜんとしているニューホープの残りのメンバー四人や、あっけにとられて口もきけないジャーナリストたちをその場に残して飛び立とうとした。宿敵が逃げようとしているのを見たパヴェルの闇のドラゴンは血も凍りつくようなうなり声をあげ、オーソンのほうへ憎《にく》しみのこもった長い炎《ほのお》を吐《は》いた。すぐにマルクス・オルセンが機関銃《じゅう》を構えた。だが、オーソンはやめろと合図し、からかうようにパヴェルに会釈《えしゃく》して飛び立った。ヘリコプターはぶるんぶるんと音を立ててほこりを舞《ま》い上《あ》げ、コンサート会場をあとにして闇に消えた。

「わたしたちも行かなければ！」オクサが水の中から再び姿をあらわしたとき、アバクムが叫んだ。

二人とも十代前半の子を一人ずつナイアガラ川から引き上げたところだった。

「でも、まだたくさんいるよ！」疲れ切って息を切らしながらオクサが反対した。

「全員を助けることはできない……」

「軍隊が来るぞ！」パヴェルがドラゴンとともに二人の頭上を飛びながら叫んだ。「ダメだ、オクサ！」

遅かった……すでにオクサはまた川のなかに飛びこんでしまっていた。水面に浮き上がってくるモーティマーと鉢合《はちあ》わせになった。大きく見開かれた目は早く岸に上がるようにとはっきり伝えていた。悲しみで心がいっぱいのオクサは、目で川底を探した。冷たい水の中にまだたくさんの人が沈《しず》んでいる。自分くらいの人たち、もっと若い人もいる。人生で最高の夜を過ごすんだと思っていた人たちだ。何百という人たちのなかから選んで、生き残るチャンスをあたえるのは残酷《ざんこく》としかいいようがない。人間の存在が否応なくさせる選択をゾエが前に話していたが、いま自分がしようとしているものほど最悪な選択《せんたく》はないと思った。

力つきて目がまわった。全身の力が抜けそうだ。潜水キャパピルの効果もつき始め、少しずつ水が肺に入りこんできた。

けれど、自分もおぼれ死ぬかもしれないという危険な状態にもかかわらず、自分の良心にしたがって行動するときはいましかないと感じていた。

何かいいことをする。

エデフィアを去ったときのように、さっさと背を向けるのではなく。

発光ダコを肩《かた》につけ、オクサはメルランに似た男の子にねらいをつけてもぐった。その子のところまで行くと、女の子がその男の子の手をにぎっていることがわかった。二人を引き離すなんてつらくてとてもできない。オクサは、腕に一人ずつかかえて飛び出そうとはずみをつけた。

「助けて！」オクサが泡立つ水からあらわれた。

パヴェルの闇のドラゴンがひと羽ばたきでやってきて、オクサと二人をつかんだ。軍のトラックとヘリコプターが川岸に近づいてきているのがちらりと見えた。この場をもう去らなければ危険だ。陸地に着くとすぐにオクサはメルランに似た少年とその友だちをどさりと地面に放り出し、最後の力をふりしぼって月のない闇空に向かって飛んでいった。

42 歓喜

スピーカーから聞こえてくるグレゴールの声が〈チーム・オクトパス〉のメンバーに、いますぐ四階の大会議室に集まるよう命じた。そのとき、イルミンガー海ではようやく夜が明けようとしていた。メンバーたちはただちに決められた服を着て、すでに集まっていた〈チーム・イール〉に合流した。

スクリーンに映像があらわれた。ナイアガラで起きたばかりの事件のダイジェスト映像を全員が食い入るように見つめた。〈チーム・オクトパス〉は初めて見る光景にぼうぜんと、〈チーム・イール〉は自分たちの仕事に満足したように見ていた。ヘリコプターが夜空に消えていく最後のシーンが終わると、全員が拍手をした。大胆《だいたん》にも歓声をあげたり、指笛を吹く者もいた。

オーソンが息子たちに付き添われてあらわれると、みんなの歓声はいっそう大きくなった。歓声はオーソンが手のひらを前に突き出して「やめろ」と合図するまで続いた。すぐに静かになり、みんなはうやうやしく頭を下げた。

「美しいだろう?」指導者オーソンが口を開いた。

それに賛同するようなかすかなざわめきが部屋に広がった。

「人類に新たな世界を提供するというわたしの偉大《いだい》な計画は、着々と進みつつある。きみたちはすでにその計画のパイオニアであり、創設メンバーであり、各自が得意な分野で働いている。その新世界は凡人を排除《はいじょ》するエリート社会だ。保守的な者たちが何と言おうと、人間が多すぎる。全員がこの地球上に存在する価値はない。何の役にも立たない者まで抱《かか》えこんでどうなるだろう?」

オーソンはここで口をつぐみ、聞き手の心に自分の言葉がしみこんでいくのを待ってから先を続けた。

「わたしの計画を理解してすでに賛同している者もいる。道を示してくれる者、すばらしいユートピアを現実にしてくれる指導者を待ち望む優秀な者たちだ。そういう者たちは、文明が滅《ほろ》びつつあることを知っている。古いヨーロッパもアメリカ大陸も新興諸国も、思いやりというもののために窒息《ちっそく》しかけている。新たな仲間とともに、わたしが本格的に世界を変える時が来たようだ」

各国の政府や金融《きんゆう》界、産業界で影響《えいきょう》力があるとされている人たちの写真が、次々にスクリーンに映し出された。その面々はたいしたものだが、主要国の首脳が欠けていることにはいやでも気づかされた。

だれもあえてしようとしない質問に答えるかのように、オーソンは説明を始めた。

「〝愛のペスト〟作戦と〝世紀のコンサート〟作戦は、わたしが人類にとってすばらしいチャンスをもたらす人間だと認めさせる意味があった。まだ私に疑いを持つ高慢《こうまん》ちきなやつらに、よく教えてやらないといけないからな……」

オーソンの声は押し殺した怒りで震《ふる》えていた。メンバーで最も残忍《ざんにん》な人たちでさえ、背筋に冷たいものを感じた。何千人もの罪のない若者を殺せる男は人にある種の……敬意を要求することができる。しかし、苦々しかったオーソンの表情はやがて気味が悪いほどうれしそうに輝いてきた。

オーソンは威厳《いげん》に満ちた態度を取りもどして説明を続けた。

「強情に反抗《はんこう》する者たちを屈服《くっぷく》させるすばらしい切り札がこちらにはある。世界市場の掌握《しょうあく》と半透明《とうめい》族だ。やつらは、わたしを仲間として認めたがらなかった。そのみじめな国の国民の生きる糧《かて》がなくなるうえに、半透明族が国民一人一人を訪問したらどうなるかな。やつらがまだご立派な信念を捨てないでいられるかどうか、見てやろうじゃないか！　わたしの足元にひれ伏させてやる。そうすれば、自分たちの無力さとわたしの力がわかるだろう。国民たちも、わたしが恩人だとわかるはずだ。そのときにやっと公正な判断が下されるというわけだ！」

会議室に集まったメンバー一人一人の頭に、それぞれ重要な役割があたえられた輝かしい未来が浮かんだ。

もちろん、自分の分をわきまえ、指導者の期待に応えるという条件のもとで、メンバーたちは輝かしい新世界に参加できるのだ。

そのことを全員が完全に理解していた。

よくみられようという思いを抑《おさ》えきれずに口を開いた一人だけを除いて。

「指導者様、ナイアガラであなた様と同じような能力を持っている人たちがいましたが、あれはだれでしょうか?」

オーソンの体がこわばった。質問した男は自分に向けられた視線に震えた。その世界では最高の殺し屋と認められているその男は、自分の発言が妥当《だとう》だったかどうかに急に自信がなくなり、しどろもどろになった。

「あのう……すみません……あの、あなた様やご子息のような人がほかにもいるのですか?」

その場は水を打ったように静まりかえった。とつぜん、質問した男はのどを猛禽《もうきん》類の爪《つめ》につかまれたように床から浮き、そこから数メートル離れた部屋の奥の壁にたたきつけられた。男の体は不気味な音を立てて落ちた。オーソンは武器をしまうかのように片手を下ろした。無表情なグレゴールとテュグデュアルと同様に、だれも動かなかった。

「一部の人がナイアガラで見たもの、あるいは、見たと思ったものは靴の中に入った砂利ほどの価値もないものだ」オーソンは厳しい顔をして言った。「あれは少し不快だったが、われわれの邪魔《じゃま》になるものではぜったいにありえない」

オーソンは姿勢を正して深く息を吸ってから言い放った。

「この地球上にわたしや息子たちのような人間はいない。わかったかね?」

いっせいに力強い歓声があがった。

「栄光に向かって力を合わせよう！　死ぬまで指導者様についていこう！」

43　秘密の企《くわだ》て

アバクムの家ではひたすら待つしかなかった。空気も、時間も、呼吸すら、すべてがじっと待つことに集約されていた。〈逃げおおせた人〉も〈締《し》め出《だ》された人〉も生き物たちもそこにいて、テレビやラジオからひっきりなしに流れてくるニュースを見聞きしながら、刻々と希望が揺《ゆ》らいでいくのにまかせるほかなかった。

いまでは、ナイアガラの滝《たき》のわき立つ水にティーンエージャーたちが大挙して押し寄せる恐ろしい映像が、世界中に流れていた。

そのうえ、ほとんどが二十歳《はたち》未満で、正確には五千二百三十八人がおぼれ死んだのは、ニューホープのバンドリーダーが原因であることも世界中が知っていた。

これまで彼はまったく知られていなかった。すい星のように登場してある世代のシンボルになる前はまるで存在していなかったかのようだった。しかし、事件のあとになって、そのリーダーの生まれ故郷らしいフィンランドから情報がもれてきた。人々の記憶が掘《ほ》り起《お》こされ、舌がほぐれてきた。大人になりかけた彼のことを覚えている者、接したことがある者、崇拝《すうはい》するほど好きだった者から……。

こうして、過去の断片が掘り起こされ、彼の身元、奇妙《きみょう》なものへの傾倒《けいとう》、人の心を操作する試みなどがあばかれた。「黒魔術時代」の不気味なエピソードも、メディアのセンセーショナルな手法で誇張《こちょう》され、ゆがめられて報道された。終末思想のカルト、悪魔主義、新しい麻薬《まやく》による集団幻覚《げんかく》などと取《と》り沙汰《ざた》された。無数の仮説が飛びかった。そして、いつも同じ結論に達した。テュグデュアル・クヌットはわずか数秒間で世界最悪の殺人者の一人になったと。

そして、彼の歌にあるように、自分の生きざまと同じやり方で――暗闇《くらやみ》にさまよって――死んでしまった。

ロスト・イン・ダークネス……。

この事件がひき起こしたひどいトラウマ、そして世界的自然災害のあとこつぜんと消えたテュグデュアルとその家族に関するルポが報じられたほかに、ある話題がさかんに取り上げられるようになった。

秋に頻繁《ひんぱん》に起きた脱獄《だつごく》事件のときと同じように、おかしな現象を見たという目撃《もくげき》者が出たのだ。人間に似た姿をしていて超能力を持っている生物、ミュータント、遺伝子組み換え人間、生体工学から作り出された人間、もちろん宇宙人と言う人もいた。形容する言葉は山ほどあった。

ビデオカメラが壊されたために映像や物的証拠はないし、当然ながら当局はコメントを避けている。有名テレビ局のジャーナリストなど少なくとも十人以上の目撃者がいるのに、当局の反応は変わらない。しかも、目撃者の話は一貫《いっかん》しておらず、矛盾《むじゅん》している部分もある。現場は暗かったし、混乱していた。目撃者の証言でただひとつ一致《いっち》している点は、吹き矢を持った男のことだった。その男はその場ちがいな物を手に持ってどこからともなくあらわれたというのだ。しかし、その先は目撃者によってまったくちがっていた。

吹き矢……。

政府のトップにいる人たちだけがこのことが単なる偶然《ぐうぜん》ではないことを知っていた。「首脳訪問」事件と直接関係があり、懸念《けねん》すべきことだと。

その同じ人たちが、六百四十一人が救出されたのは現場にすぐ駆けつけたアメリカ軍のお手柄《てがら》だと急いで発表したのだ。軍の対応の素早さはあらゆる方面から賞賛され、何人かの兵士があわれな若者たちを死の刃《やいば》から救った英雄として誉《ほ》めそやされた。

「この六百四十一人の若者の命はほんのひとにぎりの人たちのおかげで助かりました。しかも、彼らが匿名《とくめい》を希望しているのはすばらしいことです。彼らの唯一《ゆいいつ》のコメントは義務を果たした、ただ義務を果たしただけだ、というものです。このような謙虚《けんきょ》さは、名誉《めいよ》を求めることに躍起《やっき》となっている社会のあり方について考えさせられるものがあります。BBCニュースのオリヴァー・リンジーがお伝えしました……」

「詐欺《さぎ》じゃないか！」テレビのボリュームを下げながら、ギュスが文句を言った。「世間に知られたくないひかえめな英雄の話はメディアのでっち上げだ、洗脳だよ！」

「そんな兵士が存在しないのはわかってるよ！」憤慨《ふんがい》したニアルもたたみかけるように言った。

「わたしたちは知っているけれどね……」

　そう言ったマリーは、ナイアガラ事件の映像を流し続けるテレビの前のソファで体を丸めている。

「わたしたちと、それにアメリカ軍もね」バーバラがつけ加えた。「わたしたちがテレビで見た映像がどこまで分析《ぶんせき》されるかが問題よね。いくつかの映像にはわたしたちの仲間の顔がうつっていたし、アメリカ軍だって彼らがあそこにいたのを知っている……若い人たちを助けたのは彼らだっていうことも、もちろんわかってるし」

「自分たちが救出とは無関係だってわかってるのと同じようにね」と、マリーが言い足した。

「見えすいた芝居《しばい》だよな……」と、ギュスがため息をついた。「現場にいたジャーナリストとか、カメラマンとかはぜったいに何か見たはずなのに、オーソンの〈記憶混乱弾《だん》〉でも浴びたせいなのか、記憶に自信が持てなくなってるんだよな……それに映像もないし」

「そうだよな！」今度はニアルが声を荒《あら》げた。「オーソンはビデオカメラを全部、宙に飛ばしたんだ！　だから、映像もないし、証拠《しょうこ》もない！」

「軍にとっては都合がよかっただろうな」

「たしかにな！　でも、ぼくたちにとってもだぜ！」

「オーソンにとってもだ……。それに、軍は何も知らないだなんて、ぼくたちに思いこませないでほしいよな！　ＭＴＶが録画したコンサートの映像にオーソンがちょっとだけ映ってたぜ」

「サブリミナル効果のある画像だらけのビデオが、コンサートの前からずっと巨大スクリーンに映ってたしな。あれを暴いたのは、まさかぼくたちだけじゃないよな」と、ニアル。

ギュスとニアルは最高にいらいらしていた。

「自分たちの行為《こうい》を、ほかの人がしたと言われるのは、わたしたちの仲間にとっては不公平かもしれない。彼らは危険を冒《おか》して良心の命ずるままに行動した。でも、こんなふうになってよかったって、あなたたちも思うでしょ？　もしテレビが、彼らがしたことを録画していたら、大変なことになってたわよ」マリーが諭《さと》すように言った。

「オーソンは仕事のことはあまり話さなかったけれど」バーバラが話を引き取った。「あの有名な情報局、つまりＣＩＡだけど、そこで働いていたとき、国のトップレベルで行われていた情報操作のやり方について、何て言ったらいいかしら……何か熱にうかされたように話していたことがあるわ。そういうケースをいくつか話してくれたけれど、正直な話、まるで信じられないような話だった。でも、たしかなのは、政府がこの事件を秘密にしたいと望んだら、そのとおりになるのよ。現場にいた人たちが自分の見たことを大声で言いふらしたって、何も変わりはしないわ」

このバーバラの言葉にみんなは考えこんだ。

「軍はぼくたちの仲間を捕《つか》まえるのに成功したと思いますか？」

急に熱にうかされたようにニアルがたずねた。

「いいや」ギュスが答えた。

「どうしてそんなにはっきり言えるの？」と、クッカが言い返した。彼女はテュグデュアルの家族についてのルポに、自分が登場したことにひどく不安がっていた。「それに、まだ捕まっていないにしても、世界最強の軍隊が動いていて、人工衛星で見つけ次第、戦闘《せんとう》機を出撃させることができるってことを忘れてるんじゃない？」

ギュスは不機嫌《ふきげん》そうにクッカをちらりと見た。

「ふだんなら、そういう超《ちょう》楽観主義的なことを言うのはぼくなんだけどな……。うまく逃げてるよ、ぼくにはわかってる」

マリーは驚いたように目を見開き、ぎこちなく髪を後ろにかき上げた。

「じゃあ、どうして何の連絡もないのかしら？」マリーはため息まじりにつぶやいた。「オクサのガナリこぼしを送って知らせてくれることもできるのに……」

ギュスはうつむいた。テレビ画面にじっと視線を向けているマリーは嗚咽《おえつ》をもらした。ほおには涙が光っている。

いつも誇《ほこ》りに思っている夫、ハンサムで善良な夫……一人娘のかわいいオクサ……それに〈逃げおおせた人〉たちの後見人アバクム……夫のいとこの子で優しいゾエ……夫のいとこにあたる勇敢《ゆうかん》なモーティマー……いまでは彼のことを仲間のように大事に思うようになっていた……。


みんな、どこにいるんだろう？

オクサのフォルダンゴがかすかに体を動かしたが、だれも気づかなかった。それで、最初はひかえめに咳《せき》をし、だんだん咳こみ始め、息が詰まりそうになっていた。マリーが立ち上がって、杖《つえ》をついてフォルダンゴに近づいた。この思いやりのある生き物のことをもっと早く思い出さなかった自分自身にあきれていた。

「フォルダンゴ、何を知っているの？　教えてくれる？」マリーはそれだけ言った。

フォルダンゴは満足そうな顔をした。彼はみんなを安心させる答えをもっているのだ。でも答えるためには、まず質問されないといけないのだ。

「若いグラシューズ様の召使《めしつか》いは地理的かつ物理的な詳細《しょうさい》の一部を保有していることを認めます。また、体と心についての情報の所有をしております」

「おまえはすばらしいわ！」マリーが声をあげた。「それで……みんな元気なの？　怪我《けが》をしているの？　捕まってはいないの？」

フォルダンゴは神経質そうに体を揺《ゆ》らすのをやめて両足でふんばり、いつものように大きな目を異常に大きく見開いてから答えた。

「若いグラシューズ様とそのご親戚《しんせき》と妖精人間は冷たい体を所有しています……」

「ええっ、死んじゃったの！」クッカが叫《さけ》んだ。

フォルダンゴはあまりに勢いよく首を横にふったので、じゅうたんの上にばったり倒れそうになった。

「クッカ！　フォルダンゴはそんなこと言ってないだろ！」ギュスが怒った。

「死亡はナイアガラに遠征《えんせい》された〈逃げおおせた人〉の体の冷却《れいきゃく》の理由ではありません。あの方々の体温の急低下は冬季の大洋の温度によるものです」

「冬みたいなのは大洋の温度だけじゃないですけどね！」薪《まき》のストーブのそばにぬくぬくと――とはいえ危険でもあるが――落ち着いているドヴィナイユががなり立てた。

「そうよ、わたしたちも低体温症《しょう》に苦しんでいるわ！」別のドヴィナイユも文句を言った。「それなのに、だれが心配してくれるのよ?」

「だれもしないよ!」話を中断されたことにいらついたギュスがどなった。

ドヴィナイユたちは怒ってしゃっくりをし始めた。

「元気だけれど、冷たい水のなかにいるって言いたいのかい?」ギュスがフォルダンゴにたずねた。

「そうなのかい?」

「若いグラシューズ様とそのご親戚と妖精人間は青あざにも、かぎ裂《ざ》きにも、打たれた痕《あと》にも、手足の切断にも出会ってはおられません。しかし、軍隊の脅威《きょうい》が大きな危険をひき起こしており、多数の国の軍がグラシューズ様とそのお仲間に出会いたい、という熱意の詰まった動機を知っています」

「たしかに軍は彼らに会いたいだろうな」ついニアルはこうもらさずにはいられなかった。

青ざめたマリーとがっくりと肩《かた》を落としたみんなを前にフォルダンゴがつけ加えた。

「恐れを心から追い出してください。若いグラシューズ様とそのご親戚と妖精人間は兵隊的テクノロジーの裏をかくために移動の修正を実施《じっし》しています。いま現在は、海中のプロセスを実行していらっしゃいます」

この奇妙な情報に対する反応はさまざまだった。眉《まゆ》をひそめた者もいたし、目を大きく見開いた者もいた。だが、だれも反応せずにはいられなかった。

「彼らはいま、イギリスにもどってこようとしているって言いたいのかい? 泳いで?」ギュスは驚いてフォルダンゴの言葉を言《い》い換《か》えてみた。

フォルダンゴはまた大きな頭をふった。今度は上から下に。

「水泳はあらゆる検知の隠《かく》れ家《が》を提供するのです。機械は人間の体と動物の体の区別をする無知に出会います。機械にとっては、若いグラシューズ様とそのご親戚と妖精人間はイルカやマグロと珍《ちん》妙《みょう》な類似をなすのです」

この言葉にほほえみを浮かべたり、息切れしたような笑いをもらした人もいた。やがて、神経質な笑いがみんなに伝染した。

「マグロにまちがえられたら、オクサはあんまりうれしくないかもね……」と言ったマリーの目は笑っていた。

「ところで、若いグラシューズ様の召使いは修正の配達をもたらさなければなりません」フォルダンゴが言葉をつないだ。「若いグラシューズ様のご友人の方がイギリスへの帰還の指摘をされましたが、その軌道は別の方向に適用されています」

「まあ、そんな……まさか、あの人たちが迷子になってるなんて言わないでね！」マリーが心配そうに言った。

「若いグラシューズ様の召使いは肯定《こうてい》を実行します。若いグラシューズ様のガナリこぼしを反逆者《フェロン》オーソンのヘリコプター的車両に置いたために、難破が進展を知ったのです」

ショックと落胆《らくたん》がこの家の住人をおそった。

「何だって⁉」半分の人がいっせいにそう叫んだ。あとの半分はあんぐりと口を開けていた。

「オクサはガナリこぼしにオーソンを追跡するようたのんだんだ！」ギュスがみんなにわかるように言い直した。「あいつらしいな……」

「うまいことやったよな！　これでやつの居所がわかる」と、ニアルが応じた。

「五人が大西洋の真ん中で迷っていないというなら、すばらしいアイデアだったけれどね……」マリーはパニックに陥《おちい》りそうになっている。

「このままほうってはおけないわ」アンドリューの妻ガリナが割って入った。「超能力を持っているのは六人だけだけど、わたしたちだって仲間を危機から救うことができると思うわ」

ガリナは顔をくもらせた夫の腕に手をのせた。その場の空気がぴんと張りつめた。〈締め出された人〉たちは自分たちのふがいなさをひしひしと感じていた。

「いっしょに行くよ！」とつぜん、アンドリューが大きな声で言った。

ガリナが悲しそうに夫を見つめた。

「アンドリュー……それはできないって……わかってるじゃない」

「きみは、わたしがずっと牧師をしていたわけじゃなかったことを知ってるだろう……」

ガリナの顔が急に輝いた。

「あなた、どこでヘリコプターを見つけるつもりなの？」

「ちょっと考えがあるんだよ」と、アンドリューは答えた。

44　遭難《そうなん》した〈逃げおおせた人〉たち

ナイアガラ事件の精神的ショックと、若者救出の肉体的疲労を抱《かか》えながら、五人の〈逃げおおせた人〉は地上と空の両方からの軍の追跡に立ち向かわなければならなかった。戦闘機《せんとう》を何機かまいたあと、五人は荒《あ》れる海に向かって下降し、顔をしかめながら飛びこんで泳ぎ始めるしかなかった。

「ここで危険があるとしたら、流された網《あみ》にひっかかることくらいだな」体の震《ふる》えを我慢《がまん》しながらパヴェルが言った。

海を泳ぐことにしてから、オクサとゾエとモーティマーは意外なことを発見した。走ったり、飛んだりするのと同じくらい速く泳げるのだ。とくにクロールとバタフライに優れ、すぐにパヴェルやアバクムのレベルに追いついた。

力強い泳ぎのおかげで五人の体は温まり、氷のような水が肌《はだ》に突《つ》き刺《さ》さる感覚も少なくなった。それでもアバクムはビタミンとたんぱく質を濃縮《のうしゅく》した強壮《きょうそう》キャパピル——百%ナチュラルとはいえ、その効果のほどをみるに、少しは魔法も入っているようだ——を飲むようにみんなにアドバイスした。

「これがあると、地球を十五周くらいできそうな気がする！」オクサは強壮キャパピルを一錠《じょう》飲みこんだ。

「イギリスまで行けたら、まあ十分じゃない？」ゾエがほほえみながら応じた。

五人がボストン沖《おき》にあわてて飛びこんでからかなり時間がたっていた。まっすぐ東に進んでいる、と思いこんでいた。

「方向がまちがってないのはたしかかな？」パヴェルが立ち泳ぎをしながらたずねた。「オクサ、おまえのガナリこぼしを出してくれるかい？　南米のホーン岬《みさき》とかには行きたくないからな」

オクサは泳ぐのをやめてバランスをとるために足をばたばたさせた。頭のなかで、いい知らせとも悪い知らせともとれることを告げるのに一番いい方法を必死に考えた。

「オクサ、おまえのガナリこぼしを出してくれよ！」父親が繰《く》り返《かえ》した。

「あのさ……」

オクサは自分が考えるほどいい知らせかどうか急に自信がなくなってきた。

「おまえのガナリは……死んだのか？」パヴェルはうろたえて震える声で言った。

「ちがうよ！」オクサは父親を安心させようと急いで答えた。「ぜんぜん元気よ！　あたしたちといっしょにいないっていうだけでさ……」

ほかの四人はこれ以上ないほどあわてた。

「おい……なくしたって言うんじゃないよな？」パヴェルは海に沈《しず》まないように腕《うで》で水をかきながら言った。

「ちょっと、パパ、ガナリが迷子になるなんてありえないじゃない！」

「だけど、ぼくたちは迷子になれるんだぞ！」パヴェルが言い返した。

「オーソンを追いかけるようにたのんだのかい？」アバクムが小声でたずねた。

オクサは正直に答えるしかなかった。

「それはとてもいいアイデアだ」アバクムがほめた。

「ぼくたちが大西洋のど真ん中で迷子になってるんじゃなくて、陸地の安全なところにいたんなら、もっといいアイデアだっただろうけどな！」パヴェルがぶつぶつ文句を言った。

オクサはゾエとモーティマーの助け船を期待したけれど、二人は疲れきった表情をしているだけだった。がっかりして少し恥ずかしくなり、オクサはガナリこぼしが帰ってくるんじゃないかという淡《あわ》い期待を抱《いだ》いて空を見上げた。しかし、いろんなトーンの灰色が重なり合ったくすんだ雲があるだけだった。

「うまくやったよ、オクサ……」やっとモーティマーが口を開いた。

「ちょっと自信がなくなったけどね」オクサはそう答えるほかなかった。

アバクムは真剣《しんけん》な面持《おもも》ちで水平線をじっと探るように見つめていた。一隻《せき》の貨物船が数海里のところを進んでいた。それから、その顔が急に明るくなった。濡《ぬ》れたパーカーの内側に手を入れ、母親の不老妖精から受《う》け継《つ》いだ魔法の杖《つえ》を取り出した。そして、人差し指の上に水平にのせた。波で体がかなり揺《ゆ》れているのに、嘘《うそ》のようにそのままのっている。魔法の杖は揺れながら左に回り、次に右に回ってからぴたりと止まった。

「あっちの方角に行かないといけない!」アバクムはそう言いながら、魔法の杖をしまった。

みんなはあっけにとられながらも、ほっとして顔を見合わせた。ただし、オクサだけはパヴェルと視線を合わさないように注意した。妖精人間アバクムはすでに杖の示した方向に向かって泳ぎ始めていた。大西洋は無限ではないけれども、非常に広いことはたしかなのだ……。

アンドリューがアバクムの家の敷地のとなりにある泥《どろ》んこの原っぱにヘリコプターを着陸させると、プロペラのうなる音に気づいた人や生き物たちがすぐに駆けつけた。アンドリューはエンジンを切ってドアを開け、〈逃げおおせた人〉と〈締《し》め出《だ》された人〉の思い出のアルバムに貼《は》るべきユニークな横顔をのぞかせた。戦争のための武器を満載《まんさい》した軍用機に座る信仰《しんこう》の人、という新しいプロフィールだ。

「すごいわね、あなた！」駆け寄ってきたガリナが叫《さけ》んだ。

「Ｍｉ26（ロシア軍の大型輸送ヘリコプター。世界最重量とされる）とまではいかないけれど、十分だろう」アンドリューはガリナの肩《かた》を抱《だ》いて言った。

「でも、どうやってこれを見つけたの？」泥のなかを苦労して歩いてきたマリーがたずねた。「すばらしいわ！」

アンドリューは答えるのをためらっていた。しかし、ついには肩をすくめ、空をちらっと見上げてから白状した。

「ある友人がわたしに借りがあったということかな」

「なるほどね！」マリーはにっこりほほえんだ。「イギリス軍のヘリコプターを持った友だちがね」

「そうそう！」アンドリューが答えた。

「パパ、牧師になる前はパイロットだったの？」アンドリューの双子《ふたご》の娘の一人がたずねた。

「そういうこともあったな……」アンドリューはその子のほおに音を立ててキスしながら、謎めいた言い方をした。「おしゃべりはこれくらいにしないと。アメリカとイギリスの間の大西洋のど真ん中で仲間が五人、迷子になっているんだからな。ギュス、こっちにおいで！」

〈逃げおおせた人〉がエデフィアに行っていた期間、ギュスとアンドリューの間には深い親愛の情が生まれていた。ギュスは父親の代わりを、アンドリューはずっと前からほしかった息子を見つけたのだ。そういうわけで、ギュスは副操縦士見習いの席をアンドリューの隣に得たのだった。「箇単なもんさ！」とアンドリューはギュスに言った。

残るのは乗客の選択《せんたく》だった。遭難《そうなん》している〈逃げおおせた人〉との家族関係から、まずはマリーとバーバラが優先され、ガリナと娘のうちの一人は超《ちょう》能力が役に立つことが考慮《こうりょ》されて選ばれた。クッカは自分が選ばれなかったことにふくれっ面をした。ニアルはどんなに頑固《がんこ》な人でも説得できるほど強い意気ごみを見せたため、連れて行ってもらえることになった。彼のＩＴ知識は、ゾエを何としても見つけたいという意思と比べればささいなものだ――つまり、その意思は大変なものだった。

オクサのフォルダンゴとまだ十分に成長していない子どものガナリこぼし――オクサとレミニサンスのガナリこぼし以外で、アバクムが新カオスのときに救えたのはこれだけなのだ。ラッキーだった！――も乗りこんだ。ヘリコプターには必要な探知機がすべてそろっていたが、もしも、ということがある。

「よし、行くぞ！」アンドリューはヘリコプターのエンジンをかけた。「暗くなる前に見つけたいからね。幸いにも西に向かうから、そっちはまだ昼だろう」

ヘリコプターは雨模様の午後の湿《しめ》った大気のなかを飛び立った。

ギュスはひよこのようにか弱い子どものガナリこぼしを両方の手のひらにのせていた。このほんの小さな生き物は手のなかで丸くなり、ヤクタタズと同じように尊敬のまなざしでギュスを見つめている。その後ろではフォルダンゴが灰色の海をじっと見つめながら、ほとんどギュスの肩に頭をもたせかけていた。

「若いグラシューズ様とそのご親戚《しんせき》と妖精人間は、極端《きょくたん》な疲労の詰まった体を持っていらっしゃいますが、お気持ちは粘《ねば》り強《づよ》さを保存していらっしゃいます」と、フォルダンゴが宣言した。

「よかった……」

そう答えたギュスは、何気なく小さなガナリこぼしをなでていたが、急にある考えがひらめいた。

「ガナリこぼしには犬のような能力があると思いますか？」と、同乗している人たちにたずねた。

だれもがぜんぜんわからないという顔をした。

「どういうことなの？」マリーがたずねた。

「もしガナリこぼしに、犬のようなすぐれた嗅覚《きゅうかく》があるとしたら、たとえばオクサの持ち物の匂《にお》いをかがせたら場所がわかるんじゃないかな？」

アンドリューは感心したような目をギュスにちらりと向けてから、再び操縦計器のほうに視線をもどした。

「やってみて損はないわ！」マリーが叫んだ。

「そうね。でも、だれか役に立ちそうなものを持っているの？」と、バーバラが質問した。

ギュスは一瞬迷った。

「あのう……ぼく、持ってます」

革のブルゾンのファスナーを少し下ろし、自分が着けていた結び目のゆるんだネクタイを首からはずした。

「オクサのネクタイなの？」マリーがたずねた。

ギュスはうなずいた。

ニアルは笑い出しそうになった。

だが、その笑いはすぐに引っこめた。

笑うようなことではなかったからだ。

45　アイスランドの奇跡

「ねえ、ガナリ、なんにも感じない？」

子どものガナリこぼしは、自分が何を期待されているのかすらわかっていないようだ。

「ほら、もう一回匂《にお》いをかいでくれよ」

ギュスは丸めたオクサのネクタイをガナリこぼしの小さな頭に押しつけた。

「若いグラシューズ様のご友人は子どものガナリを窒息《ちっそく》による死亡に引きずりこもうとされています」と、フォルダンゴが注意した。

「あっ、ごめん、ガナリ」ギュスは謝った。

「アイスランドに寄って、燃料を満タンにしよう」と、アンドリューが告げた。

巨大な火山の島が水平線上にあらわれてきた。やがてヘリコプターは西海岸のレイキャビク空港に無事着陸した。みんなが脚《あし》のしびれを取っているとき、整備士がアンドリューのところにやってきた。アンドリューはポケットから札束を出した。

「牧師のご主人はたいした人だわね」マリーはにっこりしてガリナに言った。

「それなら、あなたのご主人も負けてないと思うけど」

二人は小さく笑った。そばにいたバーバラにもあてはまることだが、こちらは残念なことにまったくちがった意味になる。パヴェルやアンドリューと同じように、オーソンも平凡な人ではないけれど……。

三人の女たちが殺風景な周囲の様子について語り合っている間に、アンドリューは燃料を満タンにした。ギュスとニアルはじっとしていられなくて、またフォルダンゴにたずねた。

「何かわかったかい？」

「若いグラシューズ様とそのご親戚《しんせき》と妖精人間はもう水泳を実施《じっし》されていません」

「ええっ？　どういうことなんだい？」ギュスは勢いこんでたずねた。

「あの方たちの足は陸地への設置を実行しました」

「どこに？」

「グラシューズ様の召使《めしつか》いは無知をむさぼっております。ああ……その無能さはいかなる境界にも出会いません」フォルダンゴは嘆《なげ》いた。

「だけど、きみのせいじゃないよな！」ニアルはこう言ってから、思い切ってフォルダンゴの産毛の生えた頭をなでた。

「グラシューズ様のまたいとこ様にいたく愛着を持っておられるご友人は寛大《かんだい》さにふくれた心を持っておられます」

「ゾエにいたく愛着を持っておられるご友人か……」ギュスはフォルダンゴの言葉を繰《く》り返《かえ》してから、からかうように口笛を吹いた。

「ヴェストマンナエイヤル……」

ギュスとニアルはあっけにとられて顔を見合わせた。子どものガナリこぼしがしゃべったのだ！

「ヴェストマンナエイヤル」また、うれしそうに繰り返した。

「どういうことなんだ？」ニアルが驚いてたずねた。

「ろくじゅしゃんど、にじゅどく、きた……」小さなガナリがかぼそい澄《す》んだ声で言った。

ギュスとニアルがひきつった笑い声をあげた。ガナリの変な話し方に笑ったのではなく、目の前でまた奇跡が起ころうとしているからだ。

「アンドリュー！　マリー！　早くこっちに！」ヘリコプターの半開きのドアから身を乗り出すようにしてギュスが叫《さけ》んだ。

「にじゅど、ずうよん、にし……」ガナリはもう止まらない。

「イスティクレットル岬《みさき》、ごんどせっしにど、しちゅどはちじゅ％、もっともだかいところで、にひゃくはちじゅしゃんメートル……」

「いったいどうなってるの？」大人たちは心配そうだ。「どうして涙が出るほど笑っているの？」

「笑ったから涙が出ているんじゃない」ニアルが言い返した。「安心して涙が出てるんだよ！」

「ガナリはわかったんだよ！」ギュスが続けた。「オクサやゾエやみんながいるところが！　これでみんなが見つかるぞ！」

子どものガナリは経度、緯度《いど》、標高、それから、ヴェストマンナエイヤル（ヴェストマン諸島）の土や空気の成分、海や陸上の植物といった補足情報を何度も何度も回らない舌で繰り返した。

「ありがとう、小さなガナリ」ギュスはガナリこぼしの言葉をさえぎった。「〈逃げおおせた人〉たちを救うのに、土地の酸性度は必要ないんだよ」

「じょうだんだろ……」ニアルは顔をこすりながらため息をついた。「これって、まるっきり、じょうだんだよな」

「着いたよ」アンドリューが告げた。

厚いもやが島をおおっていた。切り立った岩でできた島には着陸できるような平らな場所はない。

「何か見えるかい？」

ヘリコプターに乗っている人はみんな、崖《がけ》のてっぺんに目を凝《こ》らした。

「あそこにいる！」とつぜん、ギュスが叫んだ。

アンドリューが西の端《はし》の岩山のほうにヘリコプターを向けると、崖の端っこにクラッシュ・グラノックを持って立っている〈逃げおおせた人〉たち全員が見えてきた。

「まあ！　あの人たち、わたしたちが軍だって思うでしょうね」と、マリーが言った。

「なんといっても、英国空軍のヘリコプターですものね」と、バーバラもうなずいた。

ガリナは急いでショルダーバッグからキャパピルケースを出し、真珠《しんじゅ》の光沢《こうたく》を持ったキャパピル剤をひとつつまんだ。それから、ドアを少し開けて、外に身を乗り出した。

「ガリナよ！　怖《こわ》がらないで。アンドリューといっしょに来たのよ！」

その声は拡声器で増幅《ぞうふく》されたように、不思議によくひびいた。

「また〈内界〉の不思議なものだな！」ギュスがうれしそうに言った。

「あなたたちを探しに来たのよ！」ガリナが続けて叫んだ。

崖にいる〈逃げおおせた人〉にも、もやの切れ目にガリナや、ドアのアクリルガラスに文字どおり顔を押しつけているマリー、バーバラ、ギュス、ニアルの喜びに輝く顔が見えたようだ。

「信じられない……」

そうつぶやいたアバクムは湿《しめ》った草の上にへなへなと座りこんだ。大切な人たちがヘリコプターに乗って自分たちを助けに来てくれた――そのことに、アバクムたちは心からほっとしたのだ。

しかも、それだけではない。ヘリコプターのごう音、猛《もう》スピードで回るプロペラ、愛する人たちがうれし涙を流す顔……。そうした動きのすべては「生」以外の何物でもない。

アバクムは自分が急に歳《とし》を取って疲れ切ったように感じた。

そして、体を伸ばして息を深く吸いこんだ。塩の混じった空気、土の匂い、茶色いしみのある手の下にある湿ったやわらかい草、よどんだ空を飛び回っているカモメ……こうして自然とつながったままじっとしているのが心地よかった。死ぬまでこうしていたいような気がした。

しかし、彼は一人ではなかった。これまでも一人ぼっちだったことはない。

それに、なにより彼は生きていた。いろいろあったにしても。

びしょ濡《ぬ》れの服がべたつく膜《まく》のように肌《はだ》にはりついているのも、さらに疲労をひどくした。彼の体は長い年月の重みで弱っているのもたしかだ。ただ、それより精神的な疲れのほうがひどかった。オーソンにあらゆる面でひどく攻撃《こうげき》されたばかりだ。その余波に妖精人間アバクムはひどく揺《ゆ》さぶられていた。

アバクムの近くにいたオクサは空に向かって手を上げていた。愛する若いグラシューズ……。

仲間が助けに来る少し前、アバクムはイギリスまでたどり着けるだろうかと自問自答していた。

答えに自信の持てないことに苦しくなり、目を閉じたところだったのだ。

「アバクムおじさん」

温かい手がほおに触れた。目を開けると、オクサの心配そうな、でも明るい顔が目の前にあった。

「気分が悪いの？」

アバクムはゆっくりと起き上がった。

「いいや、だいじょうぶだよ……」

オクサはじっと見つめている。

「ホント？」

アバクムはうなずいた。

「熱いシャワーを浴びて、暖炉《だんろ》のそばでちゃんとした食事をすれば、もっと元気になるだろうけどな。みんなもそうだろう！」

その大げさでくだけた調子が本当のことを言っているとは、アバクム自身もオクサももちろん思わなかった。しかし、二人ともそれには触れないことにした。ちょうどそのとき、拡声キャパピルのおかげではっきりと聞こえてくるガリナの声が指示を出した。

「地面がでこぼこしているから着陸できないのよ！　ここまで浮遊《ふゆう》してきてもらわないといけないけど、だいじょうぶかしら？」

パヴェルが三人の若い〈逃げおおせた人〉とアバクムに目でたずねた。そして、親指を上げた。

「アンドリューがヘリコプターを安定させるから、上がり始めていいわよ。プロペラに気をつけてね！」ガリナが叫んだ。

「聞こえたかい?」パヴェルが娘のほうをふり向いて言った。「たのむから、やりすぎるんじゃないよ。一回でいいから、言われたとおりにやってくれ」

オクサはしかめっ面と挑発的《ちょうはつ》なほほえみのちょうど中間くらいの顔を父親に向けた。

「上がってきていいわよ!」ガリナの声がひびいた。

まず、三人の若い〈逃げおおせた人〉が一人ずつ慎重《しんちょう》にヘリコプターまで浮遊していった。そこには両側のドアを開けてギュスとバーバラが待っていた。そして、マリーとニアルとガリナが順に、三人を暖めるために緊急《きんきゅう》用のブランケットでおおった。

「ママ!」

オクサを抱きしめたマリーはいっぺんに十歳くらい若返ったように見える。

「二度とこんな危険なことはしないで。わかったわね?」マリーはしかったが、再会できた喜びを隠すことはできなかった。

答えの代わりに、オクサは大きな音を立てて母親のほおにキスをした。

次はパヴェルとその背中に乗ったアバクムの番だ。二人は座席にどさりと腰《こし》をおろした。全員が乗りこんでからドアを閉めたギュスはうれしそうな顔を後ろに向けた。

「ふうっ、どうなることかと思ったよ!」

ギュスの目は救出された五人の一人一人のうえにとまった。だが、その目がオクサの視線に出会うと、じっとそこにとどまった。

「あのさ、また変なことやったんだって?」

「そうみたいね……」オクサはギュスを見つめ返して言った。

ギュスはオクサのとなりにやってきて、肩《かた》に腕《うで》を回した。オクサがギュスに頭をもたせかけたとき、ブランケットの擦《す》れる音がした。まだぬれているオクサの髪がギュスのほおをなでた。

「魚のような匂いがする……」くちびるでオクサの額に軽く触れて、ギュスは言った。

「新しい香水なんだ……気に入った？」

「もちろん、すごく気に入ったよ！」

オクサはギュスの胸にしばらく顔をうずめてから、くちびるを探ろうとゆっくりと顔を上げた。

それはすぐに見つかった。

当然の結果として生じた長いキスは、これまでに二人が交したキスのなかでいちばん熱いものだった。

かさかさと音を立てるブランケット、奇妙な匂いやべたべたした肌、周りの視線、ヘリコプターのごう音と揺《ゆ》れ、緯度と経度をぶつぶつ唱える小さなガナリ……こういう状況《じょうきょう》にもかかわらず、オクサはギュスのくちびるからなかなか離れられなかった。

「コホン、コホン……」

「どうしたの、フォルダンゴ？」

「グラシューズ様はわき立つ紅茶を何口かぴちゃぴちゃなめる意思をお持ちでしょうか？」

フォルダンゴが勢いよく魔法瓶《びん》をふりかざしたものだから、魔法瓶がオクサにあたりそうになった。ぶるっと身震《みぶる》いしたオクサはその申し出を喜んで受け入れた。彼女とギュスの周りでは、すでにみんながその温かい飲み物を静かにすすっていた。バーバラとモーティマー、ゾエとニアル、牧師でパイロットのアンドリューとガリナ、彼らの娘、アバクム……それに、もちろん、オクサを見守っている、腕をからませた両親。

オクサは二人にほほえみかけた。

危険は大きかった。

しかし、〈締《し》め出《だ》された人〉であろうと、〈逃げおおせた人〉であろうと、今度も団結力が発揮されたのだ。

46　ギュスの固い意志

あのナイアガラ事件の混乱のなか、アバクムは機転をきかせて、地面に落ちていた瓶《びん》を一つ回収した。黒い服を着た男たちがコンサートの終わりに観衆《かんしゅう》にガスをまいた。そのガスを発生させた液体が、その瓶に入っていたようだ。観衆は発煙筒《はつえんとう》だと思っていたが、オーソンの手下たちがそれをまき散らす前、ガスマスクをつけたことに何か意味があると、〈逃げおおせた人〉たちは気づいていた。アバクムは自分のグラノック学実験室——地下室に作られた秘密の工房——でひそかに分《ぶん》析《せき》をした。

その結果は、喜ばしいものだとはもともと思っていなかったけれども、想像以上に思わしくないものだった。オーソンの誇大妄想《こだいもうそう》には際限がない。

「おまえたちが身を守るためにスポンジュー・キャパピルを飲んだのは正しかったよ」

オクサとモーティマーとゾエが興味深そうに顔を見合わせると、アバクムが記号や数字やわけのわからない字を書きなぐった一枚の紙を差し出した。

「オーソンはあの気の毒な若者たちに、オキシトシンをかなり濃縮《のうしゅく》させたガスを吹きかけるよう手下に命じたんだよ」と、アバクムが説明した。

「オキシトシンって？」オクサが驚いてたずねた。

「あの〝愛のホルモン〟のカムバックっていうやつか！　そんな気はしてたんだ……」ギュスがつぶやいた。

みんなはもっとくわしく知りたくてうずうずしていた。

「半透明族《とうめい》と関係があるんだろうか？」パヴェルが心配そうにたずねた。

それを肯定《こうてい》するように、アバクムとギュスが同時にうなずいた。

「もっとくわしく説明してくれる？」オクサがたのんだ。

先を続けるようアバクムにうながされたギュスは迷っていた。ゾエがいることが気になったのだ。

「だいじょうぶよ、ギュス、ホントに……」

そのゾエの言葉は嘘《うそ》ではないようだし、表情も落ち着いていた。ニアルがしっかりとゾエの手をにぎっているからだろうと、みんなは思った。

「黒いタールのことを覚えていますか？」ギュスが説明を始めた。

「人の情熱的な感情を吸い取ったときに、半透明族の鼻の穴からもれる液体のことだよね」オクサがあとを引き取った。そう言いながら、半透明族の名が出てからかみ始めた爪《つめ》の小さな破片を、神経質に引っぱった。

「そのとおり」と、ギュスはうなずいた。「その液体にはオキシトシンというホルモンがいっぱい入っているんだ。そのホルモンは分娩《ぶんべん》の時に作用するものらしい。だが、ぼくたちに関係あることだと、恋をしたり、愛情を感じさせる働きがあるそうなんだ……」

アバクムはギュスの言ったことを裏づけるようにうなずいた。

「そのうえ、ある人間や集団のために自分を犠牲《ぎせい》にしようという感覚にも働きかけるということがわかっている」と、暗い顔をしたアバクムがつけ加えた。「しかも、たとえばそういう行為《こうい》をじゃまするものがあれば、じゃましたものに対して攻撃《こうげき》的になることもある」

とほうもない悪意をもったオーソンが、そのホルモンをどんなふうに悪用するかを想像して気分が悪くなったのか、ほとんどの人がため息をもらした。しかも、カストラックと同様、ナイアガラでも「成功」以上の効果があったことを考えると、それは単なる仮定をすでに超えていた。

その場の重苦しい沈黙《ちんもく》は、そばにあった小さな丸テーブルをモーティマーがこぶしで乱暴にたたいた音で破られた。その上に立ててあった写真立てが床に落ち、ガラスと木の破片が飛び散った。

バーバラははっと口に手を当て、叫び声を抑《おさ》えた。

「ごめん……」モーティマーがぼそぼそ言った。

「そうよね！　全部こわすのよね！」マリーのところで丸くなっていたドヴィナイユが文句を言った。「こんな状況《じょうきょう》で生きるだけで十分大変なはずなのに……」

「『野蛮人《やばんじん》』なのは変わらないってことか……」あたりをはね回りながら、ジェトリックスがつぶやいた。

オクサがにらむと、ジェトリックスは跳《と》びはねるのをやめ、アカオトシが破片を片づけるのを手伝った。一方、フォルダンゴは回収できるもの——両親とドラゴミラに囲まれたオクサの小さいときの写真――を回収した。

「これではっきりしたようね！」オクサは何事もなかったかのように話を続けた。「オキシトシンの詰まったガス、サブリミナル効果のある映像、ある行為をうながす歌、集団心理が引き起こす現象にぴったりの雰囲気……あんな事件が起きるのには十分だよね！」

「十分どころか、ありすぎだよな」パヴェルがつぶやいた。

「軍もぼくたちと同じ結論に達したと思いますか？」ニアルが質問した。

「それはないと思うな」と、アバクムが答えた。「オーソンが完成させたガスは非常に蒸発しやすい。もしわたしが小瓶を回収しなかったら、オキシトシンのことはわからなかっただろう。せいぜい推論で終わっていただろうな」

「オーソンの手下が現場にほかの小瓶を忘れなかったことに期待するしかないですね」と、ギュスが言った。「もしそうなら、ぼくたちは軍の一歩先を行ける。もし軍がオーソンを捕《と》らえようとしたら、恐ろしいことになりますよ。あいつは完璧《かんぺき》な破壊《はかい》をやってのける人間だから……」

「そうだな……」パヴェルがため息をついた。「その一歩先を行っているのを最大限に利用できるといいんだけどな。オクサ、おまえのガナリこぼしはまだ帰ってこないのかい？」

オクサは首を横にふった。

「そうか、早く帰ってくればいいけどな……」

コンコン……。

オクサはベッドに寝《ね》ころんだまま、人差し指を動かしただけでドアの取っ手を下げた。少しだけあいたドアからギュスが顔をのぞかせた。

「入っていい？」

「もちろん！」

ギュスが後ろ手にドアを閉めると、オクサは体をずらしてギュスのために場所をつくった。それでもギュスはオクサにぴったりと寄り添った。

「こんばんは、フォルダンゴ！」と、ギュスがあいさつした。

フォルダンゴはオクサの厳しい指示にしたがって、黙《だま》ってうなずいた。もちろん、つねにオクサのそばについているのはフォルダンゴの仕事だ。しかし、オクサは絶対守るべきことを言いわたした。この部屋で起きることについては必ず黙っていること。

「グラシューズ様の召使《めしつか》いは知識の回避《かいひ》には出会っておりませんが、沈黙は口を占領《せんりょう》しております」と、請け合《あ》った。「グラシューズ様の召使いは墓石への変身をいたします。それは保証です」

ギュスがこの部屋に入ってくると起きることをすべてわかっていながら、フォルダンゴは椅子をガラス戸のほうにくるりと向け直し、そこに座ってすぐに眠《ねむ》り始めた。

「だいじょうぶ？」長いキスをしたあと、ギュスはオクサにそうたずねた。

オクサは思わず笑い出した。

「いつだって、そう聞くんだよね！」

ひかえめな明かりで森の部屋を照らす発光ダコのおかげで、きらきら光るギュスの目がはっきりと見えた。

「ああ、ギュス……」

オクサはギュスの首筋に顔を押しつけた。

ギュスの片手はオクサの髪をなで、もう一方の手はうなじから背中に移動した。

「だれにも見られなかった？」オクサがささやいた。

「何が怖《こわ》いんだよ？」

ギュスはそっと体を離して、オクサを正面から見つめた。

「何も怖くなんかないよ！」オクサはそう言い返しながら起き上がって、ギュスの前にひざを抱《かか》えて座った。「そんなこと、わかってるじゃない！」

「じゃあ、なんで責任を取ろうとしないんだい？」

ギュスはベッドに長々と寝そべって、両手を頭の後ろに組んでいる。

オクサは大きく目を見開いた。

「責任を取るって、何の？」

「三日前からぼくがおまえといっしょに寝ていることの責任さ」

「だって、ただ並んで寝てるだけじゃない、ギュス！　何も……たいしたことはしてないのに」

「そりゃそうだけどさ……なら、よけいに隠すことないだろ？」

オクサは手で顔をおおった。

「なあ！　だれもわかってないって思ってるのか？　ぼくたち、いつもいっしょにいるし、しょっちゅうふざけ合ってばかりいるし、みんなの前でキスだってしてるじゃないか……」

オクサはどきりとした。

「ぼくたち、もう十七歳《さい》なんだぜ！」

オクサたちがエデフィアから帰ってきて以来、ギュスはいろんな面でずいぶん変わっていた。オクサを見る目つきすらちがっていた。若い男が自分の気に入った若い女の子を見る目つきだ。オクサの優しいくせにかっかしやすい性質、長所や短所、強いところや弱点など、ギュスはずっと前から知っている。だが、成長したオクサにギュスは夢中になった。理由のひとつはオクサが魅力《みりょく》的だからだが、もうひとつの理由はギュスも成長したからだ。

人に対する見方が変わった。

とくに、女の子に関しては。

オクサといっしょにナサンティアに入ったときに、そのことに気づいたのだ。オーソンの骸骨《がいこつ》コウモリの毒を食い止める解毒剤のために、二人の体の成長は速まったが、精神面は変わらなかった。ところが、居心地のいいナサンティアのなかにいたとき、いまさらながらにオクサの髪や肌《はだ》や体のラインに気づいてあぜんとした……。まるで、そういうものがそれまでは存在していなくて、初めて発見したような気がした。それからというもの、ギュスは今までとは別のオクサとして見ていたし、彼の心も体もオクサの変身に反応し始めたのだ。まったくの変身とはいえないにしても……。

その後しばらくして、とっさに起きた最初のキスがあった。そして、オクサは〈エデフィアの門〉に飲みこまれ、ギュスはとても背負いきれないと思った重い責任とともにそこに残された。

そのうえ、オクサがテュグデュアルといっしょにいることにつねに苦しめられた。あるいは、

「ゴシック系カラス」がオクサにどんな態度をとっているのかわからないことが苦しかったのかもしれない。二人はキスをしたのだろうか？　いっしょに寝ているのだろうか？

　時間がたてばたつほど、そうした思いにギュスは苦しめられた。男としての感覚を呼び起こされたギュスは、クッカの圧倒《あっとう》的な魅力にあえて抵抗《ていこう》しようとはしなかった。それは否定できない。気にさわることもあったけれど、クッカは美人で甘えるのがうまく、優しくて大胆《だいたん》だった。

　それに、彼女はそばにいたのだ。

　しかし、オクサたちが帰ってくると、みんなが自然に、否応なく、もとの場所に収まった。テュグデュアルはもう存在しないとギュスは思った。少なくとも、恋のライバルとしては。クッカに関しては、気まずさとある種の心の痛みを感じたが、彼女に恋をしていたのではない、一度も恋をしたことはなかったと認めざるをえなかった。


「うん、そうだね。あたしたち十七歳なんだ……」

　オクサの声に思考を中断されて、ギュスははっとした。オクサはギュスのほおをなでた。ギュスもオクサの手を取り指先にキスをしてから、自分のほうに引き寄せた。

「でも、あたしの部屋で二人が寝てるって知ったら、パパはすごいショックだと思うんだ」

「そりゃそうだ！　お母さんはどうかな？」

「うん、ママも心がちょっと痛むかもしれないけど、にっこりして、あたしがもう大人で、そういうことは自然で、そういうもんだって、パパを説得しようとするだろうな」

「たしかに、おまえのお父さんはお母さんより、ほんのちょっとだけ心配性だもんな！」

「ほんのちょっとだけね！　小さいころ、『あたしが結婚するときは』なんて話をしたら、相手はあたしにふさわしい人じゃないといけなくて、ちゃんと見てるからな、なんて言ってたもんね。相手のせいであたしの身に何か起こったら、どんな目にあうかなんて、脅《おど》しの文句は言わないでおくけどさ……」

ギュスは大笑いした。

「それじゃあ、お父さんじゃない他の男とつきあう気になれないよな！」

「それで完璧に思いとどまったっていうわけじゃないけどね」

「じゃあ、ぼくたちがこの部屋にいっしょにいるのをお父さんが知ったらと思うと、やっぱり怖いんだな……でもさ、彼が知ったら、どうしてそんなに怖いんだい？」

「いまのいま、自分が死の危険にさらされてるってこと、わかってないの？」オクサはギュスの腕《うで》をつねりながら答えた。「もし、パパがいきなりこの部屋にやってきたら、寿命《じゅみょう》がかなり縮まるんじゃない？」

二人はいっしょに笑った。

「たしかに、おまえのお父さんって、ほどほどっていうことはぜったいにないからな」

「ぜったいない！　ポロック家の人はみんなそうなんだ！」

「そのとおり……でも、お父さんにとっておまえはずっと十二歳のままなんだぜ。そういうふうにしか見えないんだ。おまえが死ぬまで、どんな男の子もふさわしくない、かわいい娘なんだ」

「だけど、相手がギュスなら、パパは努力すると思うけどな……」

ギュスはオクサをよく見ようと彼女のあごを上げた。

「そうかな？　そう思う？」

オクサはギュスにほほえんだ。テュグデュアルのことを言い出さないことに驚いたし、うれしかった。それから、またギュスの胸に顔をうずめた。

「どっちにしても、そうしてもらわないとな……」ギュスはそう言ってからオクサのくちびるにそっと触れた。「おまえがお父さんを助けてあげないといけないんだぞ」

「どうやって？」

「まず、おまえが自分の気持ちをすなおに認めること、それから、自分のありのままの姿を受け入れることさ」

ギュスはオクサに答えるひまをあたえなかった。そばでは、発光ダコがひかえめな常夜灯《じょうやとう》モードにゆっくりと切《き》り替《か》わった。


そうして二人が寄り添って眠りについて二時間近くたったころ、かすかだがしつこく続く物音がして目が覚めた。オクサはひじを立てて上半身を起こし、まばたきした。わくわくする夢から引きずり起こされたフォルダンゴのいびきも止まった。

「なんなんだ？」ギュスが小声でたずねた。

数週間前のテュグデュアルの予想外の夜の訪問でひどい目にあったオクサは、ギュスに物音を立てないように伝え、用心のために、ナイトテーブルにおいてあったクラッシュ・グラノックをつかんだ。

「あたしのガナリだ！」

オクサは押し殺した声をあげると、ベッドから飛び起きて窓を開けた。ガナリこぼしはころがるように中に入ってきた。

「うまくいったんだね、ガナリ！　おまえってすごい！」

「若いグラシューズ様……」ガナリこぼしは息切らしている。

激しく羽をばたばたさせたかと思うと、急に床に倒れた。

「ああっ！」

オクサはそう叫ぶと、ひざまずいてガナリこぼしを両手ですくいあげ、ギュスに絶望的な目を向けた。

「心配いらないよ……」オクサの無言の問いにギュスはそう答えた。「死んでたら、こんなにはあはあ息をしないよ」

実際、ガナリは死にそうだというより、息を切らしているようにみえる。舌をだらりとたらし、のどがからからに乾《かわ》いた犬のようにあえいでいる。オクサはガナリをそっとベッドにおき、バスルームに水をくみに行った。水を少しだけ手のひらにためた。

「ほら、ガナリ、飲んで！」

ガナリは両腕でオクサの手をつかみ、むさぼるように水を飲んだ。それから、オクサはヒマワリの種をいくつか差し出した。ガナリはそれに跳《と》びついてわき目もふらずに食べ、全部飲みこむと、満足そうに小さなげっぷをした。

オクサはギュスをちらりと見た。そろそろ本題に入るべきだ。

「それで、ガナリ、どうなの？」オクサはどきどきしながらたずねた。

ガナリこぼしは種の皮を吐き出してから、甲高《かんだか》い声で答えた。

「グラシューズ様、任務を完了しました！　邪《よこしま》な反逆者《フェロン》の隠《かく》れ家《が》がわかりました！」

47　決して他言しないという条件で

「さあ、ちゃんと聞くわよ……話してちょうだい、ガナリ！」

興奮と不安で震《ふる》えるオクサの肩《かた》にギュスが腕《うで》を回した。ガナリこぼしが話そうとしている情報はとても重要なものだろう。二人はベッドの上に正座し、オクサの枕の上にいるガナリに全神経を集中させた。

「反逆者《フェロン》オーソンは現在、この家から千九百九十八キロメートル離れたところにいます。ここにもどるまでに三十六時間四十三分かかりました。つまり、およそ時速五十四キロメートルの速度に相当します」

「おまえはホントに……すばらしいわ……」オクサは少し気まずそうにつぶやいた。「それで、オーソンについては何がわかったの？」

「反逆者《フェロン》オーソンはイルミンガー海の使われていない石油プラットフォームに住んでいます」

「石油プラットフォームだって？」ギュスが叫《さけ》んだ。「なるほど、いかにもオーソンらしい隠《かく》れ家《が》だな」

オクサはなんて皮肉なことだろうと思わずにはいられなかった。長年テュグデュアルが父親だと思っていたティコは、あの自然災害の最中に北海の石油プラットフォームで死んだのだった。そして、テュグデュアルがもう一人の父親——本当の父親だが、残忍《ざんにん》な人間だ——といっしょにいるのがやはりプラットフォームとは……。

オクサは首をふって、「そんなことは考えちゃダメ、オクサ、考えちゃダメよ」と心の中で自分に言い聞かせた。

「イルミンガー海って？」気を取り直したオクサがたずねた。「聞いたことないけど……」

「イルミンガー海は北緯《ほくい》六十二度、西経三十五度に位置します」

「そう……それは世界のどこらへんになるの？」

「北大西洋、アイスランドの南西、グリーンランドの東です……」

「ええっ？」オクサがさえぎった。「アイスランドとグリーンランドの間なの？　じゃあ、あたしたち、すぐ近くにいたのに気づかなかったんだ！」

「すぐ近くって、ちょっと言いすぎかもな」

そう言ったギュスに、オクサはとがめるような視線をおくった。

「おまえは海や大洋の無限の広さをよくわかってないのかもしれないけど……同じ場所にたまたまいる可能性なんてほとんどゼロだぜ！　それでも……」

「正確な情報を言わせてもらってもいいでしょうか？」ガナリこぼしが口を出した。

「うん、どうぞ言わせてもらって！」

「わたしの計算によると、若いグラシューズ様と〈逃げおおせた人〉が、以前グリーンランドからイギリスに帰られたとき、反逆者《フェロン》オーソンのプラットフォームの南東四十二キロメートルの地点を通られました」

オクサはあんぐりと口を開け、ギュスをどんとひじで突いた。

「四十二キロ……ほらね。地球の規模から考えたら、ささいなもんじゃない！」

「まあな……」ギュスは愉快《ゆかい》そうに答えた。

「グラシューズ様、ほかにもお伝えしたいことがあります」

「もちろん！」

「反逆者《フェロン》オーソンのプラットフォームは〈サラマンダー〉と名づけられています。その外部は摂氏《せっし》マイナス四度、内部は二十五度です。建物は各階が三百平方メートルで六階からなっており、ラボ、コンピュータールーム、ジム、寝室《しんしつ》、そのほか生活のための部屋……」

「まるで軍事基地じゃない！」オクサが声をあげた。

「そのとおりです、グラシューズ様。アドバイスされたように、わたしはすべての通路を通り、部屋の配置、さらに面積、高さ、出入口、気温、湿度《しつど》を記憶しました。必要ならお聞きください。すべてここにありますので」と、小さな頭をぽんぽんとたたいた。

「おまえはえらいわ。そのときは聞くからね！　それから……ほかには何を見たの？　人はいた？」

ガナリは顔をしかめた。

「はい、たくさんいました」

「そんなに？」オクサも顔をしかめた。

「数え上げますと、オーソンと二人の息子の反逆者《フェロン》三人、そのほかに男が三十一人、女が十六人です。平均年齢《ねんれい》は三十九歳《さい》、平均知能指数は百四十八です」

ギュスがヒューと口笛を吹いた。

「天才が集まってるみたいだな！　でも、おまえはどうしてそういうことがわかるんだい？　ウソみたいだよな！」

「ガナリこぼしという生き物は、数値にあらわすことのできるデータを察知する能力が遺伝的にあるのです」

「まったくそのとおりだよな！」

ギュスはうなずきながら、アイスランドに行ったときに、子どものガナリが何十という数字をノンストップでつぶやいていたことを思い出していた。

「ところで、最後にもう一つ重要なことをご報告しなければなりません。プラットフォームには、居住可能部分の二階に大規模な武器庫があります。何千という機関銃《じゅう》やピストルのほかに、ミサイル四百十七基、核魚雷《かくぎょらい》二百五十二基を数え、それらは外部の橋に設置された五基のミサイル発射装置、あるいは反逆者《フェロン》オーソンの潜水艦《せんすいかん》から発射することができます」

オクサとギュスはひどいショックを受けた。

「そう……オーソンは潜水艦も持ってるんだ……」オクサはため息をついた。

「地球の半分を破壊《はかい》できるほどの武器を持ってるだけじゃあ、十分じゃないのかよ！」と、ギュスも吐《は》き捨てるように言った。

オクサは再びガナリに向かって言った。

「ガナリ、立派に任務を果たしてくれたね！　お礼の言いようもないわ」

「ガナリこぼしというものは、グラシューズ様の命令にしたがい、任された使命にベストをつくすのです！」ガナリは軍隊式の姿勢になって、すぐさま応答した。

オクサは深く息を吸ってから、先を続けた。

「命令だけどさ、もうひとつあるんだよね……」

「喜んでうかがいます、グラシューズ様！　命令はわたしの存在理由ですから！」

「フォルダンゴ、こっちに来て！　おまえにも関係あるんだ」

ギュスは眉《まゆ》をひそめ、不安をおぼえた。

「おいおい、おまえ、何かたくらんでるだろ……」

オクサは片手を上げて、黙《だま》ってという合図をした。それから、厳しく真剣《しんけん》な目つきでガナリとフォルダンゴを順番に見つめた。

「この部屋で話されたことについて完全に沈黙《ちんもく》を守るよう、おまえたちに命令する」と、小声で言いわたした。

ガナリこぼしはすぐに同意したが、顔色が灰色になったフォルダンゴはそうではなかった。

「選択《せんたく》は提供を提案しません。その結果、グラシューズ様の召使《めしつか》いは服従の要求を適用します」

「でも？」オクサがフォルダンゴの言いたいことを先回りして言った。

「でも、グラシューズ様の召使いはグラシューズ様が心と意識のなかに推進しておられる予想についての知識を有しています」

「オクサ！」ギュスが心配そうに呼びかけた。

「忍従《にんじゅう》にもかかわらず、グラシューズ様の召使いはグラシューズ様の意図に関する不賛成の表現を提出します」

フォルダンゴは失神しそうになっている。

「どういう意図なんだ?」ギュスはしどろもどろになっていた。「オクサ、何をしようとしてるんだ? まさか……」

オクサはギュスの口を手でふさいでから、毅然《きぜん》とした態度でまっすぐ見つめてきたので、ギュスはよけいに怖《こわ》くなった。

「責任を取れって、さっき言ってたよね?」

ギュスは口をふさがれたままなので、肩をすくめた。けれど、その目は必死で何かを訴えかけている。

「あたしは行くわ、ギュス……。その石油プラットフォームとかいうところに行って、オーソンがたくらんでいることをちゃんと確かめてくる」

オクサはギュスの口から手を離して体を押し倒した。そして、ベッドの上に横たわったギュスの上にかがんでキスをした。

「ほらね、あたしは責任を取ってるよ……」

48 避《さ》けられない決断

「おまえ、ばかじゃないか!」

「そんなにばかじゃないと思うけど……」

ギュスの上にかがんだまま、オクサは舞《ま》い上《あ》がっていた。

「考えてもみてよ！　自分で言ったじゃない。もし、軍がオーソンを捕《つか》まえようとしたら、大変なことになるって」

ギュスは怒り半分、あきらめ半分といった感じでオクサを見つめた。

「だからって、おまえが一人で石油プラットフォームに行く理由にはならないよ」

オクサはギュスの横にどさりと倒れ、天井《てんじょう》をじっとにらみながらギュスの手の中に自分の手をすべりこませた。

「ねえ、ギュス、たぶんあたしは無鉄砲《むてっぽう》で何も考えてないようにみえるかもしれないけど、最近はいろいろ学んだよ。たったひとつだけ覚えておかなきゃいけないことがあるとしたら、愛する人たちに困ったことが起こらないように、どんなことでもしなきゃいけないってこと」

ギュスはオクサのほうを向いた。オクサの横顔しか見えなかったが、そこには揺《ゆ》るぎない決意がにじみ出ていた。

「何が言いたいんだい？」

「さっきあたしたちが知ったことはすごく重大なことだってわかったでしょ？」と、オクサは答えをかわした。

「恐ろしい情報だよな……」

「そのとおりよ！　考えてもみてよ。もし、カストラックやナイアガラの事件にオーソンが関わっているとわかったら――脱獄《だつごく》や商品市場の混乱は別にしても――もし、あいつの隠《かく》れ家《が》を軍が発見したら……」

「〝もし〟ばっかりだな」

オクサはギュスをきっとにらみつけた。

「すごく大事なことを忘れてない？　オーソンがやったことは全部、自分の存在を世間に認めさせたいためじゃない。目立たずにいるっていうことができないんだよ。遅かれ早かれ、あいつは姿をあらわす。匿名《とくめい》でいることなんてできないんだから。でも、あいつが自分の仕業だってばらしたら、世界中の軍隊や情報局が追いかけるよ……」

「そうなったら、あれだけの武器を持ってるんだから、あいつは自分が世界の支配者だと見せつけるためだけに、地球の半分を吹っ飛ばすことだってやるだろうな……」

「そのとおり！」と、オクサが声をあげた。

フォルダンゴはこの恐ろしい話の成り行きから離れていようと、じっと椅子に座っていたが、その努力もむなしく、悲痛なうめき声をもらした。

「ギュス、だから、オーソンの隠れ家はだれにも知られちゃいけないのよ」

オクサがこれほど真剣《しんけん》だったことはない、とギュスは思った。

「ぼくたちの仲間にも？　アバクムやおまえのお父さんにも？」

「だれにも」

「でも……どうして？」

オクサの顔がくもった。

「ねえ、ギュス、向こう見ずだからって、頭がさえてないわけじゃないのよ。あたしたちの側がちょっとでもしくじったら、ひどい目にあうよ。ぜったいに安全っていうことはないもの。もし、そうなったら、プレッシャーをかけられたり、質問責めにされたり、脅《おど》されたりするのがおちだよ。こういう情報は耳に入れないほうがいいんだって。知らないほうがうまくいく可能性が高いのよ」ギュスは長い間、じっと黙《だま》ったままでいた。オクサは腕《うで》を枕に横向きにねそべって、じっとギュスを観察していた。

「それはまちがいじゃないけどな」やっとギュスが口を開いた。

「あそこに行けるのはあたししかいない」オクサがたたみかけるように言った。「すっごく重大なことがわかったけど、肝心《かんじん》なことが抜けてるよね。オーソンが何をたくらんでいるかってこと。それがわからないと、それをはばむことはできないよ」

「それは、そのとおりだ」

「ほら、そうでしょ！」

オクサはぱっと体を起こしたが、急に疑り深い目つきになった。

「だれにも言わないよね？」

「いいよ……だけど、ひとつだけ条件がある」

オクサは目をつむった。ギュスの言おうとしていることが予想できたからだ。

「ぼくもいっしょに行くよ！」


オクサの決意は固かったが、ギュスのほうも譲《ゆず》らなかった。オクサはギュスを何とかしてあきらめさせようと何時間も説得した。

「だって〈浮遊術《ふゆう》〉ができないじゃない！」

「アバクムだってできないよ！　それなのに、おまえたちといっしょに行ったじゃないか。例のグラム化キャパピルをくれるだけでいいさ。彼に効くんなら、ぼくにだって効くさ！」

そう言いながら、ギュスはオクサの悲しそうな顔つきに気づいた。

「ぼくの体にはグラシューズとミュルムの血が流れているってこと、忘れてるだろ……ぼくの体がキャパピル剤に反応しないって、だれが言ったんだい？　おまえ、考え方が狭《せま》いよな、女の子みたいにさ。想像力がぜんぜんないんだよ……」

オクサはあきれた、というように目をぐるりと上に回した。

「庭で実験してみよう。それなら、はっきりするだろ」

「ギュス……」オクサは顔をしかめた。

「それにさ、ハネガエルが手を貸して、いや羽を貸してくれるんじゃないか……」と、ギュスはウインクした。

「ふん、おもしろいじゃない……キャパピルが効くとしても、あっちに着いてからもすごく危険だよ。だって……超《ちょう》能力がないし……」

「だからどうなんだい？　ぼくには頭があるさ！　頭の使い方を知ってることを前に証明したよな？　何考えてんだよ？　何かができるのはおまえ一人だと思ってるのか？　おまえがグラシューズでも、へましたことがあったじゃないか。それを思い出させてやったほうがいいかい？」

オクサは脅し、理屈《りくつ》、約束など、あらゆる方法で説得しようとした。

しかし、ギュスはあきらめなかった。「ぼくは、いつものけ者にされてきた……」

結局、オクサは譲らざるをえなかった。自分でも意外なことに、心の底ではうれしかったのだ。

「あたしの親はかんかんに怒るよ……」

「当たり前だよ！　それはぼくがいっしょに行っても行かなくても同じだろ」


翌日、オクサはひどい一日を過ごした。熱にうかされたような状態だったうえに、フォルダンゴの心配そうな非難がましい目を避《さ》けながら、こっそりとギュスといくつかの作戦を立てなければいけなかった。ただ、さりげなくというのはオクサの得意とするところではない。

「オクサ、元気？」

「うん、ママ。元気だよ！」

「なんか落ち着かないみたいだけど」

「ふうっ。いろんなことがあったし、いろんなことがわかったから、頭がごちゃごちゃになってるんだよね」

「わかるわ……ちょっとこっちに来てごらん」

ドヴィナイユ二羽を揺すってあやしているソファに誘われた。少し離れたところでは、パヴェルが料理をしながら、最も大事な二人の女性に感動したような――同時に、心配そうな――視線をちらりと投げかけた。

オクサは母親に寄りそった。以前のように、母親の髪からやわらかい香水の匂《にお》いがただよった。たしか、バーベナ系だったはず……。とつぜん、心を引《ひ》き裂《さ》かれるような郷愁《きょうしゅう》におそわれた。子ども時代は完全に終わった。そして、数時間後には、これまでの人生でいちばん自立した行動を起こそうとしている。そのことをいま、あらためて実感したのだ。母親の懐《なつ》かしい匂いにつられて、一瞬、オクサは何もかも打ち明けそうになった。

そうなんだ。自分の周りの大事な人たちの存在は、自分の行為《こうい》や、その行為の実現に影響《えいきょう》をあたえる。ヒーローの多くが孤児《こじ》や孤独な人であることは偶然ではないのだ……。

「愛してる、ママ」

マリーは驚くほど優しくオクサを抱《だ》きしめた。

「わたしもよ、オクサ、わたしもよ」と、ささやいた。

オクサの鼻がつんとした。わきあがる涙を押しもどそうとまばたきをし、手首の周りを波打っているキュルビッタ・ペトの動きに合わせて呼吸を整えようとした。

子ども時代は過ぎ去ったかもしれないが、心の絆《きずな》は永遠だ。

49　遠征《えんせい》

ママ、パパ、アバクム、みんなへ

みんながこの手紙を読むころには、ギュスとあたしはもう、みんなのそばにいないでしょう。でも、ぜったいに心配しないでね！　危険な目にあわないことを約束します。

理由は説明できないけれど、あたしたちは何時間か留守にします。でも、帰ってきたら全部話しますから、ね。

あたしたちのすることは、みんなのため、〈外界〉のため、エデフィアのためです。

あたしが、もう大人で強いんだということを忘れないで。正真正銘《しょうしんしょうめい》のポロック家の一員で、本物のグラシューズだということも。

あたしがみんなを愛していることも忘れないで。

じゃあ、あとでね。

オクサ

オクサはこのメッセージをサロンのテーブルのよく見えるところに置いて、ギュスをちらりと見た。決心はにぶっていないようだ。すっかり顔色を失ったフォルダンゴがおろおろと見守るなか、二人は無意識に手をつないで出ていった。

グラム化キャパピルを飲んだギュスを背負って浮遊《ふゆう》する実験は、アバクムの家の住人たちにあやしまれるので事前にできなかった。醗酵《はっこう》したブドウの味がするこのキャパピルが、どれくらいの時間、効果を保つかもわからずに、闇夜《やみよ》を飛ばなければならない。

「言っとくけど、何分かして効果がなくなったら、アバクムの家に連れて帰るからね。ハネガエルの助けがあったとしても、二千キロメートルも背負っていくなんてとんでもないんだから」と、オクサがぶつくさ言った。

「大げさに言うなよ……たったの千九百九十八キロメートルだろ！」ギュスはオクサの言葉を訂正してから、キャパピル剤がうまく効くようにと心のなかで祈った。

「そうやって、偉《えら》そうにしてたらいいよ。そのグラム化キャパピルを手に入れるために、どんなに知恵をしぼったか……」

ギュスは思わずほほえんだ。知恵をしぼったどころか、アバクムのグラノック学実験室のストックから単に盗んだだけじゃないかと言い返しそうになった。だが、ギュスはなんとかこらえた。オクサはずいぶん成長したけれど、まだ大人というわけではない。


オクサの心配は無用だった。三十分ごとに飲んだグラム化キャパピルはうまく効いた。ギュスがふつうの体重にもどりそうになるとすぐに、オクサはそのことをギュスに知らせた。

「ちょっと体重が増えたんじゃないの？」アイルランドの海岸を過ぎたころに、オクサはギュスをからかった。

「それって、グラシューーズ独特のユーモアなのか？」ギュスはわざとまじめな顔をして言い返した。

新たな任務をさずかってうれしくてたまらないガナリこぼしは、偵察《ていさつ》隊のように二人の前を飛び、進むにつれてさまざまな情報を教えてくれた。気温、高度、速度といったいつもの情報に加え、海水の塩分含有《がんゆう》率や海中の岩の成分といった、意味があるのかないのかわからないデータもあった。そういう数字はあまり役には立たないが、ガナリこぼしがあんまり熱心なので、オクサもギュスもしゃべらずに体力をキープしておいたほうがいいとは言えなかった。

「まあ、喜んでやってくれてるんだから、仕方ないよね！」オクサはため息をついた。

「本気で言ってるのか？　好奇心《こうき》っていうものがないんだな……海水にマグネシウムや炭素がふくまれているなんて、おもしろいじゃないか！　炭素だなんて……おまえにはよくわかってないかもしれないけど」

背中でギュスが吹き出すのがわかった。できるものなら、ひじ鉄を食らわせてやるのに。

「静かにしててよ。そうじゃないと、うんと高度を上げるよ。あっという間に凍っちゃうから」

「了解しました！」

ギュスはオクサにつかまった手に力を入れた。

「それでも、海水のなかに炭素があるんだよな……そうさ！　偉いグラシューズ様のお言葉でも、それは変えられないよな」

今度はオクサのほうが吹き出さずにはいられなかった。ギュスは元気いっぱいなだけでなく、愉《ゆ》快《かい》な旅の仲間だ。オクサの父親と同じように、困難な状況《じょうきょう》をじょうだんにしてしまうのがうまい。あるいは、それは正真正銘の〈逃げおおせた人〉の典型的な長所なのかもしれない。ギュスはずっと前から〈逃げおおせた人〉の一員だったのだ。

石油プラットフォームに近づいたとガナリこぼしが告げたのは、現地時間で夜の十一時だった。オクサとギュスは体がこわばってくるのを感じた。これから二人を待ち受けているものに比べれば、大洋を越えてきた長旅なんて、たいしたことではなかったと思った。

風はそれほど強くなく、海の波は荒《あら》いといっても、荒《あ》れ狂《くる》っているほどでもない。水平線すら飲みこんだような闇夜に、オーソンの秘密基地は遠く、ぼんやりとしか見えなかった。ちらちらと揺《ゆ》れる明かりのせいか、石油プラットフォーム〈サラマンダー〉はきらきら光る海獣《かいじゅう》のようだ。

オクサは宙に浮いたまま止まった。レーダー――プラットフォームにはきっと装備されているはずだ――に察知されないようにするためだ。二手に分かれて近づくことにした。オクサは海中から、ギュスは、役に立ちたくてうずうずしているハネガエルに運んでもらう。レーダーはギュスを鳥の群れだととらえるだろうし、オクサのことは魚の群れだと見てくれるだろう。

「ぼくはほとんど重さがなくなるし、おまえはイルカになるんだって！」体は小さいけれども力のある空飛ぶカエルにつかまれたギュスがオクサにささやいた。「ぼくを驚かすために、まだやってないことなんてあるのか？」

「とっておきのものがあるから、安心して……」

二人は慎重《しんちょう》に進んだ。ギュスはオクサの頭上を波が立てる泡すれすれに飛んだので、服にときどき泡の塊《かたまり》が飛び散った。

「プラットフォームは百十二メートル先です」と、ガナリこぼしが告げた。「百十、百八……」

「ありがとう、ガナリ」息を吸いこむために水から頭を出したオクサがさえぎった。「おまえは……親切だね」と、つけ加えることも忘れなかった。

巨大な鋼材の構造物までの最後の数メートルは、オクサは浮遊して行った。すでにギュスはハネガエルに運ばれて、プラットフォームを支える柱のてっぺんにいた。二人はそこにしばらく座っていた。思ったより緊張《きんちょう》している。荒々しい自然のなかの異物である支柱に波がぶつかり、海がうなっている。二人が見上げると、プラットフォームの上のほうに向かって複雑に組み合わさった柱や梁《はり》がえんえんと続いている。

「だいじょうぶ？　図面は覚えている？」オクサがささやいた。

ギュスはうなずいた。

「わかった。じゃあ、行こうか」

オクサが一歩踏み出した。だが、それより先に進む前に、ギュスがオクサの腕《うで》をつかんだ。

「だいじょうぶ？」オクサは心配そうにたずねた。

答える代わりに、ギュスはオクサにキスした。

急いでぎこちないキスだったが、愛情にあふれていた。


これから、すべてが始まるのだ。

50　ひそかな襲撃《しゅうげき》

ガナリこぼしの情報に基づいてオクサとギュスがこっそりとえがいた図面は、すぐに役立った。縦横に複雑に交差した柱や梁《はり》のジャングルジムから抜け出すには、狭《せま》くてのぼりにくいうえに、ひどく長いはしごをのぼらなければならなかった。

のぼりきるとプラットフォームの一階にあたる場所に出るはずだ。湿気《しっけ》ではしごがすべりやすくなっているため、二人は慎重《しんちょう》にのぼっていった。一階レベルに出ると、錆《さ》びた扉《とびら》を目指して、鋼鉄の柱と壁すれすれに進んだ。この高さになると風がかなり強く、プラットフォームを構成しているあらゆる部分が積み木をくずすようにばらばらに吹き飛ばされそうに思えた。

ガナリこぼしが防犯カメラのないことを確認してくれていた。オクサとギュスは見張りや防犯装置など不要だといわんばかりのオーソンのおごりに賭《か》けることにした。

「古びて使われなくなった石油プラットフォームまで、あの天才を追い出しに行こうなんて考える賢《かしこ》い人は、あたしたちくらいよね？」出発前の午後にオクサは皮肉を言ったのだった。

「うん、でも、あいつがすごい誇大妄想狂《こだいもうそうきょう》だってことを忘れちゃいけないよ」と、そのときギュスは答えたのだ。

オクサは人差し指を回しただけで扉をあけると、ギュスといっしょに建物の中に忍《しの》び足《あし》で入った。二人は数秒間待った。警報機も鳴らないし、武器を手にした警備員もあらわれず、骸骨《がいこつ》コウモリをはじめとする恐ろしい虫の群れもおそってこなかった。それから、二人は上の階に行く階段まで進んだ。

常夜灯《じょうやとう》の気味の悪い緑色の光が二階の通路を照らし、両側に鋼鉄で補強された扉が並んでいるのが見える。ガナリこぼしが言っていた武器庫だ。オクサはミサイルや魚雷《ぎょらい》が世界のあちこちに向けて発射され、世界が大混乱に陥《おちい》り、ひょっとしたら世界が終わってしまうかもしれないことを想像してぶるっと震《ふる》えた。「そんなことにならないように、あたしはここにいるんだ」と、心の中で自分に言い聞かせ、気持ちを静めて自分を励《はげ》まそうとした。とてつもない責任だ……。

ギュスが三階に上がろうと合図したとき、上のほうから物音や話し声が聞こえてきた。食器がぶつかり合う音や、はっきりとは聞こえないけれど人の声のようだ。オクサは〈ささやきセンサー〉を全開にして聞き耳を立てた。

「ジェームス、もう寝《ね》ろよ。疲れてるんだろ」

「あとはやってくれるのかい。本当にいいのか?」

「だいじょうぶだよ。それに、もうほとんど終わりかけているしな」

「じゃあ、明日な」

「うん、また明日!」

足音が三階の通路にひびき、やがて遠ざかっていった。オクサが何かをささやくと、ガナリこぼしは偵察《ていさつ》に行ってもどってきて、オクサとギュスに耳打ちした。

「男が一人、キッチンにいます。二十八歳《さい》です。この階でまだ起きているのは、その男だけです。男八人、女四人の合計十二人がこの廊下の南西および南東の端《はし》にある十の寝室《しんしつ》で眠《ねむ》っています」

「カンペキ! さあ、行こう」オクサがひそひそ声で言った。

オクサが先頭に立った。むだだとは思ったが、息を止めた。とつぜん、らせん階段のとちゅうの一段がきしんだ。オクサははっとして立ち止まった。恐怖で耳鳴りがしてきた。鉄の階段のきしむ音くらいで、オーソンの仲間が襲ってくるはずはないのに……。

「うまくやるためには、もっと気をしっかり持たないと!」オクサは心の中で自分をしかった。どきどきしながらオクサは進んだ。ギュスもすぐあとについてきた。

その男は、あまりふつうではない人間に自分が雇《やと》われていることは知っていた。雇い主が飛んだり、離れたところから物を動かしたり、仲間を「手荒《てあら》くあつかったり」するとき、男は何も見なかったふりをし、何も言わなかった。つねにひかえめにして服従することが、ここでの仕事の必須《ひっす》条件だった。それがここで生き延びるための約束事だと理解するのに、さほど時間はかからなかった。

エレガントで上品そうなその男は、高級ホテルのコンシェルジュだった。詐欺《さぎ》と宝石泥棒《どろぼう》の罪で国際警察インターポールに逮捕《たいほ》されるまで、世界中の最も美しい都市で働いてきた。被害《ひがい》にあった人たちの莫大《ばくだい》な財産を考えれば、取るに足らない犯罪だ……。裁判の様子や長年かけて築いた財産が暴露《ばくろ》されると、メディアは大騒《おおさわ》ぎした。大げさな……と男は思った。たかが二千万ドルじゃないか……。

それだけのものを手に入れるために、どれほどの苦労をしたか、だれもわかってくれなかった。美しいものだけを愛する特別な人間とは見てくれなかった。

しかし、指導者オーソンだけはちがった。彼は、男が送られた劣悪《れつあく》なペリカンベイ刑務所《けいむしょ》から助け出してくれたのだ。

地獄《じごく》のような刑務所に収容され、生き延びる可能性はほとんどなかった。だから指導者の「援助《えんじょ》」は、沈黙《ちんもく》と目をつむるという約束に十分に見合うものだった。

男がふり返るとキッチンの入り口に二人の若者がいることに気づいた。しかし、驚きのあまり、動けなかった。男は〈サラマンダー〉に暮らす人を全員知っていたが、この二人は知らない顔だ。策略《さくりゃく》と器用さがとりえの男はアクションには向いていない。それで男は重ねた皿を両手に持ったまま固まってしまったのだ。すぐにオクサの発した〈ツタ網弾《あみだん》〉でしばり上げられ、男は皿から手を離《はな》した。重そうな陶器《とうき》の皿が床のタイルに落ちればものすごい音を立てて割れるだろうと思い、オクサはとっさに〈磁気術〉を使った——「自分の影よりすばやく〈磁気術〉を使う女の子」と、ギュスがあとで賞賛したほど機敏《きびん》な反応だった。皿はフリスビーのように宙を飛んでいき、次々と調理台の上に重なった。男はぼうぜんとそれを見ていた。

オクサはいやいやながら〈口封《ふう》じ弾〉を放った。何匹かの大きな虫の足が男のくちびるに食いこみ、声が一切もれないようにした。

「ほら、ここに入れとけばいいよ！」と、オクサが提案した。

二人は動けない男を一つのドアにひきずっていった。ドアをあけると、そこはランドリールームだった。

「ちょうどよかった！」ギュスがうれしそうに言った。「オーダーメイドの制服が選べそうだ！」

ギュスはそこにかかっているたくさんの服を物色した。全部が同じ型で真っ黒だ。〈サラマンダー〉という名前だけが赤で入っている。分厚い布地のズボン、長袖《ながそで》のTシャツ、タートルネックのセーター、ピーコート、毛糸の帽子、短いブーツだ。ギュスは自分のサイズに合うものを一つずつ選んで身につけた。やる気満々のようだ。

ランドリールームを出るとき、オクサはギュスをながめてから、しばられて口を封じられた男をちらりと見た。

「ぴったりじゃない！　本物の反逆者《フェロン》みたい」

それから、オクサはカモフラじゃくしにおおわれて見えなくなった。

「おまえがどこにいるか、どうやったらわかるんだい?」と、急に不安になったギュスがたずねた。

すると、とつぜん、オクサの片手があらわれたので、ギュスは安心して、笑顔を浮かべた。

「アダムス・ファミリーの〝ハンド〟みたいだな!」

オクサの愉快《ゆかい》そうな顔は見られなかったが、ギュスは手をにぎられるのを感じた。オクサは声が聞こえるように口の部分だけおおいから出した。

「ほら……ふざけるのはおしまい。オーソンの部屋を見つけなきゃ」

完璧《かんぺき》に建物の内部を調べていたガナリこぼしは、オーソンの部屋の場所を正確に教えてくれた。五階の医学実験室とコンピュータールームの間だ。

ガナリこぼしによると、オーソンの部屋には窓がなく、強化された壁はマジックミラーでおおわれているため、他の部屋の様子が見えるようになっているらしい。プラットフォームの中心に隠された司令室のようなものだ。

51 危険もかえりみず

〈サラマンダー〉の中枢《ちゅうすう》であるその階は、残念なことに厳重な警備システムが敷かれていた。オクサはおなじみの敵を見て、いやな気分になった。腹が青い空飛ぶ毛虫だ。十匹ほどがオーソンの部屋の手前の通路にある気密ドアの前を見張っていた。

「このあたりからは面倒《めんどう》なことになりそう……」オクサはため息をついた。

ギュスはオクサの見えている部分のほうを向いた。片手と口だけが宙に浮いている。

「あのへんな虫はなんなんだ？」

「ヴィジラントよ」オクサが答えた。「気をつけて！　刺《さ》されたら、すごい痛みがおそってきて動けなくなるの。想像できるでしょ」

「サイコー……。ひょっとして、あいつらを……殺すことはできないのか？」

「ここから先は立ち入り禁止です！」いちばん大きいヴィジラントが鼻にかかった声で警告した。

「自分の部屋にもどりなさい」

小さな虫が大声をひびかせたことにびっくりしたギュスは、青くなって、とっさにセーターのネック部分を引き上げて顔を半分隠した。とがった体毛が自分たちのほうに向けられているのがわかると、オクサの迷いは吹っ飛んだ。見えているほうの手から火の玉がいくつも飛んでいき、燃える隕石《いんせき》のようにヴィジラントの群れの上に降った。空飛ぶ毛虫たちはあっという間に灰になり、しばらく宙にとどまってからゆっくりと落ちていった。床に黒く細かい灰が散らばった。

「おまえがこれをするの、好きなんだよなあ」ギュスがつぶやいた。

「ガナリ、ほかにもこういう難しい場所がありそうなの？」と、オクサがたずねた。

通気口を使った偵察《ていさつ》からもどってきたばかりで、まだ息の荒《あら》いガナリこぼしはオクサの手のひらにとまった。

「気密ドアと通路はもうこれでだいじょうぶですが、オーソンの部屋には現在、五匹の骸骨コウモリがいます」

「やっぱり……うまく行きすぎだと思ったんだよな」ギュスは不安そうにつぶやいた。

「だいじょうぶ。もっとひどい目にあったこともあるじゃない」オクサがなぐさめた。

オクサが簡単にあけた気密ドアまで、ギュスはおそるおそるだが気丈《きじょう》にもついてきた。そこを抜けて向こう側に出ると、ストロボのようなまぶしい光を浴びせられた。しばらくすると、その絶え間ないフラッシュのような光が脳に作用して、平衡《へいこう》感覚がおかしくなってきた。目をしっかり閉じても、光が感じられるのだ。強力な光に皮膚《ひふ》や体が突き刺されるみたいだ。

「これって、すごい威力《いりょく》よ！」どうすることもできないオクサはうめき声をあげた。

二人はふらふらになりながら、手さぐりで壁に近づき、最初のドアに向かって進んだ。

何度か試したあと、オクサはあきらめた。

「入れない！」

「そうか……」

「ドアを抜けて、内側からあけるよ」

ギュスがオクサの手をつかんだ。

「ここに、みじめなぼくを置いていかないでくれよ」

オクサはいらいらしたように口をゆがめた。

「置き去りにしたことなんかないし、だいたい、どこが『みじめ』なのよ！」

オクサはギュスの手をふりほどくと、カモフラじゃくしをクラッシュ・グラノックの中に呼びもどし、ドアのほうを向いた。だが、ドアを通り抜ける前にくるりとふり返ってギュスに声をかけた。

「たのむから、いまはあたしをいらいらさせないで」

そして、オクサはあっという間に頑丈《がんじょう》なドアにめりこんでいった。

ドアの向うは真っ暗だった。目がなれるまで、オクサの心臓は早鐘《はやがね》のように打っていたので胸が痛くなってきた。やっと少しものが見えてくると、心臓が止まりそうになった。五組の赤い目がじっと自分を見つめている。すぐ近くで。ほんのすぐ近くで。

怒りと恐怖から、オクサはとっさにノック・パンチをめったやたらに放った。それで起こった騒《さわ》がしさはよけいなことだったけれど。

グラノックの力で
殻《から》を破れ
わたしは発光ダコを呼び出す
足で照らしてくれるように

十一本の足をもった発光ダコがクラッシュ・グラノックから出てきてオクサの肩《かた》にのった。オクサの激しい攻撃《こうげき》で、骸骨《がいこつ》コウモリは部屋の反対側にたたきつけられていた。羽は大きく開き、無数のするどい歯を見せて口はだらりとあいていた。椅子や書類、パソコンのマウスなど家具や物もひっくり返っていた。部屋をめちゃめちゃにしたことにはかまわず、オクサは内部をさっと見回し、ドアを開ける作業に取りかかった。意気ごみだけは立派だったが、ギュスはドアの向こう側でびくびくしているにちがいない。早くしなければいけない。

二つの錠前《じょうまえ》は頑丈そうだが、ごくふつうのタイプだった。外側からは鍵《かぎ》――緑色のナメクジだ――で開き、内側からはノブを回せば簡単に開く。

「ギュス」オクサは少しだけあけたドアのすき間から顔を出してギュスを呼んだ。「いいよ。入れるよ！」

ストロボのような光にぼうっとしていたギュスは急いで入った。ガナリこぼしもあとに続いた。

「何してたんだよ？」目が暗さに慣れるにしたがって、部屋が荒らされていることに気づいたギュスがたずねた。

「熱心なお出迎えに応えるために、できるかぎりのことをやったの」オクサは、ノック・パンチの衝撃からまだ立ち直れないらしい骸骨コウモリを指して答えた。

「なるほど……」

「さて、何から始める？」

「パソコン？」

「グラシューズ様とご友人の方」ガナリが口をはさんだ。「まずは部屋を片づけなければなりません。反逆者《フェロン》オーソンが接近しています。この部屋への到着は三分三十四秒と見積もられます。三分三十三秒……三分三十二秒……」

あわてたオクサとギュスはノック・パンチで吹っ飛んだものをすぐに片づけ始めた。不安が急にふくらんできて、逃げ出したい気分だ。しかし、黙《だま》ったまままちらりと視線を交わした二人は同じことを考えていた。書類やコンピューターのハードディスクを調べるよりも、この部屋に残るほうが役立つ情報を得られる可能性が高いだろうと。

「これ以上のチャンスはない……」と、オクサは心の中でつぶやいた。ギュスのほうは、「ちょっと怖《こわ》いからって、すぐ逃げ出すためにここまで来たんじゃない」と何度も自分に言い聞かせた。

「二分四十三秒……二分四十一秒」不安をあおるガナリのカウントダウンは続く。

床では五匹の骸骨コウモリが意識を回復しつつあった。ぬかるみの中を歩く靴のように湿《しめ》った音を立てて羽がにぶく動き出していた。オクサは二匹をデスクの上におき、残りの三匹は山のような書類――中身を見たくてたまらなかった――の重みでたわんでいる棚の端《はし》に置いた。

「オクサ、ぼくはあそこに隠れるよ」ギュスは引き戸になった造りつけのクローゼットを指さした。

そこにあふれている箱の間にギュスはしゃがみこんだ。オクサは箱をいくつか移動させてギュスを隠してやった。二人は熱い視線をさっと交わした。それから、クローゼットから出て引き戸を閉めたが、わざと少しだけすき間を残しておいた。

「心配しないで。まずいことになっても、必要なものはここにあるから」と、オクサは肩にななめがけしたポシェットをぽんぽんとたたいた。

「そんなことにならなきゃいいけど……」

「あたし、〈まっ消弾《だん》〉持ってるの」

ギュスは急に真剣《しんけん》な顔になった。

「オーソンのことを片づけてしまいたいっていう気持ちはよくわかるよ。でも、オクサ、それはしないでくれよ。敵地にいるっていうことを忘れるな。すぐにやられてしまうよ」

「三十九秒……三十八秒……」ガナリのカウントダウンは続く。

「あいつのために死ぬなんていやだよ！」

「わかってる、ギュス。約束するよ」

「二十秒……十九秒……」

「ガナリ、こっちにおいで！」オクサは発光ダコをクラッシュ・グラノックにしまいながら言った。

クラッシュ・グラノック
殻を破れ
おまえの存在を無にする
カモフラじゃくしを解放せよ

オクサがぴちぴちはねるカモフラじゃくしで頭のてっぺんからつま先までおおわれるとすぐに、通路から話し声が聞こえてきた。すぐにわかった、オーソンの声だ。

彼一人ではない。

姿が見えないのだから、オクサは部屋の真ん中に立っていてもよかったのだが、とっさに部屋のすみに移動した。ひざを抱《かか》えて座り、あごをひざに乗せるという自分が安心できるポーズをとった。それから、ギュスが隠れているクローゼットをちらりとみた。ギュスの心臓も自分のと同じようにどきどきしているにちがいない。

不思議なことに、最後の何秒かはゆっくりと過ぎていくような気がした。まるで時間が引き延ばされたように。

そして、錠前が動き、ドアが大きく開いた。そこから入ってくるストロボのような光に、四人のシルエットが次々と浮かんだ。ドアが閉まると同時に、天井《てんじょう》の電気がついた。

オーソンは部屋をぐるりと見回した。骸骨コウモリに視線がとまった。オクサははっとした。しかも、パソコンのマウスが床に落ちているのに気づいたから、なおさらだ。拾って元にもどしておくのを忘れたのだ！　カモフラじゃくしは非常に役に立つものだけれど、実際の行動を起こすことができないという欠点がある。オクサはだれにも何もされないが、彼女のほうも何もできないのだ。マウスのせいでばれないことを祈るしかない。

オーソンは、つやつやした羽をだらりと広げ、眠《ねむ》りから覚めたばかりのように伸びをしている骸骨コウモリを見つめていた。それから、無表情に部屋の様子を観察した。電灯の光にてかてか光るスキンヘッドが完璧《かんぺき》な球形にみえる。

「座ってくれ」低いテーブルをぐるりと囲む革製の椅子を指して言った。

グレゴールとマルクス・オルセンがオーソンの両どなりに黙って座った。この集まりの四人目のメンバーはどの椅子に座るか迷っているようだった。

急にいろいろな感情がどっと押し寄せてきて、オクサは後ろの壁によりかかった。

オクサはテュグデュアルの真正面にいた。

テュグデュアル。

前よりいっそう冷酷《れいこく》そうで、謎めいていて、そして魅力《みりょく》的だ。

52　新たな情報

テュグデュアルは死んではいなかった。

当然だ。

オクサやギュスをはじめとして〈逃げおおせた人〉たちは、だれ一人として彼が死んだとは思っていなかった。一方、世界中の人は彼がナイアガラの滝《たき》に跳《と》びこんで自殺したと信じていた。たとえ、遺体が発見されていなくてもだ。

「これまでのところは、すべて順調だ！」オーソンが口火をきった。

オクサから横顔が見える。じっくりと観察するにはいいチャンスだ。

あれから時間がたっているが、オーソンはまったく変わっていないようだ。オクサの親しい人たちはみんな歳《とし》をとったのに。アバクム、両親、それにもっと若いゾエやクッカですら……だれ一人例外ではない。だが、オーソンだけは別だ。年月がたち、つらいことがあっても歳をとらないのだ。まるで、若いころがなかったかのように。そして、決して老人にならないかのように。

堂々とし、渋《しぶ》い優雅《ゆうが》さをかもし出すひどくやせた体も、恐ろしいほどのパワーを秘めた雰囲気も失っていない。両手を前で組み、ひじかけに腕《うで》を乗せ、脚《あし》を組んだ姿はオクサがずっと前から知っているかたくなな印象そのままだった。しかも、その表情と目つきには誇大妄想狂《こだいもうそうきょう》の限りない自信があらわれている。

「では、われわれの買い物についてはどうかね?」と、オーソンがたずねた。

グレゴールはタッチパネルをひざの上にのせ、画面を指で操作した。

「お父さんは世界中の麦、米、砂糖、カカオの半分を所有しています。条件をのんだ人たちは次の収穫《しゅうかく》をお父さんにわたすことを約束しています。まだ何人かは交渉《こうしょう》しないといけませんが、あと二週間ほどでかたがつくでしょう」

「この世界では金ほど雄弁《ゆうべん》なものはないな!」オーソンは皮肉っぽいしかめ面をつくって言った。「金に抵抗《ていこう》できる人間がほとんどいないことには、いつも驚かされる。グレゴール、その調子でやってくれ」

「大豆も、じゃがいもも、オーツ麦も一グラムとしてお父さんのものでないものはありません。それに、あと数時間でサトウキビとトウモロコシも世界中の備蓄《びちく》がお父さんのものになるでしょう」

オーソンは大きな笑い声を立てた。

「燃料を製造するために食糧《しょくりょう》を使うことを考えたやつらはいいきみだ! 何十億という人間が食べるものがなくて腹をすかしているというのに、収穫した膨大《ぼうだい》な食糧をあのみっともない車に費やすなど、道理にかなったことかね?」

とつぜん、オーソンの表情がくもった。

「わたしが前にいた世界では、つねに重要なことを優先するという感覚にすぐれていた。こんなばかげた事態に陥《おちい》ることは決してなかった」

マルクス・オルセンがうなずいた。だがテュグデュアルはというと、オーソンの話を聞いてすらいないようだ。視線が宙をただよっていた。とつぜん、その視線が、あるべき場所でないところにおかれたマウスに向けられた。彼がはっとするのがオクサにはわかった。テュグデュアルはゆっくりと人差し指を動かし、マウスを床から浮かせてデスクの上にもどした。だれも気づいていない。気絶しそうになったオクサを除いては……。それだけではなかった。テュグデュアルは、ほとんど息すら止めているオクサがいるあたりをじっと見つめていた。彼の冷たい目は疑わしそうに細まり、オクサのいるほうに釘《くぎ》づけになっている。しかも、ほとんどわからないくらいだが、悲しそうに顔をゆがめている。

あたしがここにいることがわかるのだろうか？　見えるのだろうか？

それとも、あたしが心の底でそう望んでいるから、そう見えるだけなんだろうか？

グレゴールの声に、オクサの思いは現実に引きもどされた。

「金属類については、どんな市場も揺《ゆ》さぶることができるだけの鉄や銅や鉛《なまり》をお父さんは所有しています。また、ゴムと綿の最後の備蓄がついさっき、お父さんのストックに追加されました」

ギュスはクローゼットの中、オクサはカモフラじゃくしに包まれて、二人はそれぞれの隠れ場所でびっくりしていた。ここ数ヵ月の商品取引の混乱の原因がオーソンだとは予想していた。だが、世界がうまく機能するため、いや、それ以上に世界が生き残るために必要な一次産品を彼が独占《どくせん》しているというのは、いい知らせではない。

「すばらしい！」世界の支配者になることを夢見ている男は人差し指の先であごを軽くたたきながら言った。「購入したものをストックしておく場所は十分にあるのかな？」

「旧ソ連のいくつかの国とアフリカの十ヵ国に強い味方がいますから」と、グレゴールが答えた。

「お父さんの考えに賛同する人たちのおかげで、貯蔵能力は無限にありますよ」

「うまく隠してくれるといいがな」

「見つからないところにあります……」

「それはいい！」オーソンは喜んだ。「いまあるストックでは世界は長く生きのびることはできないだろう。そうなると、金よりも貴重になる食糧や物資を配布するのはだれだ？　パンや茶碗一杯《ちゃわんいっぱい》の米のために殺し合いが起きるのを食い止めるのはだれだ？　人類に恩恵《おんけい》をほどこすのはだれだ？」

「お父さんです」

「そのとおりだ！　黒い金、つまり原油はどうだ？」

「あの大規模な自然災害で油田の採掘《さいくつ》は大きなダメージを受け、原油の輸送もまだ元どおりになってはいません。その結果、石油の生産量が減ったため、ストックはかなり少なくなっています。お父さんがこの間、事務局長を訪問して以来、石油輸出国機構はお父さんの支配下にあります。ロシアの石油については、マフィアのセルゲイ・パナシウクとのコネクションのおかげで、あの国の石油はほとんどすべてお父さんのものになるでしょう」

「野心的なプロジェクトを進めるときには、マフィアはいつでも話のわかるパートナーだな」オーソンは偉《えら》そうな口調で言った。

「ただ、イランの仲介者《ちゅうかい》は正体を見破られました。彼は国家反逆罪で最近、死刑《しけい》を言いわたされました」

オーソンは腹立たしそうに体をゆすった。

「どうして人類を進化させようとする人間は、いつも裏切り者だと非難されるのだろう？　世界を変えようとすることは裏切りなのか？」

カモフラじゃくしの下でオクサはかっかしていた。世界を変えるって？　頭のいかれたこの男はそんなふうに考えているのか？

「あの理想主義の〈逃げおおせた人〉たちは、わたしのことを裏切り者だとみなしている。だが、その言葉を〝予見者〟とか〝パイオニア〟だとか、〝新たな世界の創設者〟と解釈《かいしゃく》するなら、わたしは裏切り者になってもいいね。いや、括弧《かっこ》付きの〈反逆者《フェロン》〉というほうがわたしにふさわしいだろう」

「まるっきりイカレてる……」オクサはうめいた。

「そのとおりだよ、オーソン」マルクスがほめ言葉をつぶやいた。

「わかってるよ、マルクス、わかってる。ところで、アメリカのほうはうまくいっているかな？」

オーソンはだしぬけにたずねた。

グレゴールは姿勢を正した。

「アメリカのストックと生産は完全に支配下にあります。正確にいえば……」と、時計を見た。

「正確には二十分前からです」

「どうしてわたしはいままで、そのことを知らなかったんだ？」オーソンはたたきつけるような口調で言い返した。

その場がしんと静まりかえり、オーソンの荒々《あらあら》しい反応が波紋《はもん》のように広がった。オクサとギュスと同じように、グレゴールとマルクスもはっと固まった。いつもは冷静なテュグデュアルですら、ひじかけに置いた両手をこわばらせ、警戒《けいかい》するような目つきになった。

この人、ホントに頭がどうかしてる、と思いながら、オクサは悲痛な面持《おもも》ちでオーソンを観察した。

思わず、グレゴールに同情しそうになったほどだ。こんな状況《じょうきょう》とはいえ、あんなふうにあつかわれるのはあんまりだ！　オーソンについてバーバラの言ったことがよみがえってきた。頑固《がんこ》で、粗暴《そぼう》で、人をさげすむ。同時に、愛情に飢《う》えていて家族を大事にする……。

この人は自分が父親にされたことと同じことを息子たちにしようとしてるんだわ！

すると、きびしかったオーソンの表情がとつぜんやわらいだ。

「それはすばらしい知らせだ！　副大統領は分別のある人間だと思っていたよ。グレゴール、おまえが教えてくれたことが、なによりの証拠《しょうこ》だ。アメリカ政府のナンバーツーが味方になったことは、今後の重要な鍵《かぎ》となるだろう」

オーソン以外の三人はオクサやギュス以上に事情を知っているわけでもないようだ。オクサとギュスをふくめた全員が、オーソンがこれから言おうとしていることを待っていた。興味深そうに待っている人と、心配そうに待っている人がいる。

「世界の首脳のいく人かは私の計画に賛同し、わたしを受け入れてくれた。もちろん、賢明《けんめい》で先見の明がある人たちだ。いまは対等の立場でも、将来わたしが指導者になるということまではわかっていないだろうがね。まあ、それはすぐにわかるだろう。だが、これまで何世紀もの間、自分たちが享受《きょうじゅ》してきた世界とは、別のタイプの世界に一刻も早く進化しなければならないことを理解できない人たちもいる。そいつらの偽《にせ》のヒューマニズムなどおしまいだ！　やつらのくだらない話などたくさんだ！　やつらの相も変わらぬ策略《さくりゃく》もたくさんだ！　やつらが望もうが望むまいが、未来を体現するのはわたしだ。わたしを無視した代償《だいしょう》が高くつくことは、じきにわかるだろう」

オーソンはそう言いながら、腕をふり回したり、眉《まゆ》をつり上げたり、ふんぞり返ったりといった芝居がかった仕草をした。目つきも誇大妄想狂の人間そのものだ。マルクスとグレゴールはうっとりと耳をかたむけ、オクサとギュスはそれぞれの場所でぼうぜんとしていた。テュグデュアルはというと、救命浮き輪につかまるように椅子にしがみついている。少なくとも、オクサにはそう感じられた。

「わたしについて来られるほど賢《かしこ》くない者もいれば、わたしがこの世界にもたらすものを無視するやつもいる」オーソンはますます激してきた。「残念ながら、そいつらはわたしのブラックリストの筆頭にくる。世界一といわれる国のトップという最高の味方を得たのだから、次の重要なステップに進むとしようか……」

オーソンはさっと立ち上がり、得意そうに胸をそらせた。

「息子たちよ、友人よ、新たな世界への扉《とびら》はいま開かれた！　未来はわたしの、そして、わたしたちのものだ！」

53　武器の選択《せんたく》

興奮のあまり、オーソンの声は上ずっていた。

ぐったりした状態から回復した骸骨《がいこつ》コウモリが、デスクの周りを飛び始めた。なかでも元気なのが一匹、扉《とびら》のすき間からギュスの隠れているクローゼットに入ろうとした。オクサはあわてた。その骸骨コウモリの動きを四人の反逆者《フェロン》があやしむ前に行動しなければならない。猶予《ゆうよ》は数秒間しかない。

気づかれる恐れはあったが、オクサは口の一部をカモフラじゃくしから出し、クローゼットに入りたがっている骸骨コウモリの注意をそらせるグラノックを発射した。この状況《じょうきょう》では、さほど目立たず、反逆者《フェロン》たちの注意を引きそうにない〈精神混乱弾《だん》〉がいちばんいいと判断した。反逆者《フェロン》たちは、骸骨コウモリのおかしな行動をせいぜいいぶかしく思うくらいだろう……。その骸骨コウモリはだらしなく口を開け、おかしなとんぼ返りをし始めた。オーソンのスキンヘッドすれすれまでいってコウモリはとつぜん飛ぶのをやめた。オーソンはわずらわしそうに手でそれをふりはらい、疑わしそうに部屋を見回した。

まさか、あたしたちがここにいることはわからないはずよね！　と、オクサは思った。オクサより危険な状態にあるギュスは反対のことを考えていた。「あいつはぼくのことを見つけるだろう……そしたら、オクサはぼくを助けようとして姿をあらわす。あいつらみんなに攻撃《こうげき》されたらおしまいだ……」

オクサは、出していた口をカモフラじゃくしで隠した。だが、オクサが座っているあたりをつねに目の端《はし》でとらえているテュグデュアルは、オクサの口が宙に浮いている奇妙な光景に気づいたかもしれない。

オクサはそれを確かめるひまがなかった。オーソンがテュグデュアルに近づいたからだ。オーソンはテュグデュアルをぐっと引き寄せ、彼にしか聞こえない小声で何かをささやいた。オクサには、オーソンの肩越《かたご》しにテュグデュアルが絶望のまなざしを宙に泳がせているように見えた。

携帯電話が振動《しんどう》し、ついで呼び出し音がひびいた。

「もしもし」携帯電話を手にしたオーソンが答えた。

表情がさも満足そうに変わる。

「それはいい！　六階のわたしが用意させた部屋にご案内しろ」

オーソンはそう言うと、携帯電話をズボンのポケットにしまい、手を打った。

「客人に会いにいかなければいけない」オーソンはドアのほうに向かった。

しかし、ドアノブに手をかけてからふり返った。

「テュグデュアル、われわれの大事な人のことはたのんだぞ」

オーソンの最後のせりふとテュグデュアルのぼんやりした目つきにオクサは震《ふる》えた。オーソンは……あたしのことを言っているんだろうか？　もしそうじゃなかったら、だれのことなんだろう？

オクサの体がこわばった。体がむずむずしてきて、カモフラじゃくしのおおいを取りはらって、すべてを終わらせるために、オーソンに〈まっ消弾〉を浴びせたかった。

そして、以前のようなふつうの生活にもどりたかった。

「はい、お父さん……」テュグデュアルの声はうつろにひびいた。

だが、もとの生活にはもどれないのだ。

もう、けっして。

オーソンの部屋は再び暗くなった。鍵《かぎ》がかかる音がし、四人の反逆者《フェロン》の足音が遠ざかっていった。

オクサとギュスの心臓の鼓動《こどう》はほぼ平常にもどった。

「グラシューズ様、この部屋にはあなた様とご友人とわたくししかおりません」ガナリこぼしが告げた。「ですが、いま、この階には人間二人と別の生き物がいます」

「だれ？」

ガナリこぼしが答える前に、ほぼ一面がマジックミラーにおおわれた壁から光が射してきた。こちらの姿は見られずに、となりのラボの様子が手に取るようにわかる。

しかし、見えないからといって、半透明《とうめい》族にオクサとギュスの存在が感じられなかったわけではない。壁にぴったりと張りついた半透明族のシルエットが逆光に浮かび上がった。


主人がパニックに陥《おちい》っているのがわかったキュルビッタ・ペトは、オクサの手首の周りでうごめき始めた。オクサがカモフラじゃくしをクラッシュ・グラノックのなかに呼びもどしたのと同時に、ギュスがクローゼットからそろりと出てきた。

「これ……なんなんだ？」ギュスはあえぐような声をあげた。

「オーソンの半透明族よ……」オクサが息もたえだえに答えた。

「ああ……」ギュスはうめいた。

半透明族の身長はせいぜい一メートル三十センチだろう。裸でいるために、そのおぞましい体が丸見えだ。青白い皮膚《ひふ》の下には黒い血管がすけて見え、胸郭《きょうかく》が異常に発達しているせいで胸の部分がふくらんでいる。ごつごつして大きなひざ、異様に大きい頭、小さくて真っ赤な口、溶《と》けたような鼻……とりわけ、何かをむさぼるように大きく開いた目がおぞましい。姿は見えないはずなのに、恋情《れんじょう》に満ちたオクサとギュスのいるほうをもの欲しそうな目でじっと見ている。

オクサとギュスにとっては都合がいいことに、オーソンの半透明族はしゃべれなかった。わずかに動物の鳴き声のようなものをもらしたが、その声は恐ろしいというよりは気味が悪いだけだった。半透明族たちが黒い舌でマジックミラーをしゃぶりつくようになめ始めると、恐怖で固まったままそれを見ているギュスの腕《うで》をオクサは揺《ゆ》すぶった。

「もうそろそろ、ここから出ないと」

ギュスは六人の半透明族からようやく目を離した。

「この状況だと、もしぼくたちがつかまったら、あいつらはサイコーに幸せだろうな」

「それに、あのタールの小瓶《こびん》が何本になるか……」オクサはうつろな声でつけ加えた。

「ほら、行こう！」

マジックミラーの向こう側では、半透明族たちがざわざわし始めた。ラボの奥から男があらわれると同時に、女の声が聞こえた。

「ポンピリウ、何かあったの？」

男は半透明族のところにやってきて、するどいブルーの目で壁のほうをさっと見た。オクサとギュスははっと息を止め、身動きできなくなった。心臓が早鐘《はやがね》のように激しく打ち出した。

「いや、なんでもない」と、男は答えた。「指導者が部屋にいることが、この大事な子たちにはわかるんだろう」

オクサはあきれたように天井《てんじょう》を見上げた。大事な子たちですって?!　この怪物《かいぶつ》たちが？

「ほらほら、かわいい子たち、ここにいてはいけないよ」

ポンピリウはそう言うと、驚くほど優しい仕草でアクリルガラス製の樽《たる》のようなもののほうに半透明族たちを連れて行った。それが彼らの寝床《ねどこ》になっているようだ。

「さあ、休まないとな」ポンピリウは一人一人の突き出た額をなでた。「おまえたちにはまだまだやってもらうことがある……わたしもたくさん仕事があるし！」と、火トカゲのマークの入った小瓶をぽんぽんと手のひらでたたいた。

オクサとギュスはぞっとして顔を見合わせた。ということは、カストラックだけではないということだろうか？

「もう十分にわかったな！」ギュスはドアのほうに向かいながらささやいた。「行こう！」

54 大事な人

ギュスが階段を下りようとすると、オクサは急にギュスを引っぱって上に行く階段に連れて行こうとした。

「上に行きたいなんて言うなよな！」

ギュスの顔は青白く、恐怖にゆがんでいた。

「オクサ、知りたいことは全部わかったし、ここまでうまく切り抜けられてラッキーだったじゃないか。まだここに残るなんて……危険な目にあうだけだよ」

オクサは小さく舌打ちした。

「おまえのゴシック系のカラスの〝大事な人〟のことが気になるんだろ？」

ギュスは悲しそうに目をそらせた。

「ギュス、情報が多ければ多いほど、あたしたちもうまく対抗《たいこう》できるんだよ！」

「その理屈《りくつ》はとんでもないな……おまえが知りたいのは、だれがおまえの代わりになったかっていうことだろ。素直に認めろよ！」

今度はオクサのほうが悲しそうにギュスを見つめた。

「勝手にそう思っててていいよ。あたしは行くからね」

結局、ギュスはオクサについていった。そうするほかなかったからだ。


「ガナリ、ちょっと教えてくれる？」

ガナリこぼしは六階の通路を端《はし》から端まで飛んでから、大急ぎでもどってきて、オクサの手のひらにとまった。

「この階には十五の部屋があり、オーソンと二人の息子と、仲間のうちの十人が使っています。各部屋は十九平方メートルで、それぞれシャワーがあるバスルームがついています。室温は……」

「テュグデュアルの部屋はどこ？」オクサはさえぎってたずねた。

「われわれのいるところから十二メートル五十センチ、つまり、ここから北北西に二十五歩のところです」

オクサの悲しそうな顔を見て、ガナリこぼしは言い直した。

「左手の四番目の部屋です、グラシューズ様」

「オクサ……やめろよ……」

オクサのグレーの目がギュスの目をのぞきこんだ。

「信じてるの？　信じてないの？」

ギュスは息を深く吸いこんだ。それから、オクサの髪をなで、自分のほうに引き寄せた。額と額を寄せ合ったあと、くちびるを重ねた。二人とも目を閉じた。

「やばいよ。ここは、ほんとにやばいよ……」ギュスは最後のキスをしてからつぶやいた。

ドアには鍵《かぎ》がかかっていなかった。二人の〝訪問者〟は急いで中に入り、ドアを後ろ手に閉めた。外の誘導灯《ゆうどう》から発する光が、その部屋と寝息《ねいき》が聞こえるベッドを照らしていた。

寝息の主はテュグデュアルではなかった。

なぜなら、テュグデュアルは三つある円窓のひとつから荒《あ》れる海をながめていたからだ。

「おまえがいたことはわかっていた」テュグデュアルはふり返らずに言った。「来ると思ってたよ」

その低くて落ち着いた声に、オクサは自分が思った以上にうろたえた。

「ギュス……二人きりにしてくれる？　おねがい……」

「とんでもない！」

「よう、ギュス」

ギュスは答えなかった。

「オクサの言うとおりにしたほうがいいぜ」テュグデュアルが続けて言った。

「ぼくはここに残る」ギュスの言い方は愛想もない代わりに乱暴でもなかった。「二人とも忘れてるかもしれないけど、ぼくには超能力《ちょう》もないし、透明人間《とうめい》になるためのオタマジャクシも持ってないんだぜ。だから通路で待つなんて問題外だ。ぼくはいないと思ってくれればいいよ」

その決意の固さを示すように、ギュスは腕組《うでぐ》みをしてドアの前に陣取《じんど》った。

「すごい危険を冒《おか》してるんだぜ、ちっちゃなグラシューズさん……」

「〝ちっちゃなグラシューズさん〟って呼ぶのはやめてよ。そんなのはもう終わったんだから」

オクサがすぐにさえぎった。

「どうしてここに来たんだ？」

「どうしてだと思う？」

テュグデュアルはやっとふり向いた。円窓のふちに腕をのせたまま、オクサを見つめた。

「ちょっと明るくしてもいいかしら？」

オクサは返事を待たずに発光ダコを呼び出した。やわらかな光に部屋が浮かび上がった。内装は豪華《ごうか》だったが、それほどいや味な感じはしはない。褐色《かっしょく》の長い髪の毛が枕に広がっていた。オクサは「大事な人」のことを聞きたくてたまらなかったが、なんとか我慢《がまん》した。それを聞けば、ギュスを傷つけることになる。

「ホント、時間をむだにしなかったみたいね」テュグデュアルに視線をもどしながら一息に言った。

「おまえもな」テュグデュアルはギュスをちらりと見てから、オクサに視線をもどした。

オクサは眉《まゆ》をひそめた。ここに来てどうしようと思ったんだろう？　何がわかると思ったんだろう？　何を期待していたんだろう？　意外なことに、口を開いたのはテュグデュアルのほうだった。

「おまえに言おうと思っていたんだ、オクサ……おまえが考えているようなことじゃない」

「あたしが何を考えてるっていうの、テュグデュアル？」

うつむいたテュグデュアルの眉のピアスがきらりと光った。

「おまえを裏切ったと思ってるだろ。みんなを裏切ったと思ってるだろ。世界で最悪の人間だと思ってるだろ。それに……」

「ちがう！　そうじゃない！」オクサはさえぎった。

オクサは息苦しくなった。足はがくがくするし、手が震《ふる》えた。キュルビッタ・ペトが主人を落ち着かせようとしきりに波打っている。

「あなたは自分でも想像できないくらい、すごくまちがってる」

オクサはテュグデュアルに近づきたかったが、何かに引き止められた。ギュスが心の中で念じているのだろうか？　それとも、単に本能だろうか？

「あなたがオーソンに操られているのはわかってる。みんな、知ってるのよ。あなたはあなたじゃない。オーソンに意思や言動を操られているのよ」

「そんなこと言ってもどうにもならないよ、オクサ……」後ろでギュスがつぶやいた。

その警告はオクサの耳には届いたが、心には届かなかった。オクサはテュグデュアルを悲しそうにじっと見つめて言った。

「自覚っていうものがなくなったのよ。それはオーソンのものだから。あなたのものは全部、オーソンの支配下にある。あなたの心も、意識も、身体も、現在も未来も。まだあなたのもので、オーソンが奪《うば》えないものは、あなたの過去と記憶だけ……」

「わかってるよ、オクサ」テュグデュアルは歯を食いしばってオクサの言葉をさえぎった。「でも、どうしようもないんだ。本当にどうすることもできないんだ」

この最後の言葉は、テュグデュアルの嘆《なげ》きのほとばしりのようだった。その言葉は残酷《ざんこく》な事実に比べるとあまりにも弱々しかった。オクサは思いがけない行動に出た。クラッシュ・グラノックを取り出して吹いたのだ。テュグデュアルはそれを見ていたが、抵抗《ていこう》しなかった。

彼は大きく目を見開いた。服従させられ、打ちひしがれた細い体が、壁をつたってずるずるとくずれ落ちた。

55 すべてを賭《か》けて

「オクサ……おまえ……何をしたんだ?」ギュスはしどろもどろになってたずねた。「おまえ……どうして?」

テュグデュアルのそばにひざまずいたオクサはふり返った。

「ちがうよ、ギュス。殺してなんかいない」オクサは落ち着いた口調で答えた。「あたしがだれかを殺さないといけないとしたら、それはこの人じゃないよ。〈記憶消しゴム〉のグラノックを当てただけだよ」

「まてよ……〈記憶消しゴム〉だって? おまえのおばあちゃんがロンドン警視庁の刑事《けいじ》に使ったものだったよな? ピーター・カーターやルーカス・ウィリアムズの死亡事件を捜査《そうさ》してた刑事にさ。それで、ぜんぜんちがう手がかりのほうに導いたんだっけ」

「そのとおり！　本物のグラシューズになったから、〈暗示術〉といっしょに使えるんだ！」

「それで……どうしようっていうんだ？」

オクサは深く息を吸いこんだ。悲しみはあるが、胸は希望であふれている。テュグデュアルを見下ろしてから、ギュスのほうを向いた。

「おまえのゴシック系カラスの頭に、そいつがまともになるようなポジティブな考えを吹きこもうっていうんだろ」ギュスは自分の問いに自分で答えた。

「結果はどうなるかわからないけど、やってみる価値はあるんじゃない？」オクサは苦しそうな声でつぶやいた。

ギュスの疑わしそうな視線を避《さ》け、オクサはテュグデュアルの上にかがんだ。

「テュグデュアル」とつぜん、震《ふる》える声が聞こえた。

ベッドに座った〝大事な人〟が恐怖のあまり、口を押さえていた。

「何をしているの？　あなたたちはだれ？」

次第に声が高くなった。すぐに叫《さけ》び出すだろう。ギュスがベッドに跳《と》び乗り、その女の子を枕の上に倒して片手で口をふさいだ。もう一つの手は人差し指を立てて自分のくちびるに当てた。しかし、パニックになった少女はあばれてギュスの顔をひっかこうとした。ギュスはどうにかこうにか彼女の腕《うで》と脚《あし》を押さえつけた。

「痛い目にあわせようというんじゃないんだ。きみにも、彼にも」

少女ははっとして動くのをやめた。オクサの口から出てくる不思議なものを見たからだ。

周りで起きていることは気にとめないようにして、オクサは自分の直感と観察力を武器に〈暗示術〉をうまくやりとげようとした。必死に気持ちを集中させると、やがて青い煙が自分の口から出ていき、テュグデュアルの右耳に入っていった。

だが、これで十分なのだろうか？　このとらえどころのない煙に、テュグデュアルの意識の奥深くに届ける言葉を混ぜ合わせるには、どうしたらいいのだろうか？

ドラゴミラならなんと言ってくれるだろうか？　アバクムならどんなアドバイスをしてくれるだろうか？　うまくエネルギーを導くこと？　自分の目標に向かって考えを集中させること？

「あなたの意思の望むところにあなたの歩みも向かう」

原理は簡単だが、実行に移すのは難しい……。

ドラゴミラが二人の刑事の記憶の一部を「変える」のを見たときとちがって、青い煙はテュグデュアルの左耳から出て行かなかった。ふと、過去の記憶がよみがえってきた。

レオミドの屋敷の裏の墓地でテュグデュアルと交わした最初の会話。

アバクムの家で生き物たちがはちゃめちゃなテーブル・フットボールをしているのをみて笑い合ったこと。

〈絵画内幽閉《ゆうへい》〉されたときのみんなの団結。

〈緑マント〉地方での再会。

兄を誇《ほこ》りに思っている小さくてかわいい天使のようなティルに注ぐ優しいまなざし。

厳しくも公平で、批判せずに愛情を注ぐナフタリとブルン。

人間の本性をつねに正確につかむフォルダンゴ。

「ご友人のクヌット家の孫息子様のお心は暗く錯綜《さくそう》しておりますが、純粋《じゅんすい》さを保持しています」と、フォルダンゴはいつも言っていた。

言葉。

音楽。


ぼくの目のなかの世界をきみに見せてあげよう

World In My Eyes /Depeche Mode

「思い出して、テュグデュアル……」と、オクサはつぶやいた。同時に青みがかった煙がいく筋も彼女の口からもれた。「前にあたしに言ったことを思い出して。『自分を従属させるものをコントロールすることができたら、人は何よりも強くなれる。それが本当の力なんだ！　自分を支配するものを支配できるようにするんだ』って言ってたよね。あなたは強いでしょ、テュグデュアル。いつもそうだったし、これからもそうでなくちゃ」

テュグデュアルの左耳からひと筋の煙が出てきた。〈暗示術〉は成功したのだ。オクサの声と言葉がテュグデュアルの意識にしみわたって通過したのだ。

だが、オーソンの影響《えいきょう》力を揺《ゆ》るがすほど強力だろうか？

ギュスの悲しそうな目と、「大事な人」のぼうぜんとしたまなざしのもと、オクサはテュグデュアルの頭を両手でかかえてじっと見つめた。テュグデュアルの目は完全な無を映し出している。死んでいるよりもっと悪い。オクサはもう一度、テュグデュアルの右耳の上にかがみこんだ。最後の煙の渦《うず》がそこに入っていった。

「自分がどんな人間になれるのか、ぜったいに忘れないで……」

そして、クラッシュ・グラノックをまた手にした。

グラノックの力で
おまえの殻《から》を破れ
消された記憶はほこりとなり
わたしがあたえた言葉を覚えるのだ

しばらくすると、テュグデュアルの意識がもどった。彼の目つきは変わっていなかったが、希望は残っているとオクサは思った。もしテュグデュアルがパソコンのマウスをもとの場所にもどさなかったら、そして、オクサがオーソンの部屋にいたことを暴いていたら、希望はまったくなかっただろう……。

「さあ、もう行けよ」

テュグデュアルはそっけなく言うと、起き上がってドアのほうに進んだ。

「送っていくよ、そのほうが安全だから」

オクサはギュスをちらりと見た。

「ぼくが放したら、この人は叫び出すよ」ギュスは自分がずっと口をふさいでいる女の子のことを言っているのだ。

少女はあきれたようにくるりと目を上に向けてから、頭を横にふった。オクサがクラッシュ・グラノックを口に当てるのを見ると、そのふり方はいっそう激しくなった。

「だいじょうぶだよ、エリナー」驚いたことに、テュグデュアルがなだめた。「彼女はおまえを殺したりしやしないよ」

オクサは呪文《じゅもん》を唱えてから息を吹きこんだ。エリナーはベッドにばったりと倒れこみ、やっと静かになった。

「〈記憶混乱弾《だん》〉よ」ギュスの問いかける視線に答えてオクサは言った。「それから、これ!」と、グラム化キャパピルを一錠《じょう》、ギュスに投げてよこした。「さあ、行こうか」

テュグデュアルはまばたきもせずにじっと二人を見つめた。

「がんばれよ、ちっちゃなグラシューズさん」とだけ言った。

それから、ギュスのほうを向いた。

「彼女のこと、よろしく」

ギュスは深い恨《うら》みと同情との間で心が揺れ、返事をするのをためらっていたが、恨みのほうが勝《まさ》ったようだ。

「うん、きみがやったよりうまくやるよ」と、言い返した。

テュグデュアルは無表情のまま、くるりと背を向けて通路に出た。二人の「訪問者」があとに続いた。オクサはギュスの腕をぐいっと引いた。

「怒ってる?」

「いいや、オクサ。ぼくにも同じことをしてくれるだろうとわかっている間は、怒ったりしないよ。

ほら、行こう……」

通路の先のほうで物音がしたので、三人ははっとして立ち止まった。引き返すにはもう遅い。オクサはすぐにカモフラじゃくしを呼び出し、テュグデュアルはギュスを壁に押しつけた。黒い服に身を固めた完全武装の反逆者《フェロン》に囲まれた五人の人間が、こちらに向かってやってくる。五人の反逆者《フェロン》のうち、一人だけは武装していない。

オーソンだ。

「テュグデュアル、息子よ、新しい仲間を紹介《しょうかい》しよう！」

ギュスはいまほど自分の中にミュルムの血が流れていると確信したいと思ったことはない。壁にめりこもうとしたが、何も起こらなかった。テュグデュアルはギュスを隠すように立っていた。緑色っぽい照明のおかげでギュスの姿があまり目立たないことを祈るばかりだ。

オクサのほうは、ギュスがまだ気づいていないものを見て絶望感におそわれていた。

「ぼくたちはあんたの仲間じゃない！」

オクサはその声を知っていた。ギュスもだ。

「メルラン・ポワカセ、きみはいつも……怒りっぽいな！」オーソンはため息まじりに言った。

「わたしの生徒だったころから、自分の意見を言いたがった。ご両親を前にしてこんなことを言うのもなんだが、分別があるとはいいがたい」反逆者《フェロン》に囲まれている二組のカップルのうちの一方に向けて言った。

メルランの視線がギュスのほうに向いた。ギュスはうつむいて、セーターのタートルネックででできるだけ顔を隠そうとしている。メルランはよく見ようと、ギュスの方向に少し顔を突き出した。危険が迫《せま》っていた。

オーソンが教師時代のことをべらべらしゃべり続けているのを幸いに、ギュスは思い切って目を上げた。メルランをじっと見つめ、渾身《こんしん》の思いをこめながら、かすかに左右に首をふった。「だめだ、メルラン、今度だけは何も言うな！」

メルランはしばらくの間、黙《だま》っていた。オクサとギュスははらはらした。

「ぼくたちをどうしようっていうんだ？」メルランはオーソンに向かってどなった。

オクサとギュスはほっと息をついた。ふうっ！　メルランはギュスの無言の願いの意味を察してくれたのだ。

「ああ、ポワカセさん、あなたたちはいわば、わたしの防護壁《へき》のようなものですな」オーソンは横柄《おうへい》な笑い声をあげた。「わたしが何もされなければ、わたしもあなたたちに何もしませんよ」

オーソンは恐怖に凍りついている二組のカップルを見つめた。

「まあまあ、ポワカセご夫妻、モンローご夫妻、わかっていただけるでしょう！　あなたがたのポロック家との関係や、あのいまいましい〈逃げおおせた人〉との間接的な関係が、わたしにとって役に立つんですよ。あの人たちがわたしのじゃまをしようというばかな考えを起こした場合はですね。さあ、こちらにいらしてください」

五人はおとなしくついていった。階段にさしかかる前に、メルランがふり返った。

通路にはもうだれもいなかった。

メルランは思わずほほえんだ。

56　状況《じょうきょう》の悪化

果てしなく長い帰り道で、最初のころわずかに口をきいたのはガナリこぼしだけだった。ガナリは首を三百六十度回して心配そうにオクサとギュスを交互《こうご》に見つめ、飛行がなるべくスムーズにいくように方角について指示するだけにとどめた。

夜明けころにウェールズの海岸が見えてきたとき、やっとオクサとギュスは視線を交わした。

「だいじょうぶかい、オクサ？」ギュスは心底心配そうにたずねた。

ハネガエルの小さな足につかまれたギュスはわりと元気そうだったが、オクサのほうはぐったりしていた。肉体的な疲労だけが理由ではないことが、ギュスにはわかっていた。

「ニアルになんて言おうか？」

ギュスは答えられなかった。それが、オクサの第一の心配事だ……。もちろん、オーソンの計画やテュグデュアルの状態などオクサたちが見聞きしたことや、アバクムの家に帰ったときにひどく怒られるだろうこともオクサの心を重くしていた。しかし、ニアルが知らせを聞いて悲しむだろうことにも悩《なや》んでいた。ギュスは首を回してオクサの横顔を見た。髪は風になびき、顔はつらそうだった。彼女は欠点も多いし、腹の立つことも多い。でも、善意にあふれていることはまちがいない。

こうしてオクサをしげしげと観察しながら、ギュスは彼女に対する尊敬と愛情がさらに深まるのを感じた。

「世界を支配しようとしている誇大妄想狂《こだいもうそうきょう》のために両親が人間の盾《たて》にされてるって、どうやって友だちに説明したらいい？」

「わからないよ、オクサ」

二人はもやのなかに突入《とつにゅう》した。

「なるべく正直に言ったほうがいいと思う。何も隠さないでさ」ギュスは思い直して答えた。

「あたしもそう思う」

オクサはそう言うと、ギュスに近づいて彼の手の中に自分の手をすべりこませた。オクサは悲しそうだ。

「でも、偵察《ていさつ》はうまくいったよね？」

「うん、ホントにうまくいったよ……ホントに」

フォルダンゴは空をにらみつけるようにして野菜畑で待っていた。フォルダンゴがさっと家のほうに走り出したとき、オクサとギュスはこれから面倒《めんどう》なことが始まる、ということがわかった。二人はゆっくりと空から下りていった。これから起きることはだいたい想像がつく。

「引き返す？」父親を先頭にみんなが畑に出てくるのを見てとると、オクサはつぶやいた。

ギュスはオクサにほほえみかけた。オクサがそんなことはまったく考えていないこともわかっている。

「怒られるよね……」

「そうだな……」ギュスはため息をついた。

いちばんにオクサのところに駆け寄って抱《だ》きしめたのはマリーだ。

「オクサ！　心配させて！　もうあなたに会えないんじゃないかと思ったわ」

マリーは涙を流していた。

ギュスもすぐにみんなの抱擁《ほうよう》の嵐にあった。まずはアバクム、そしてクッカだ。クッカはギュスに対する愛情を大っぴらにあらわせることに大満足なようだ。

フォルダンゴと生き物たちもやってきた。

「グラシューズ様とその愛するお方は、膨大《ぼうだい》な心配を発展させた人たちとの再会を知りました！」フォルダンゴは大声で言った。「みなさんの心は軽減に出会いました！」

パヴェルだけが怒った目をして動かないでいた。みんなが抱擁を終えて場所をあけると、オクサはできるだけ毅然《きぜん》とした態度で父親に向き合った。パヴェルはオクサに近づいて両肩《かた》をつかみ、じっとにらんだまま、激しく肩をゆすった。それでも力を抑《おさ》えているのだ。それから、怖《こわ》い顔をして人差し指を立てた。

「おい、オクサ・ポロック！」パヴェルは低く震《ふる》える声で吐《は》き出《だ》すように言った。「グラシューズであろうとなかろうと、こんなことは今後いっさい許さんぞ！」

それから、オクサをしっかりと抱きしめ、長い間そうしていた。オクサは顔を父親の首に押しつけて息を深く吸いこんだ。

「ちくちくするよ、パパ……」

「愛する娘のせいで、ゆうべは心配のあまり死にそうだったんだ。しいたげられた父親の心はずたずただよ……だから、白状するよ。バスルームに行くことをすっかり忘れていた」

「いいよ、許してあげるよ！」オクサは勢いよく言った。「でも、これからは忘れないように気をつけてね。いい？」

ようやくパヴェルはほほえんだ。〈逃げおおせた人〉はいつも、勇敢《ゆうかん》さを示すすべを知っている。それぞれのやり方でだが……。

「ところで、おまえたちはちょっとデートをしてきたわけじゃないんだろ？　どこにいたのか教えてくれるかい？　詮索《せんさく》しすぎかな？」

オクサとギュスは前もって打ち合わせていたように、〈サラマンダー〉の地理的位置についてはは何も明かさなかった。しかし、それ以外は全部話した。〈逃げおおせた人〉と〈締め出《だ》された人〉たちは、二人がもたらした驚くべき情報をずっしりと重く受けとめた。

「そりゃ、思ったよりひどいな……」まず、パヴェルが感想をもらした。「バーバラ、あなたの言うとおりだ。オシウスに一度も認められなかったものだから、オーソンは何としてでも権力者たちに一目置かれたいんだな」

「そして、そうなったら、権力者たちを足元にひれ伏せさせて、自分の考える完璧《かんぺき》な世界に人類を服従させようとするんでしょうね」バーバラがつけ加えた。

キッチンとサロンを分けているカウンターにひじをついたアバクムだけは何も言わない。テュグデュアルについての報告にショックを受けているのが、オクサには痛いほどわかった。〈逃げおおせた人〉たちのなかには、大切な友人ブルンとナフタリの孫息子にアバクムが愛情を注ぐのを理解できない人もいた。だが、アバクムはびくともしなかった。何があろうとも、テュグデュアルを守ろうとした。

みんながさかんに議論しているなか、オクサはアバクムに近づいた。あごひげをなでながら、ぼんやりと宙を見つめて物思いにふけっているようだ。

「おまえは大きくなったな……」

オクサははっとした。たしかに自分は大きくなったし、アバクムもひどく年老いた。こうしてあらためて向き合ってみると、アバクムを見る目が変わったような気がした。背中が丸まり、しわが増えているのに気づかずにはいられなかった。目の端《はし》にはしわが扇形《おうぎがた》に広がっている。オクサはひどく悲しくなった。

オクサはアバクムを観察するのをやめた。二人は愛する人たちの集まりをじっと見つめていた。

「〈暗示術〉を使ったのはよかったな」とつぜん、アバクムがするどい目つきをして言った。「最高の選択だよ」

アバクムは心からテュグデュアルを心配しているのだ。

「きっと、彼をオーソンの影響《えいきょう》下から救い出せるよ」

「わからない。オクサ、それはわからないな」

「どっちにしても、希望があるうちは、あたしはあきらめない」

「それがわれわれのモットーだった。おまえのおばあちゃんとわたしのな」

二人はみんなから離れているニアルとゾエのほうに視線を移した。両親がオーソンに監禁《かんきん》されていることを知っても、ニアルは気丈《きじょう》にふるまった。だが、ゾエと二人っきりになったいまは、感情をさらけ出している。床に座りこみ、顔を両手でおおい、苦しさを吐き出しているようだ。そばに座ったゾエがとほうに暮れている。

「おまえが助けてやらないと」アバクムがつぶやいた。

「なんて言ったの？」オクサは驚いてたずねた。

「おまえがゾエを助けてやらないと。おまえが必要なんだよ」

「あたしはゾエが好きだし、またいとこっていうだけじゃなくて、親友だよ。いろんなことをわかってくれるし……」

「うん、だけど、彼女がけっしてわからないこともある。だから、ゾエを助けてやってくれとたのんでいるんだ」

オクサはわけがわからなくて沈黙《ちんもく》した。

「好きな人に対してどうふるまえばいいのか、教えてやってほしいんだよ」とうとう、アバクムははっきりと告げた。「それをおまえが説明してやらないといけない」

オクサは大きく目を見開いてアバクムを見つめた。しかし、アバクムの視線はゾエとニアルに向けられたままだった。

「ゾエには人を恋する本能がないから、自然にそういう言動がとれないんだよ。わかるかい？だけど、人から愛されるということはとてつもないなぐさめになる。でも、まったく見返りなしにゾエを愛せる男の子なんていないだろう？」

オクサはその言葉にはっと息を飲んだ。

「ニアルの愛情を失うなんて、ゾエには残酷《ざんこく》だ。ニアルを愛せるようにゾエを助けてやるんだ、オクサ。教えてやってくれ。レミニサンスにはだれもそういうことをしてやれなかった」

アバクムは声を震わせた。

「わかった、アバクム。きっと、そうするよ」

二人の会話はアンドリューがテレビのボリュームを上げたことで中断された。

「恐ろしいことが起きた！」アンドリューはうろたえたように叫《さけ》んだ。

テレビには緊急《きんきゅう》ニュースを報じる画面が次々とあらわれた。


「この事件が起きてからまだ一時間もたっていません。アメリカ大統領がテロの犠牲《ぎせい》になりました。ただいま、ワシントンは大混乱に陥《おちい》っています。大統領が生きているかどうかは不明です……わたしのすぐ後ろに警察の規制テープや軍隊が見えると思いますが……ついさきほどわかったことによりますと、大統領の長女エリナーさんの失踪《しっそう》のあと、大統領一家に不幸な事件がおそいかかったようです……まもなくファーガス・アント副大統領の記者会見が始まりますので、もう少しくわしいことがわかるかもしれません。大統領は生存しているのか？　どういう状況でこの事件が発生したのか？　では、副大統領の会見をお伝えします……」

青白く、厳しい顔つきをした熟年の男が一人あらわれた。目の前の台に置かれたマイクを調整し、咳《せき》ばらいをしてから記者たちに深刻そうなまなざしを向けた。

「みなさん、残念ながら、悲惨《ひさん》な出来事をみなさんに報告しなければなりません。ホワイトハウス内で起きたテロによる負傷で、大統領は亡くなりました……」

「そんな、ばかな……」

オクサはうめき声をあげると、さっとテレビの前に駆け寄り、副大統領から少し下がったところにいる人たちをじっと観察した。しかし、ひかえめなスーツを身につけ、深刻そうな顔をしている政府関係者のなかに、オクサが探している顔はなかった。

「いまのところ犯行声明は出ておりませんが、捜査《そうさ》官たちはすでに現場に集まっています。この卑怯《ひきょう》でおぞましい行為《こうい》の犯人はかならず追及《ついきゅう》されるでしょう……」

アバクムが、傷ついて絶望したクマのようなうなり声をあげた。

沈痛《ちんつう》な雰囲気のなか、パヴェルはうんざりしたようにテレビを切った。石油プラットフォームでオクサとギュスが仕入れた情報のおかげで、何が起きたか、全員がわかっていた。

57 新たな段階へ

ファーガス・アントはドアを押して、ホワイトハウスにある楕円《だえん》形の大統領執務《しつむ》室に入った。部屋はパトカーの回転灯と軍隊の車両が投げかける青みがかった光に照らされているだけだ。それでも、大統領の椅子に男が一人座っていることはわかった。そのシルエットが逆光に浮かび上がっている。

「さて、あなたがアメリカの大統領になったわけだな?」

「ええ、そうなりました」ファーガス・アントは答えた。

男は椅子を回転させてアントの真正面を向いた。そして、客を招くように目の前の椅子に座るよう手で合図した。

「ああ、権力か……」男は革製のデスクマットを軽く指先でたたいた。

大統領になった副大統領はほほえみ、椅子にゆったりとかけ直した。

「だが、いま言っているのは別の形の権力のことだ」男は釘《くぎ》をさした。「権力のなかでも最も正当なものだ。あなたたちの大好きな憲法や民主主義的な飾《かざ》り物《もの》がないがしろにしている権力だ」

アント新大統領の表情がくもった。男の指先から炎《ほのお》が出てきて、金属のような冷たいグレーの瞳が熱っぽくぎらりと光るのがわかった。

「もちろん、わたしが言っているのは生来の権力だ。ごくまれな何人かの人間のひとつひとつの細《さい》胞《ぼう》、ひとつひとつの遺伝子に深くきざまれている権力のことだ」

「指導者様……」

オーソンは立ち上がって、ファーガス・アントの肩《かた》に手をかけた。

「それから、大統領閣下、あなたもよくわかっていると思うが、その権力を持っているのはあなたではない。わたしだ」

訳者あとがき

アメリカの副大統領を味方につけて、いよいよ世界制覇《せいは》に乗り出すオーソン。その目論見《もくろみ》は成功するのだろうか？　オクサたちはそれを阻《はば》むことができるのだろうか？『オクサ・ポロック』シリーズは、今回刊行された第五巻でいよいよ佳境《かきょう》に入った。活発でちょっとキレやすい中学生オクサが、地球上の見えない世界「エデフィア」の次期君主「グラシューズ」であることを知るところから始まったこのシリーズは、エデフィアを〈大カオス〉に導いた反逆者《フェロン》オシウスの息子オーソンと、〈大カオス〉のために〈外界〉（＝エデフィアの外のふつうの世界）に逃《のが》れてきた人とその子孫、〈逃げおおせた人〉たちの間のはてしない戦いの物語だ。

オーソンの陰謀《いんぼう》はとどまるところを知らない。最初オーソンは、オクサの通う中学校に数学教師として潜《もぐ》りこみ、エデフィアにもどるためにオクサをとらえようとする。彼の毒入り石鹸《せっけん》と骸骨《がいこつ》コウモリのためにオクサの母マリーと親友ギュスは死の危険にさらされ、双子《ふたご》の妹レミニサンスはオーソンに反発し〈絵画内幽閉《ゆうへい》〉された。エデフィアにもどってからも、それまでこの国ではご法度《はっと》だった人殺しを反逆者《フェロン》たちにさせるように仕向け、再び策略《さくりゃく》をめぐらせて〈外界〉に出る。

しかし、オクサの側も負けてはいない。オーソンが仲間を力で服従させるのに対し、〈逃げおおせた人〉たちは団結力を最大の武器とする。オクサはエデフィアの〈ケープの間〉にある「世界の中心」を癒《いや》して見事にエデフィアと〈外界〉の二つの世界を救い、国民の大多数を味方につけて、エデフィアを反逆者《フェロン》から奪還《だっかん》する。

第五巻では、実の息子テュグデュアルを連れてまんまと〈外界〉にもどったオーソンが、エデフィアから持ち出した巨大な富によって世界中の農産物や石油を買い占《かし》め、半透明《とうめい》族を再生して世界を大混乱に陥《おとしい》れる。この巻では、再び舞台を〈外界〉に移し、オーソンはマニアックともいえる作戦を次々と展開、オクサたちはつねに後手後手《ごてごて》に回ってしまう。オーソンの残虐《ざんぎゃく》さは、父親オシウスを殺してしまってから、たがが外れたようにエスカレートしていく。オシウスは、オーソンを最強の人間にするためにわざと邪険《じゃけん》にしたこと、〈外界〉にとどまって君主になってほしかったことを息を引き取るまぎわに告白する。それも父としてのひとつの愛情の形だったのか……。オーソンは父親の死を嘆《なげ》いたのだろうか？　もし、オシウスがオーソンにまっすぐな愛情を注いでいたら、この物語はずいぶんとちがったものになっただろう。

ところで、オーソンの息子と判明したテュグデュアルは、まるで洗脳されたようにオーソンのあやつり人形となる。オクサのショックは大きく、テュグデュアルのことがなかなか忘れられない。心身ともに成長したギュスの深い愛情に接して、ミステリアスな年上の少年に対する少女のあこがれからオクサが少しずつ脱皮《だっぴ》していく姿は、読んでいてほほえましい。その一方で、テュグデュアルをオーソンの影響下から救い出したいという、オクサの願いは実現するのか？　それも第六巻でのサブテーマとなっているので、乞《こ》うご期待！

児玉しおり

二〇一四年九月、パリ郊外にて

『オクサ・ポロック⑥　最後の星（仮題）』あらすじ

〈逃げおおせた人〉たちをとりまく状況《じょうきょう》は加速する。彼らの忌《い》まわしい敵、オーソンはいまや権力の頂点にいた。世界中の富のほとんどを手に入れ、アメリカ大統領になるための準備を着々と進めていたのだ。

彼の動向をつねに監視《かんし》してきた〈逃げおおせた人〉たちは、やがてオーソンの真の目的を知る。二つの世界の人々を選別し、生きる価値があると彼が判断した人間だけが生き残ることができる、エリート社会を作り上げようとしていたのだ。オーソンの計画を止めることができるのは、〈逃げおおせた人〉たちしかいない。

そのころ、エデフィアにも危険が迫《せま》っていた。オーソンは、エデフィアを守る星の破壊《はかい》もたくらんでいた。そんなことになれば、〈内の人〉にとってもオクサにとっても致命《ちめい》的だ。

デトロイトからホワイトハウスへ、さらにはブラジルから日本へと、〈逃げおおせた人〉たちは、これまでで最も危険な最後の使命に身を投じる……。

とほうもない危険に立ち向かうオクサと仲間たちの運命は？　待望のシリーズ最終巻！

「オクサ・ポロック」シリーズ　全6巻

1　希望の星
2　迷い人の森
3　二つの世界の中心
4　呪《のろ》われた絆《きずな》
5　反逆者《フェロン》の君臨
6　最後の星（仮題）　2015年夏刊行予定

アンヌとサンドリーヌより

感謝の願い

作者の二人組は、以下の多数の対象者に
感謝をあたえる表現をいたします。

XO 出版社のオフィスのある、〈モンパルナス宮〉48 階の住人に。
みなさんの労苦は、わたしたちの忠誠の受理に出会うでしょう。

緯度《いど》、経度、気温、標高、年齢《ねんれい》、血液型、知能指数、
体重、身長、骨密度、赤血球数、白血球数、
血糖値、コレステロール値……etc. にかかわらず、
いたるところにいるオクサ・マニアのみなさん。

「オクサ・ポロック」シリーズが世界中で存在を知らしめ、
開花するために、協力と熱狂《ねっきょう》の贈与《ぞうよ》をされたすべての人たち。

ビジュアルとサウンドへの変換に貢献した、ローラ・クサジャジ、
ノリエル、エリック・コルベイラン、ルネ・マンゾール、
ロイック・ラトシェック、スカーレット・ソーホーに。
この人たちは確信の詰まった心と、
才能に満ちたエスプリを所有しています。

言葉や笑いや打ち明け話や共犯関係でいっぱいの脱線によって、
日常を明るくすることを行うみなさんに。
それがなければ、わたしたちの心と頭脳は、
退屈《たいくつ》な空虚《くうきょ》に出会ったことでしょう。

★
★ ★

このあいさつ文はフォルダン語《ゴ》
（フォルダンゴとフォルダンゴットの独特な言葉）
で書かれています。

アンヌ・プリショタ　Anne Plichota
フランス、ディジョン生まれ。中国語・中国文明を専攻したのち、中国と韓国に数年間滞在する。中国語教師、介護士、代筆家、図書館司書などをへて、現在は執筆業に専念。英米文学と18～19世紀のゴシック小説の愛好家。一人娘とともにストラスブール在住。

サンドリーヌ・ヴォルフ　Cendrine Wolf
フランス、コルマール生まれ。スポーツを専攻し、社会的に恵まれない地域で福祉文化分野の仕事に就く。体育教師をへて、図書館司書に。独学でイラストを学び、児童書のさし絵も手がける。ファンタジー小説の愛好家。ストラスブール在住。

児玉しおり（こだま・しおり）
1959年広島県生まれ。神戸市外国語大学英米学科卒業。1989年渡仏し、パリ第3大学現代フランス文学修士課程修了。フリーライター・翻訳家。おもな訳書に『おおかみのおいしゃさん』（岩波書店）、『ぼくはここで、大きくなった』（小社刊）ほか。パリ郊外在住。

オクサ・ポロック5　反逆者の君臨
2014年12月5日　初版第1刷発行

著者＊アンヌ・プリショタ／サンドリーヌ・ヴォルフ
訳者＊児玉しおり
発行者＊西村正徳
発行所＊西村書店 東京出版編集部
〒102-0071 東京都千代田区富士見2-4-6
TEL 03-3239-7671　FAX 03-3239-7622
www.nishimurashoten.co.jp
装画＊ローラ・クサジャジ
印刷・製本＊中央精版印刷株式会社
ISBN978-4-89013-707-7　C0097　NDC953

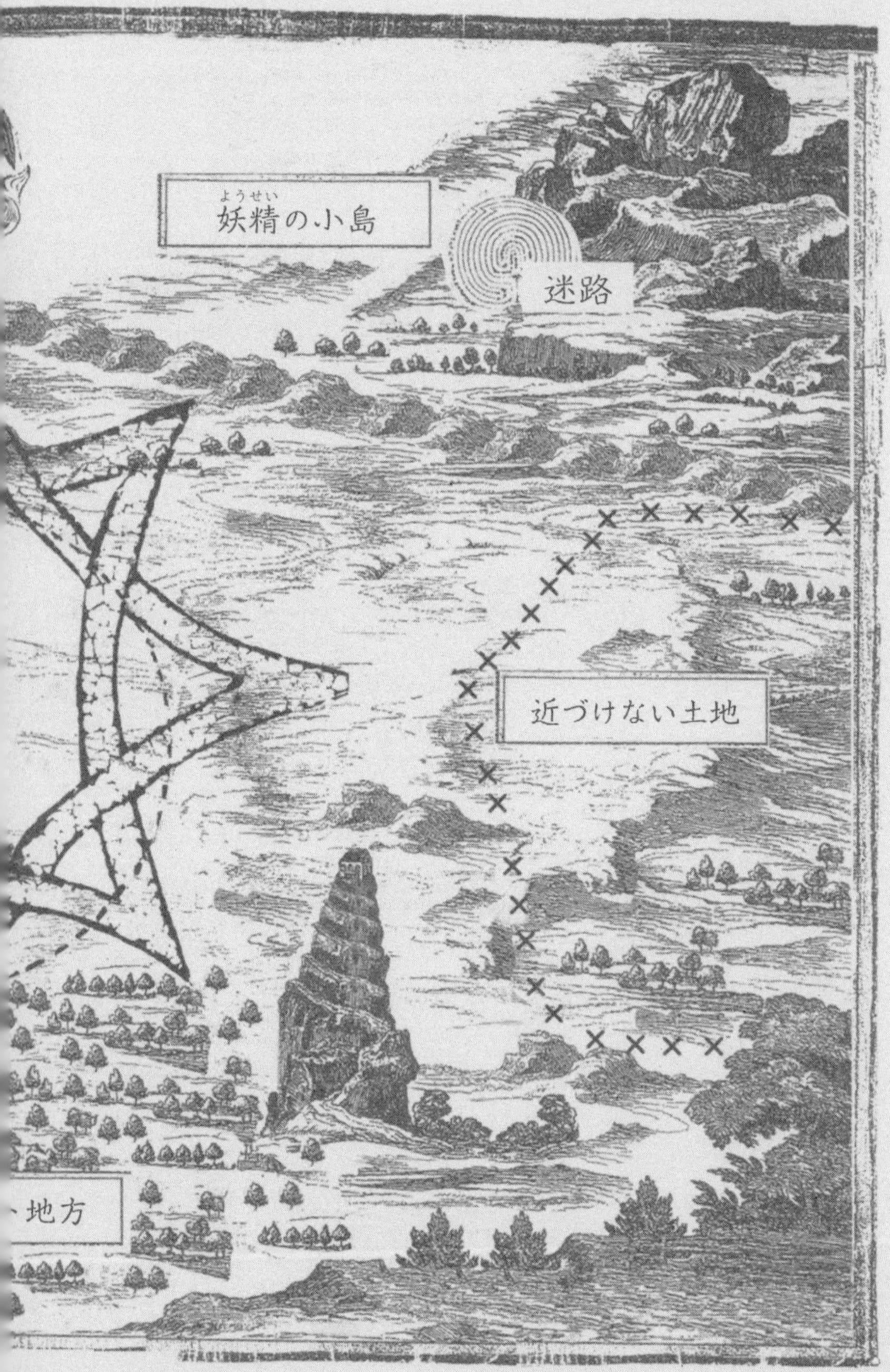
妖精《ようせい》の小島
迷路
近づけない土地
地方